£S
TRAN·
17/35

DIGON I'R DIWRNOD

DIGON I'R DIWRNOD

CYFROL O FYFYRDODAU DYDDIOL

ROBIN WILLIAMS

CYMDEITHAS LYFRAU CEREDIGION GYF

Argraffiad cyntaf: Tachwedd 2000

ISBN 1-902416-39-2

Dymuna'r cyhoeddwyr gydnabod cymorth adrannau
Cyngor Llyfrau Cymru.

Cysodwyd ac argraffwyd gan
Creative Print and Design Cymru, Glynebwy NP23 5XW.

Cyhoeddwyd gan Gymdeithas Lyfrau Ceredigion Gyf.,
Ystafell B5, Y Coleg Diwinyddol Unedig, Stryd y Brenin,
Aberystwyth, Ceredigion SY23 2LT.

Peidiwch felly
â phryderu am yfory,
oherwydd bydd gan yfory
ei bryder ei hun.
Digon i'r diwrnod
ei drafferth ei hun.

(Mathew 6:34)

NODIAD

YSGRIFENNAIS Y GYFROL hon ar gais caredig Cymdeithas Lyfrau Ceredigion am fath o fyfyrdod ar gyfer pob dydd o'r flwyddyn. Nid oes rhediad fel y cyfryw yn y gwaith, namyn haid o feddyliau yn glanio braidd yn ddireol ar y naill ddiwrnod ar ôl y llall; rhyw ddod ar adain fel adar o'r perthi cyfagos, gydag ambell un tramor ei blu'n clwydo ar ei dro.

Yn ôl y gofyn, dyfynnais o'r Beibl ar gychwyn pob un o'r pytiau; weithiau'n adnod gyfan, bryd arall ond yn gymal cwta. Ar brydiau, mae'r dyfyniad mor gynnil fel nad yw, ar yr wyneb, yn prin gyffwrdd ei neges. Dylai hynny estyn cyfle i ddarllenwyr chwilota ymhellach i'r bennod.

Ar wahân i'm hoffter o'r llyfr emynau (gyda 'Phantycelyn' yn brif garn), defnyddiais y ddau Feibl yn ôl fy ffansi. Pan geid goleuni newydd ar bethau, y cyfieithiad diweddaraf amdani; bryd arall, glynais wrth hen Feibl fy mebyd er mwyn ymddigrifo yn arddull y ddau William – Salesbury a Morgan.

Wrth werthfawrogi'n frwd y cymorth a gaed gan Gyngor Llyfrau Cymru, wele ddymuno llawer bendith ar hynt eich blwyddyn chwithau.

ROBIN WILLIAMS

Rhos-lan, OC 2000

IONAWR *1*

Arglwydd, gad ef y flwyddyn hon hefyd...
(LUC 13:8)

BLWYDDYN NEWYDD DDA I CHI!

Ceir arferion tra hynod o gwmpas y Calan. Yn sir Benfro, yr arfer wedi hela'r dryw fyddai cawellu'r aderyn mewn blwch bychan ar ffurf tŷ. Yn ôl yn niwloedd hanes, wrth ddedfrydu'r euog am drosedd, mynnai'r derwyddon mai'r dryw oedd wedi datgelu ffeithiau am y troseddwr. Am hynny, credid mai bradwr oedd y dryw, ac wedi'i hela, câi ei arddangos o ddrws i ddrws wrth gasglu calennig.

Daw'r gair 'calan' o'r Lladin 'calendae', sy'n golygu dydd cyntaf unrhyw fis o'r flwyddyn: calan gaeaf, calan Mawrth, calan Mai ... Erbyn heddiw, daeth y Calan i olygu dydd cynta'r Flwyddyn Newydd. Mewn rhannau o Forgannwg a Gwent, â'r plant o gwmpas gyda'r 'Fari Lwyd', dan gludo penglog ceffyl, ac aros y tu allan i'r cartrefi am groeso. Cenir cadwyn faith o benillion yn erfyn am dderbyniad i'r aelwyd, cyn ffarwelio â'r pill:

> 'Dymunwn ich lawenydd
> I gynnal Blwyddyn Newydd;
> Tra paro'r gŵr i dincian cloch,
> Gwell-well y boch chwi beunydd.'

Wele gyngor y Ficer Prichard, gryn bedair canrif yn ôl:

> 'Rhag na chaffech ond eleni,
> Treulia hon yn ddeddfol trwyddi;
> Pwy fydd yma'r flwyddyn nesaf,
> Nis gŵyr neb ond Duw goruchaf.'

Peidiwch felly â phryderu am yfory,
oherwydd bydd gan yfory ei bryder ei hun.
Digon i'r diwrnod ei drafferth ei hun.
(MATHEW 6:34)

WRTH DDYMUNO Blwyddyn Newydd Dda i'n gilydd, erys y ffaith nad fesul blwyddyn yr ydym yn byw ond fesul diwrnod. 'Un cam sy' ddigon im', meddai John Morris-Jones wrth gyfieithu Newman – *one step enough for me.*

Gellir cyrraedd copa'r Wyddfa o Ben-y-pas a thros y Grib Goch. Gellir tynnu hefyd o Ryd-ddu tua'r Cyfrwy. Y ffordd harddaf yw honno trwy rododendron Nant Gwynant nes cyrraedd Llwybr Watkin. Y daith fwyaf esmwyth (a'r hwyaf) yw'r un o Lanberis dan gadw gyda rheiliau'r trên bach.

Un Sadwrn o haf, roeddwn yn sefyll ar ben carnedd uchaf un yr Wyddfa yn gwylio'r bobl yn mynd a dod wrth y degau. Yn sydyn, trawodd fy llygaid ar hen gyfaill imi'n ymsymud trwy'r mwstwr dringwyr. Am na welais o ba lwybr y cyrhaeddodd, dyma daflu cwestiwn i lawr ato: 'Sut doist ti?' Crafangodd dros y meini tuag ataf, ac meddai, 'Fesul cam, fachgan!'

Digon gwir! Ni allasai ddringo'r un llwybr tua'r copa ond fesul cam. Felly'n union y bydd hi ar lwybrau'r Flwyddyn Newydd hon.

Digon i'r diwrnod...

*Byddaf yn glawio arnoch fara o'r nefoedd, a bydd y bobl
yn mynd allan a chasglu bob dydd ddogn diwrnod...*
(EXODUS 16:4)

TASG I CHI HEDDIW! – sef dod o hyd i frawddeg sydd wedi
glynu yn fy nghof ers amser hir bellach.

Er imi chwilio amdani ddengwaith trwy'r Beibl, rwyf
wedi methu'n deg â'i gweld yr eildro. Ond deil ei
doethineb i siarad: 'Na ddyro imi ry o ddim.'

Nid rhy felys, nid rhy chwerw; nid rhy fach, nid rhy
fawr; nid rhy drwm, nid rhy ysgafn...

Gall gormodedd o unrhyw beth fod yn dramgwydd:
rhy gyfoethog – rhy dlawd; rhy gryf – rhy wan; rhy
enwog – rhy ddi-nod. At ei gilydd, mae cymedroldeb
mewn pethau yn llawer dewisach.

'Na ddyro imi ry o ddim.' Ond tybed pwy oedd y
doethyn a'i llefarodd?

Yna'n annisgwyl iawn, cyn cau'r pyrth ar y llawysgrif
hon ar ei thaith i'w hargraffu, wele Wasg Carreg Gwalch
yn anfon ataf waith adolygu ar rif 45 o'r gyfres *Llyfrau
Llafar Gwlad*, sef *Doeth A Wrendy...* Detholiad o
ddiarhebion gan Iwan Edgar ydyw, sy'n cynnwys 1,500 o
ddoethinebau'r hen oesoedd. Gyferbyn â rhif 1,096, dyma
ddarllen yr hen ddihareb 'Nid da rhy o ddim'. Ac felly y
daeth fy chwilota i ben, gyda mawr ddiolch.

IONAWR 4

O Arglwydd, at bwy yr awn ni?
Gennyt ti y mae geiriau bywyd tragwyddol.
(IOAN 6:68)

AR LWYFANNAU CYMRU, mae'n debyg fod Charles Williams ymysg y doniolaf o ddigrifwyr ei gyfnod. Serch hynny, roedd ynddo haen ddofn o ddwyster, gyda pharch gwaelodol at bethau'r capel. Clywais ef yn dweud fwy nag unwaith fod arno awydd troi i gyfeiriad y Weinidogaeth.

Fodd bynnag, o fod yn was ffarm ar Ynys Môn (gan actio mewn dramâu lleol) bu cryn alw amdano i gymryd rhan yn rhaglenni'r BBC. Cyn pen ychydig, daeth y Charles ffraeth hwnnw yn ddewis arweinydd y *Noson Lawen* enwog o Neuadd y Penrhyn, Bangor, a chydag amser, cefnodd ar waith y ffarm, gan ymroi'n gyfan gwbl i actio ym myd radio a theledu. A'r gwir yw iddo ddod yn seren eithriadol o lachar yn yr wybren honno.

Un dydd, trawodd ar ddau weinidog oedd yn hen gyfeillion iddo, ac aeth y rheini ati i dynnu'i goes gan awgrymu mai pur denau fyddai ei gyflog ef fel gweinidog o'i gymharu â'r elw a ddôi iddo o fyd y cyfryngau porthiannus.

'Ia,' meddai Charles yn fyfyrgar, gan gydnabod y pwynt. 'Ond drychwch, y MISTAR sy gynnoch chi, hogia!'

IONAWR 5

*Felly achubodd yr Arglwydd Israel o
law'r Eifftiaid y diwrnod hwnnw...*
(EXODUS 14:30)

AR ÔL CYFNOD gorthrymus yn yr Aifft o dan balfau
Pharo, o'r diwedd gollyngwyd yr Israeliaid i'w ffordd
adre tua gwlad Canaan. Ond ychydig ar ôl eu rhyddhau,
newidiodd Pharo ei feddwl a phenderfynodd ymlid y
genedl unwaith yn rhagor. O'u hôl, fel yr oedd gweryriad
y meirch yn boeth ar eu gwegil, cafodd y ffoaduriaid eu
hatal o'u blaen yn ogystal gan y Môr Coch. Beth am droi
i'r chwith? Pihahiroth! Tua'r dde, ynteu? Baalseffon! Dau
le na fentrai'r un estron ar eu cyfyl – a dyna hi wedi cloi ar
y fintai o bedwar cyfeiriad.

Wrth fyfyrio ar gyfyng gyngor yr Hen Genedl fe
ganodd Pantycelyn emyn y bu llawer o ddyfynnu arno
yng nghapeli'r Cymry:

> Rhwng Pihahiroth a Baalseffon
> Tra bwyf byw mi gofia'r lle,
> Mewn cyfyngder eithaf caled
> Gwaeddodd f'enaid tua'r ne.

Pharo o'r tu ôl, y Môr Coch o'r tu blaen, Pihahiroth i'r
chwith a Baalseffon ar y dde. Nid oedd ond un ffordd
ymwared i'w chael wedyn – at-i-fyny, '*tua'r ne*'!

> Yn ddioed, dyma'n dod
> Waredigaeth fwya erioed.

IONAWR 6

Yr hwn sydd yn trigo yn nirgelwch y Goruchaf,
a erys yng nghysgod yr Hollalluog.
(SALM 91:1)

MEWN CWRDD GWEDDI dechrau blwyddyn, galwyd ar Siôn Ifan i gymryd rhan. Cerddodd yn wylaidd at y sêt fawr lle'r eisteddai'r blaenoriaid, a phlygodd ar ei lin rhwng dau o'i gyfeillion cyn bwrw ati i weddïo 'o'r frest', fel yr arferid dweud.

Ar ôl diolch am y bendithion a gawsai ef a'i deulu, aeth Siôn ati wedyn i atgoffa'r Arglwydd am drallod neu ddau a ddaethai i'w ran, ac meddai yn ei blyg, 'Fe welson ni amser, Ein Tad, y bu hi'n ddigon rhyw gyfyng arnon ni. Yng nghwrs y flwyddyn fe fuon ni rhwng Pihahiroth a ... rhwng Pihahiroth a...' Ni allai yn ei fyw gofio'r enw 'Baalseffon' lle cornelwyd yr Israeliaid gynt, ond rhoddodd un cynnig hyderus arall ar bethau: 'Mi fuon ni'n sefyll sawl tro, Arglwydd, rhwng Pihahiroth a...' Yn sydyn, dyma Siôn yn rhoi pwniad i'r blaenor agosaf ato a gofyn yn hyglyw dros y capel: 'Be oedd enw'r hen le *arall* hwnnw, dwêd?'

Ni synnwn na bu i'r Arglwydd chwerthin yr un mor hyglyw y noson honno. A bendithio gweddi garpiog Siôn Ifan yr un pryd.

Efe a eilw arnaf, a mi a'i gwrandawaf...
(SALM 91:15)

MAE'R ATGOFION o gyrddau gweddi Moreia, Llanystumdwy, yn dal ym mhlygion y cof, a choethder yr ymadroddi yn rhyfeddod o beth:

'... diolch ein bod ni mewn bro heddychlon, heb na rhuthro i mewn na myned allan, na gwaedd yn ein heolydd.' (Sylwer ar y cyffyrddiad Beiblaidd, Salm 144:14)

'... mae'n llinynnau ni wedi syrthio mewn lleoedd hyfryd.' (Salm 16:6)

'Cofia'r rhai sydd ar eu gwelyau cystudd. Gwna Di yn well ar eu rhan nag y gallwn ni ei ofyn. Bydd yn gysegr bychan iddynt yn y mannau lle maent.' (Eseciel 11:16)

Adeg yr Ail Ryfel Byd, byddai Charles Gruffydd yn arfer egluro wrth yr Arglwydd sut roedd pethau'n mynd ar lawr daear: 'Mae hi wedi mynd yn fyd rhyfedd, wyddost Ti. Maen nhw wrthi heddiw yn sincio llongau – a 'dŵyr neb ar bwy mae'r bai.'

Cofiaf yr amaethwr diwylliedig hwnnw, Defi Lloyd yr Hengaer, yn agor seiat yng Nglanrafon: 'Diolch am gael dod i'th gafell sanctaidd ar fin nos o wanwyn fel hyn, a chael syllu i'r dwfn glas...'

Yna'r hen santes honno yn y Penrhyn yn cyfeirio at aelwyd lle'r oedd profedigaeth ar y rhiniog: 'Cofia'r teulu bach, Arglwydd, a hithau'n flin arnyn nhw'n rhwyfo...' (Marc 6:48)

'Wrth esgyn atat Ti,' meddai un arall, 'diolch am gyfle i glymu'r anifail wrth droed y mynydd.'

Yr oedd yn sefyll rhwng y myrtwydd yn y pant...
(SECHAREIA 1:8)

SBEL YN ôl, cefais y llyfr rhyfeddaf yn anrheg. Ei enw yw *Tulipomania*, sy'n disgrifio'r dwymyn a ysodd farsiandwyr yr Iseldiroedd yn yr ail ganrif ar bymtheg. Yn 1637, talodd François Koster 6,650 *guilder* am becyn bychan o fylbiau tiwlip. (I roi syniad am y pris, gallai teulu cyfan fyw am flwyddyn ar 300 *guilder*.)

Daethpwyd o hyd i'r tiwlip tua chyrion gwlad y Beibl yn ardaloedd Twrci a'r Môr Du. Am ei fod yn flodyn dieithr, a llwyr brin, bu'n achos bargeinio cwbl anhygoel ymysg masnachwyr Ewrop. O dipyn i beth aed i feithrin y blodyn, gyda garddwyr yn arbrofi er mwyn cael ffurf a lliwiau gwahanol iddo. Yng ngafael y 'tulipomania', enillodd rhai ffortiwn fawr, a chollodd eraill bopeth.

Bu Ann Griffiths, hithau, ar grwydr trwy wlad y Beibl. Daeth o hyd i'w Blodyn dethol hi yn yr Efengylau; fe'i gwelodd yn 'sefyll rhwng y myrtwydd', a chafodd enw iddo yng Nghaniad Solomon (pennod 2):

> Rhosyn Saron yw ei enw,
>   Gwyn a gwridog, teg o bryd...

Canfu'r ferch o Ddolwar Fach mai cwbl ddibwrpas fyddai arbrofi ar y Rhosyn hwn, am na ellid gwella arno. Ni ellid ychwaith fargeinio yn ei gylch, am ei fod uwchlaw pob pris daearol:

> Ar ddeng mil y mae'n rhagori
>   O wrthrychau penna'r byd...

Doedd dim amdani wedyn ond aros yn ei gwmni ddyddiau'i hoes.

... yn gwneuthur y cymylau yn gerbyd iddo;
ac yn rhodio ar adenydd y gwynt.
(SALM 104:3)

LLWYDDO I GYRRAEDD adre cyn gwaetha'r storm.
Dadlwytho pecynnau'r neges – ymborth, canhwyllau a
thanciaid o baraffîn. Cyn iddi nosi, mynd â Daniel y
sbaniel allan; sylwi arno'n codi'i goes dan bicellu twll
main, poeth i'r eira a gadael ymyl felen yn gylch ar
wyndra'r cnwd cyn i'r plu gwynion orchuddio popeth.

Wrth lwytho'r tân a llenwi'r lampau, clywed ar y radio
fod pob un ffordd dros Gymru gyfan wedi'i chau gan y
lluwchfeydd. Nos Sadwrn, 9 Ionawr 1982, oedd hi; cefn
gwlad Rhos-lan yn llonydd a distaw o dan y cwrlid gwyn,
a ninnau'n darllen wrth olau cannwyll o flaen tân coed
siriol. Yn sydyn, dyma ddadwrdd o gleciadau nerthol yng
nghyfeiriad y to. Brysio allan i'r cefn, a gweld hofrennydd
enfawr ychydig lathenni uwch ein pennau, gyda lamp
frawychus o nerthol yn pelydru i lawr arnom. Gan bwyll,
dyma'r peiriant swnllyd yn glanio ar y cae dan chwipio'r
eira'n gawodydd pluog i awyr y nos.

Deall ar ôl hynny mai ateb galwad frys a wnaeth y criw
i gyrchu gwraig ddifrifol wael yng ngwaelodion
Meirionnydd. Roedd angen nyrs ar y daith, a hithau'n
byw led cae oddi wrthym ni. Cyn pen dim, ailesgynnodd
yr hofrennydd gan ddiflannu i'r tywyllwch ar ei thaith
drugarog trwy lwybrau oerion yr awyr – a hynny am fod
holl ffyrdd y ddaear isod wedi'u cloi. Ceisio gwaredigaeth
debyg a wna emyn Lewis Edwards:

> Pan ddiffoddo lampau'r ddaear,
> Dyro lewyrch oddi fry.

IONAWR *10*

Llawer a ddichon taer weddi'r cyfiawn.
(IAGO 5:16)

Pan ddaw cysgodau'r nos i guddio'r wlad,
Dy fantell taena drosom, dirion Dad;
Mae diwrnod arall wedi'n blino'n llwyr —
Rho inni orffwys tawel gyda'r hwyr.

Bydd rhai o'n plith mewn gwewyr ar y daith,
Yn gweld y siwrnai'r hir, a'r nos yn faith;
Pan fyddo'r enaid unig dan ei bla,
Bydd yno yn gwmpeini, Arglwydd da.

Mae'n gweddi dros y truan yn ei gell,
A'r aelwyd lom sy'n cofio amser gwell;
Ac am y dryswch creulon ddaeth i'w rhan —
O! datrys Di'r cylymau yn y man.

Ac wrth in alw arnat Ti yn awr
Yn gymysg o helyntion, bach a mawr,
Gad inni bwyso ar dy hedd yn llwyr
A gorffwys mewn tangnefedd gyda'r hwyr.

...canaf i'm Duw tra fyddwyf.
(SALM 146:2)

FEL YR Â'R FLWYDDYN RHAGDDI, mi wn na allaf beidio â dyfynnu o weithiau Williams Pantycelyn, a fu farw yn 74 oed ar y dyddiad hwn yn 1791.

Ei fwriad cynnar oedd bod yn feddyg, ond cefnodd ar hynny pan glywodd Howel Harris yn pregethu ym mynwent Talgarth, ac i'r profiad hwnnw'i gyfeirio tua'r offeiriadaeth. Yn y man, cefnodd ar hynny'n ogystal, gan ymfwrw i waith pregethu a seiadu yn achos y Diwygiad Methodistaidd.

Gyda'r gofyn yn ddwys am fynegi'r gorfoledd newydd mewn cân, ymatebodd Williams i'r galw trwy nyddu emynau wrth y cannoedd, ac oherwydd ei ddawn anghymharol, daeth Cymru i'w arddel fel y 'Pêr Ganiedydd'. Ond dylid cofio bod ei ryddiaith yn cyfateb i'w farddoniaeth mewn swm ac mewn graen. Ar ei garreg fedd yn Llanfair-ar-y-bryn, ceir pennill olaf ei gerdd hirfaith am 'Theomemphus':

Heb saeth, heb fraw, heb ofn, heb ofid ac heb boen
Yn canu o flaen yr orsedd ogoniant pur yr Oen;
Yng nghanol myrdd myrddiynau yn caru oll heb drai,
Yr anthem ydyw cariad, a chariad i barhau.

IONAWR *12*

Byddwch lawen gyda'r rhai sydd lawen,
ac wylwch gyda'r rhai sydd yn wylo.
(RHUFEINIAID 12:15)

'DERBYN DREIGLAD y blynyddoedd yn llawen, gan roi heibio bethau plentynnaidd. Wrth geisio cryfhau dy ysbryd mewn profedigaeth, paid â gorboeni am bethau sydd yn y dychymyg yn unig; mae llawer o ofnau'n codi o flinder ac o unigrwydd.

'Ar wahân i ddisgyblaeth iach, bydd yn dyner â thi dy hunan. Plentyn y cread wyt tithau, nid llai na'r coed a'r sêr, a chyda'r un hawl i fod yma; prun a yw hynny'n eglur ai peidio, mae'n ddiamau fod y cread yn datblygu'n union fel y dylai.

'Felly, beth bynnag yw'r syniad sydd gennyt amdano, aros mewn tangnefedd gyda Duw. Ni waeth beth a fyddo'th ymdrechion a'th obeithion yng nghymhlethdod tyrfus y byd, bydd mewn heddwch â'th enaid di dy hunan; serch ei ffug a'i boendod a'i freuddwydion coll, mae'n dal i fod yn fyd prydferth. Cymer ofal, a gwna bob ymdrech i fod yn ddedwydd.'

(Darn o ddoethineb a gefais ar stryd Cricieth gan Ieuan Siop Newydd: lled-gyfieithiad o'r 'Desiderata' a ganfuwyd yn hen eglwys Sant Paul, Baltimore, yn 1692.)

Canys daeth Mab y dyn i gadw'r hyn a gollasid.
(MATHEW 18:11)

GALL GOROFAL am burdeb defodol syrthio'n hawdd i hafflau rhagrith. Ceir ias o hynny yn sylw'r Phariseaid am ymddygiad y saer o Nasareth: 'Y mae hwn yn croesawu pechaduriaid ac yn cydfwyta â hwy.' Fel ateb i hynny, llefarodd Iesu glwm o dair dameg – un am ddafad, un am ddarn arian, ac un am fab afradlon. Yr hyn sy'n gyffredin yn y clwm yw i'r tri fynd ar goll (Luc 15).

Y gwahaniaeth gwaelodol yn y tair dameg yw bod y mab yn ddigon mawr i *wybod* ei fod ar goll; ni ellir dweud hynny am na'r ddafad na'r darn arian. Roedd y mab hefyd yn ddigon mawr i *bechu*; cwbl ddiystyr fyddai mynnu bod anifail na dernyn o bres yn abl i bechu.

Erbyn y diwedd, bu'n rhaid i'r bugail fynd i'r anial i gyrchu'r ddafad; bu'n rhaid i'r wraig chwilota'r aelwyd am y darn arian. Ond am yr afradlon, roedd hwnnw'n ddigon mawr i *ddod adre'n ôl*: 'Fe godaf, ac af at fy nhad...'

Yng nghwrs yr holl golli uchod, gall sylw J.W. Jones[†] godi'r ysbryd yn rhyfeddol: 'Does yna ddim byd ar goll nad ydi o ar gael yn rhywle. Chi sy'n methu â'i ffeindio fo!'

---

† Am y byddaf yn cyfeirio'n fynych at y Parch. J.W. Jones, cystal egluro iddo weinidogaethu yn Llansannan, Cricieth a Chonwy. Daeth o Ryfel Mawr 1914-18 yn heddychwr brwd, ac yn bregethwr gyda'r gwreiddiola'n fyw.

IONAWR *14*

... fel pan fyddai Pedr yn mynd heibio y câi ei gysgod
o leiaf ddisgyn ar ambell un ohonynt.
(ACTAU 5:15)

MAE HUDOLIAETH dra hynod o gwmpas crair am ei fod wedi goroesi'r blynyddoedd, ac yn atgof gweledig o rywbeth a fu; gall weithiau ddwyn atgof am fan a lle yn ogystal. Wn i ddim a yw'r telpyn lafa sydd gennyf yn grair ai peidio, ond bydd yn f'atgoffa i mi ei godi ar grib Vesuvius.

Pan oedd Johann Tetzel yn gwerthu maddeuebau, a'r Babaeth yn pesgi ar hynny, cythruddwyd Martin Luther gymaint yn 1517, nes iddo hoelio'i brotest mewn 95 pwynt ar ddrws eglwys Wittenberg. Un o geryddon Luther oedd bod gwerin dlawd yn cael ei thwyllo gan gelwydd am greiriau. Honnai Tetzel fod ganddo gadachau'r Baban Iesu, darn o'i grud, gwelltyn o'r preseb, ac un o hoelion y Groes.

Cynnwrf difyrrach i mi fu oedi yn y Palazzo Tursi yn Genoa gyda swyddog y lle'n gadael imi gydio yn feiolin Nicolo Paganini, a fu farw yn 1840.

Cenedlaetholwr o wlad Pwyl oedd Jan Paderewski, a phianydd (a gymherid â Rubenstein a Liszt) a fu'n cyfareddu llwyfannau Ewrop. Yn 1919, etholwyd ef yn Brif Weinidog gwlad Pwyl, a bu'n aros yn Downing Street gyda Lloyd George. Yn amgueddfa'r hen wron hwnnw yn Llanystumdwy, gwelir piano ddu odidog, a'r cyffro o'i chwmpas hi yw bod Paderewski, o bawb, wedi canu'r biano honno yn Llundain.

I gyfeiriad cyfrin o fath felly yr aeth y wraig glaf honno pan fynnodd y byddai prin gyffwrdd â gwisg yr Iesu yn adferiad iddi (Mathew 9:20).

A hwy a glywsant lais yr Arglwydd Dduw yn rhodio yn
yr ardd, gydag awel y dydd...
(GENESIS 3:8)

UN PNAWN HEULOG yng nghanol dyddiau byr Ionawr, aeth
teulu o bedwar ar sgawt nes cyrraedd traeth unig Ynys-las
yng Ngheredigion. Roedd hi'n baradwysaidd o dawel yno.
Ac fel y mae'n arfer gan deulu mewn lle felly, bwriodd y tad
a'r fam i ddifyr chwarae â'r plant ar y tywod gwyryfol, gyda
phawb yn rhedeg yn ddiofal ar hyd y lle.

Yna'n sydyn, torrwyd ar yr heddwch gan lais uchel yn
bwrw rhybudd i'w cyfeiriad: 'THIS IS AN EMERGENCY! YOU
MUST WALK IN THE OPPOSITE DIRECTION!'

Cyn pen dim, cyrhaeddodd cerbyd melyn ac arno'r
llythrennau breision COASTGUARD. Eglurodd y gyrrwr yn
fonheddig fod bom wedi'i chanfod yn nwfn y tywod fan
draw, ac y byddai'r arbenigwyr yn tanio'r ffrwydryn
peryglus hwnnw cyn pen dau neu dri munud. Gyrrwyd y
teulu ar frys mawr i lochesu yn y twyni, a'u gorchymyn i
gyrcydu'n isel.

Ymhen ychydig, dyma glec anferthol nes bod llen o
dywod yn saethu'n gwmwl i'r awyr. Er bod pellter eithaf
sylweddol rhyngddyn nhw a'r bom, pan gafodd honno'i
ffrwydro teimlodd pob aelod o'r teulu bach hergwd bendant
o wynt yn taro'r glust, a oedd, medden nhw, yn brofiad
digon brawychus.

O ddarllen trydedd bennod Llyfr Genesis, onid oedd
Eden hefyd yn baradwys o le nes i'r sarff sleifio yno a
difetha'r heddwch i bawb?

Fel yr adnabyddwyf ef, a grym ei atgyfodiad ef...
(PHILIPIAID 3:10)

CYSTRAWEN HYFRYD yw honno gyda'r ffurf 'idd eu' yn lle
'i'w'. Mae parth o'r de sy'n dal i'w harddel. Oni chlywir
Huw Llywelyn Davies yn disgrifio aelodau'r tîm rygbi 'yn
paso'r bêl idd ei gilydd'?

Ceir yr un ffurf yn union – 'yn debyg idd eu Harglwydd'
– yn yr emyn a genid gynt ar ddydd angladd: 'Bydd myrdd
o ryfeddodau ar doriad bore wawr', ar y dôn 'Babel'.

Bu Cynan yn rhyfeddu at wyrth flynyddol yr eirlysiau:
'Ond Grym yr Atgyfodiad a gerddai hyd y wlad', chwedl
yntau. Synnai'r bardd wedyn i'r bywyd bach ffrwydrol
hwnnw ymagor yn yr ardd heb na sŵn na chyffro o gwbl.
Pen draw myfyrdod Cynan oedd mentro cynnwys talp o'r
hen emyn uchod yn ei grynswth:

> Oblegid pan ddeffroais
>   Ac agor heddiw'r drws
> Fel ganwaith yn fy hiraeth,
>   Wele'r eirlysiau tlws
> 'Oll yn eu gynau gwynion
>   Ac ar eu newydd wedd
> Yn debyg idd eu Harglwydd
>   Yn dod i'r lan o'r bedd.'

Mynnodd rhywun mai proses naturiol a welodd Cynan, ond
mai un uwchnaturiol oedd yr Atgyfodiad. Beth debygwch
chi?

Canlynaf di, Arglwydd; ond...
(LUC 9:61)

MEWN GWERS yn ysgol fach y wlad yn Llawrybetws, roedd y prifathro, Stephen Davies, wrthi'n trafod Lot a'i wraig yn cefnu ar ddinas bechadurus Sodom. Cyn gadael y fangre, roedd Lot wedi cael rhybudd pendant gan yr angel: 'Dianc am dy einioes; *paid ag edrych yn ôl...*'

Wrth i'r ddau ffoi o Sodom drythyll, ni allodd gwraig Lot ymatal rhag cymryd un cip hiraethus yn ôl ar y ddinas. Ond yn y fan a'r lle, fe'i trowyd yn golofn o halen, gan adael i Lot fynd i'w siwrnai yn bendrist.

A dyma gwestiwn Mr Davies i'w ddosbarth: 'Os trodd Lot yn ôl, a gweld ei wraig yn golofn halen, sut na fyddai yntau hefyd wedi cael ei droi'n biler o halen?'

Dyma Meurig, Llwyn Ithel, a'i law i fyny gydag esboniad: 'Rifyrsio wnaeth o!'

Fel siars yr Hen Destament, mae'r Newydd yn ogystal yn rhybuddio rhag y demtasiwn o edrych yn ôl: 'Nid yw'r sawl a osododd ei law ar yr aradr, ac sy'n edrych yn ôl, yn addas i deyrnas Dduw' (Luc 9:61-62).

IONAWR *18*

Ystyriwch fel y mae gwreichionen fechan yn gallu rhoi
coedwig fawr ar dân.
(IAGO 3:5)

Y FFASIWN ddiweddaraf yw arddangos cynddaredd wrth
foduro. Os digwydd lletchwithdod yn hanes ambell yrrwr,
bydd y sawl sydd o'i ôl (neu o'i flaen) yn colli'i limpin yn
llwyr, yn fflachio'i lampau, yn utganu'i gorn, yn pwyntio
bysedd, yn rhegi – onid yn llamu o'i gerbyd ac yn ymosod ar
y sawl a barodd drafferth iddo.

Gall effaith gwylltineb o'r fath fod yn bur ddifaol. Gall
achosi cynnwrf nerfol dwys yn y sawl sydd o dan yr ordd.
Ac am y gwylltiwr ei hunan, bydd cynddaredd felly'n llosgfa
yn ei ysbryd, ac yn gryn dreth ar redlif ei galon.

Mor gwbl wahanol wrth fentro i'r briffordd fuasai
cymryd gwedd lariaidd tuag at bawb. Derbyn, o flaen
popeth, y gall unrhyw fodurwr, ar funud wan, wneud
camgymeriad. Onid yw pob un ohonom, ar rai adegau, wedi
troi i ffrwd y drafnidiaeth un eiliad yn rhy hwyr – neu'n rhy
fuan? Dro arall, cwbl anghofio rhoi arwydd, neu frecio'n
sydyn a dirybudd. A phwy sydd na chamfesurodd bellter, a
chyflymdra, wrth amcanu pasio cerbyd? Diolch bythol am y
gyrrwr hwnnw sy'n ddigon hyblyg i ddirnad ambell flerwch,
ac arafu'i gerbyd o wirfodd er mwyn gwneud lle i chi ddod
yn ôl i ddiogelwch y ffrwd, gan wenu'n ddeallus a chodi'i
law'n gyfeillgar. Bendith arno.

Cyn bod traffordd, roedd y cyfan yng nghyfraith y Llyfr
Mawr: 'Os yw'n bosibl, ac os yw'n dibynnu arnoch chwi,
daliwch mewn heddwch â phob dyn. Peidiwch â mynnu dial,
gyfeillion annwyl...' (Rhufeiniaid 12:18-19).

IONAWR *19*

Ac i ti er yn fachgen wybod yr ysgrythur lân...
(2 TIMOTHEUS 3:15)

FEL LLAWER UN ARALL, rydw innau, o flerwch, wedi gadael rhai pethau ar f'ôl wrth deithio: sgarff yn Crewe, rasel yn Iwerddon, a brws dannedd ar bwys y tap dŵr oer yn ystafell 106 Hotel Marco Polo yn Rhufain.

Fel mae'n digwydd, yn Rhufain yr oedd yr Apostol Paul pan ysgrifennodd at Timotheus, lle'r ymddengys ei fod yntau hefyd yn gadael pethau ar ei ôl wrth grwydro. Yn y llythyr at ei gyfaill ifanc, mae Paul yn pwyso arno i geisio dod draw i Rufain cyn y gaeaf, ac yn dweud wrtho: 'Pan fyddi'n dod, tyrd â'r gôt a adewais ar ôl gyda Carpus yn Troas, a'r llyfrau hefyd, yn arbennig y memrynau' (2 Timotheus 4:13). Mae'r pwyslais *yn arbennig y memrynau* yn awgrymu rhywbeth o werth anarferol.

Am y gôt, ac yntau bellach yn henwr bregus yn wynebu gaeaf Rhufain, mae'n wir y byddai'n dda iddo'i chael drosto yn y carchar. Am y llyfrau (efallai mai dogfennau o ryw fath fuasai'r rheini), llawn cystal fyddai iddo'u cael hwythau. Ond siars bendant Paul yw hyn: 'Petaet ti'n digwydd gadael y gôt ar ôl yn Troas, ac yn methu â ffeindio'r dogfennau, beth bynnag a wnei di, Timotheus, ar boen bywyd paid ag anghofio'r memrynau.'

Y tebygrwydd yw mai detholiad o'r Ysgrythurau oedd y rheini, wedi'u hysgrifennu ar felwm – Beibl Paul, fel petai – o'r Hen Destament, wrth gwrs. Rhyw deiliwr a bwythodd y gôt, rhyw glerc a sgrifennodd y dogfennau. Ond Duw oedd y tu ôl i'r memrwn. Ac ni allai Paul feddwl am amgenach cysgod drosto yng ngharchar Rhufain na Gair Duw.

... caned preswylwyr y graig,
bloeddiant o ben y mynyddoedd.
(ESEIA 42:11)

AR WAELOD anghysbell deheudir Groeg y mae pentir
Sounion, ac yno ar graig uwchlaw'r tonnau y saif nifer
bylchog o golofnau teml Poseidon, duw'r môr. Cyn mentro
ar eu mordeithiau pell, dôi'r morwyr i'r cysegr hwnnw
gyda'u hoffrwm.

Tua phum can mlynedd cyn Crist, ymosododd y Persiaid
ar y penrhyn, gan chwalu'r deml i'r llawr. Wrth i Pericles
atgyweirio'r adfail, sylwodd fod ym marmor creigiau
Sounion fân risial oedd yn fflachio mewn goleuni. O'r
herwydd, fe drefnodd i naddu'r colofnau newydd allan o'r
garreg honno. Ar noson loergan, byddai grisialau teml
Poseidon yn llewyrchu'n odidog ar ben y graig.

Sawl llong, tybed, a fu'n brwydro â'r môr llydan ddydd ar
ôl dydd, a nos ar ôl nos, gyda gobaith am hafan yn prysur
ddiffodd? Nos arall yn dal y criw, a hwythau bellach ar
ddarfod amdanyn nhw. Ond yn sydyn, mae'r morwr sydd ar
wyliadwriaeth nos yn gweiddi fod colofnau Poseidon yn
fflachio draw trwy'r tywyllwch. A dyna'r llong fach drist yn
llonni drwyddi, ac yn cyrraedd Porth Sounion yn orfoledd i
gyd.

Mae teml Poseidon wedi'i chwalu unwaith yn rhagor –
gan Amser y tro hwn. Wedi'r cyfan, onid craig am oes oedd
hi? Sonia'r emynydd am Graig yr Oesoedd; y graig risial olau
honno a dynnodd sawl un lluddedig i'w lloches yn
'nhwllwch tewa'r nos'. Dyfynnu o Eseia yr oedd Morgan
Rhys wrth gloi pennill o'i emyn: 'O! caned preswylwyr y
graig.'

A fuost ti yn ystordai'r eira, neu'n gweld cistiau'r cesair?
(JOB 38:22)

YM MHENNOD GYFOETHOG ESEIA 55, deil y proffwyd ar gymhariaeth o fyd ei Arglwydd: 'Canys fel y disgyn . . . [yr] eira o'r nefoedd . . . Felly y bydd fy ngair . . .'

'Felly y bydd fy ngair', medd Ef. Nid rhywbeth a greodd dyn yw neges yr Efengyl, ond trugaredd wen a ddaeth i'n daear ni: 'perlau gwlad gogoniant heddiw ddaeth i lawr'. Ond ni all dyn greu Duw. Na'i neges. Fel yr eira sy'n dod atom o'i fyd ei hunan, felly hefyd y disgyn cawod ei fendith Ef.

A phan ddaw, y mae'n puro. Cofiaf ymweld â theulu yn ardal uchel Dinmael, a'r wlad o dan luwch. Pan gyfeiriais at yr 'heth', dywedodd yr amaethwr wrthyf y byddai'n hapus bob gaeaf os gwelai ei diroedd o dan bythefnos o eira. A'r rheswm oedd fod yr eira'n puro'r pridd.

Ym mhroses y puro, fodd bynnag, câi'r eira ei faeddu'n arw. A'r gwir yw mai ni, fel pobl, fyddai'r rhai cyntaf i'w staenio. Cyn pen dim o'i ddod, byddai gwadnau'r gweithwyr ac olwynion y tractor wedi cymysgu'r purdeb gwyn yn un pwdel ar ffyrdd y fferm. Ond serch ei faeddu felly, byddai'r eira'n dal ar ei waith o buro.

Pan ddisgynnodd Iesu o'i gynteddoedd, ni bu cythreuldeb daear fawr o dro cyn ei staenio. Ond am ryw reswm na ŵyr neb ond y Grasol ei gyfrinach, roedd ef yn fodlon cymryd ei faeddu er mwyn puro'r pridd dynol. 'Fe roes ei ddwylo pur ar led . . . Er mwyn i'r brwnt gael bod yn wyn'. (Ac ystyr 'brwnt' tafodiaith hyfryd y De yw 'budr', 'aflan'.)

IONAWR 22

Gyfeillion annwyl, peidiwch â chredu pob ysbryd, ond profwch yr ysbrydion i gael gwybod a ydynt o Dduw...
(1 IOAN 4:1)

CERDDED LLWYBR CYNEFIN yr oeddwn rhwng Borth-y-gest a Morfa Bychan. Wrth basio'r Garreg Wen, cartre'r telynor Dafydd, daeth Saesnes i'r drws ac egluro mai yno y bu Dylan Thomas yn byw, gan ychwanegu, 'One could often see Dylan down there in the bay, rowing his little boat.' Dyna enghraifft berffaith wir o'r modd y mae chwedlau ynfyd yn magu mewn bro.

Ystyrier y Greal Sanctaidd. Honnir bod Brenhines Seba wedi dod â dysgl werdd yn anrheg i Solomon. Honnir hefyd mai o'r ddysgl honno y bwytaodd Iesu a'i ddisgyblion y Swper Olaf, a bod Joseff o Arimathea wedi dal yr un llestr o dan ddiferion gwaed y croeshoelio. Syllais innau ar y plât lliw emrallt hwnnw yn seler eglwys San Lorenzo yn Genoa, gan orfod cytuno ag O.M. Edwards, a'i gwelodd ganrif o'm blaen: 'Nid ydyw ond darn o wydr gwyrdd, ac nid yw ei hanes ond breuddwyd di-sail rhyw fynach ofergoelus.'

Honiad cyfatebol ddyrys yw hwnnw am yr amdo a lapiwyd dros yr Iesu wedi'r croeshoeliad. Dywedir bod ffurf ei wyneb a'i gorff wedi glynu'n weladwy ar y lliain hwnnw. Eto, wrth sefyll o hyd braich i'r gist lle cedwir yr amdo yn eglwys Ioan Fedyddiwr, Twrin, tueddaf i dderbyn dyfarniad O.M. Edwards unwaith yn rhagor: 'y bobl yn deall dim, ac yn credu pob peth.'

IONAWR 23

Yr hwn nid yw yn caru, nid adnabu Dduw:
oblegid Duw, cariad yw.
(1 IOAN 4:8)

BU DAVID PHILLIPS yn brifathro uchel ei barch yn nhre'r Bala am nifer o flynyddoedd. Un noson waith, mewn Cyfarfod Dosbarth yn un o gapeli bach cefn gwlad, roedd y prifathro'n holi ar bwnc y Seiat – 'Cariad Duw'.

Wrth geisio arwain y cynulliad i weld nad yr un peth oedd *hoffi* rhywun a *charu* rhywun, canfu mai pur gyndyn oedd y saint i gytuno. O'r diwedd, penderfynodd David Phillips y byddai'n torri'r ddadl yn derfynol. 'Clywch, ffrindie!' meddai. 'Os yw'r Brenin Mawr yn fy *hoffi* i, wel, does gyda fi ddim llawer o feddwl o'i dast e!'

Un peth yw hoffi: peth hollol arall yw caru. Mae'r Groegwr yn gwahaniaethu'n bendant ar y mater. Dyna'r gair 'philos' sy'n tynnu at 'ymhoffi', 'anwylo'. (Fe'i ceir yn 'ffilosoffi', 'ffilanthropi' – a'r *paedophiliac* peryglus sy'n arddangos popeth ond cariad at blentyn.) Wedyn, y gair 'eros', sy'n perthyn i fyd rhyw, 'erotic'; gall hwnnw fod yn hunanol ac oriog ryfeddol.

Gair agosaf y Groegwr at y Cariad Mawr yw 'agape'. Am y tro, beth am grynhoi fel hyn? Ein bod ni'n hoffi rhywun *oherwydd* hyn ac arall. Byddwn ni fel arfer yn *caru* person nid *oherwydd*, yn gymaint, ond *er gwaethaf* pob peth.

IONAWR *24*

... na ddyro i mi na thlodi na chyfoeth;
portha fi â'm digonedd o fara.
(DIARHEBION 30:8)

NID OEDDEM NI, blant dau a thridegau'r ganrif a basiodd yn ymwybodol eu bod yn flynyddoedd hirlwm. Yn hytrach, o'n magu mewn cyfnod o'r fath, aed i dderbyn mai darbodaeth oedd patrwm byw ar y ddaear hon. Sach wedi'i blygu'n ddau a geid y tu allan i'r drws fel mat ar gyfer sychu esgidiau, er enghraifft.

O ran hynny, byddai Nhad yn neilltuo noson i wadnu a sodlu'r esgidiau hynny. Yn y cefn yr oedd celwrn, ffrâm-sgrwbio, a lwmp o sebon coch, lle byddai Mam yn ymlâdd ar ddiwrnod golchi. Pan âi siwt yn rhy fach i'r brawd mawr, fe'i gwisgid am yr hogyn llai; felly hefyd y câi pâr o esgidiau ail gynnig ar draed byrrach.

Hyd heddiw, rwy'n dal i fwynhau potes, bara llefrith, tatws llaeth enwyn a bara ceirch. Hyd heddiw hefyd, rwy'n dal i godi hoelion cam ar y stryd er mwyn eu sythu a'u defnyddio eto. Yn wir, pan briodais yn 1950, cofiaf brynu celwrn, hetar smwddio a haearn-sgidiau, sy'n dal gennym yn rhywle.

Diolch am hynny, fe ddaeth yn dro gwell ar fyd – esmwythach, o leiaf. Ond yn lle darbodaeth yr hen oes, gwelwn gyfnod o wastraffu synfawr. Ni fynnwn am funud wneud tlodi'n rhinwedd, am mai anwastadrwydd ac annhegwch cymdeithasol oedd ei achos. Serch hynny, yr oedd – ac y mae – rhywbeth pur aruchel yn egwyddor darbodaeth.

Yna Daniel … a aeth i'w dŷ, a'i ffenestri yn agored yn ei
ystafell tua Jerwsalem…
(DANIEL 6:10)

YN YSTOD Y PUMDEGAU, roedd setiau teledu'n bethau drud iawn, ac yr oedd cryn bris ar yr erial ar ben hynny. Cofiaf gael cymorth gan gyfaill hirben i wneud erial efo peipiau copr a darnau o alwminiwm, yna ei gosod ar ei gwastad yn yr atig gan ofalu ei bod yn wynebu'r trosglwyddydd yng nghyfeiriad Holme Moss. Ar ôl hynny, sicrhau llathenni o wifren wrthi gan ddirwyn honno hyd ochr y grisiau nes cyrraedd llawr y gegin. Ond yr oedd un peth hanfodol ar goll. Doedd gen i ddim set deledu!

Ar ben chwe mis, cefais fargen mewn ocsiwn a brysiais tuag adre i'w chysylltu â'r plwg trydan yn y wal. Ond o bob siom, doedd yno ddim arlliw o lun arni. Yn sydyn, dyma sylweddoli nad oeddwn wedi cyplu'r erial i'r soced yng nghefn y set. A phan wnaed hynny, wele'r sgrin yn goleuo i lun ardderchog.

Rhyfeddais at y digwyddiad droeon ar ôl hynny. Bu'r erial yn atig ein tŷ ni mewn cyswllt cyson â thonfeddi'r awyr ers chwe mis, ac yn derbyn pob signal ddydd a nos. A hynny *cyn* i'r set deledu ddod i'n cartref erioed. Beth am bennill Dafydd Jones o Gaeo?

> Wele, cawsom y Meseia,
>   Cyfaill gwerthfawroca 'rioed;
> Darfu i Moses a'r proffwydi
>   Ddweud amdano cyn ei ddod…

Ie, *cyn* ei ddod! Beth fu Moses yn ei wneud? A'r proffwydi ar ei ôl? Tybed nad gosod erial hwnt ac yma y buon nhw – 'cyn ei ddod', fel petai?

*Yn awr yr oedd dyn yn Jerwsalem o'r enw Simeon; dyn
cyfiawn a duwiol oedd hwn, yn disgwyl am ddiddanwch
Israel; ac yr oedd yr Ysbryd Glân arno. Yr oedd wedi cael
datguddiad gan yr Ysbryd Glân na welai farwolaeth cyn
gweld Meseia'r Arglwydd ... a phan ddaeth y rhieni â'r
plentyn Iesu i mewn ... cymerodd Simeon ef i'w freichiau a
bendithiodd Dduw gan ddweud: 'Yn awr yr wyt yn
gollwng dy was yn rhydd, O Arglwydd, mewn tangnefedd
yn unol â'th air; oherwydd y mae fy llygaid wedi gweld dy
iachawdwriaeth...*
(LUC 2:25-30)

FEL Y PATRIARCHIAID a fu o'i flaen, mae'n debyg fod Simeon
frigwyn wedi bod yn yr atig droeon yn tiwnio'r erial, gan
wybod ei fod mewn cyswllt â Thonfedd y Tragwyddol – a
hynny cyn i gyffro Bethlehem Jwda ymddangos ar y sgrin
erioed.

Fe welodd fwy na hynny'n ogystal. Wrth syllu ar y Baban
yn ei freichiau, meddai wrth y fam ifanc, 'Mair fach! Rwyt
ti'n mynd i gael helynt efo hwn. Gosodwyd hwn yn gwymp
– ac yn gyfodiad – i lawer. A thrwy dy enaid di dy hun yr â
cleddyf.'

Does yna ddim dadl nad oedd Simeon wedi codi signal
dethol iawn o rywle. Oni welodd ef gysgod croes ar y crud?

Ym mhob dim rhowch ddiolch...
(1 THESALONIAID 5:18)

LLE MAE POBL yn aml yn adweithio i'w gilydd yn galed ac yn swta, mor hyfryd yw taro ar berson sy'n foesgar. Nid drwg o gwbl yw ymarfer mymryn o gwrteisi tuag at ein gilydd. Wedi'r cyfan, onid yw'n arwydd o warineb, ac o barch dyn at gyd-ddyn?

Tybed nad yw moesgarwch o'r fath yn beth eithaf prin bellach mewn siop a stryd a swyddfa? Onid oes ddigon sy'n barod i fynnu eu hachos dan gipio'u 'hawl' heb gydnabod o gwbl y drafferth yr aed iddi ar eu rhan?

Gwych oedd sylwi ar y rhieni hynny'n ceisio dysgu'r teirblwydd oed i ofyn 'os gwelwch chi'n dda' cyn cael. Ac i ddweud 'diolch' ar ôl hynny. Er i'r gwersi diolch fod yn rhai meithion i'r bachgen bach, o'r diwedd roedd wedi dysgu'r egwyddor yn bur ganmoladwy.

Un dydd, digwyddodd ei dad sylwi ar Tomos ar ben y clawdd. Yn sydyn, dyma'r bychan yn llithro'n un swp i'r ddaear. Rhedodd ei dad ato, ei godi i'w freichiau a gofyn, 'Wyt ti wedi cael dolur, 'y ngwas i?' Ac atebodd Tomos yn ei ffwndwr, 'Do, diolch.'

Bendith ar y mymryn bach! Prin y buasai'n deall ymresymiad Pantycelyn, 'Da yw'r groes, a da yw gwasgfa...' Ond yr oedd egwyddor nobl diolch wedi gwreiddio ynddo'n eithaf diogel.

IONAWR *28*

. . . oherwydd yr oedd y gwynt yn ei erbyn.
(MATHEW 14:24)

ROEDD IDWAL JONES a Byron Hughes ('Bei' i Idwal) yn ffrindiau o'u mebyd ym mhentre chwareli Tal-y-sarn yn Arfon. Yn nyddiau ysgol, buont wrthi'n nyddu pregethau, ac yn breuddwydio am y cyfnod y bydden nhw'n megino Cymru'n wenfflam.

Un hwyrnos haf aeth y ddau am dro tua'r cwt powdwr ar bwys chwarel gyfagos. O bob rhyfyg ffôl, dyma nhw'n tanio matsien yn y crawcwellt crin i weld tybed a ellid rhoi'r cwt powdwr ar dân. Er i'r fflamau ysgubo i'w gyfeiriad, trwy ryw ffawd garedig dyma'r tân yn diffodd yn llwyr heb ddim o'i ôl ond llwybr o fanlwch du. A'r rheswm dros y siom honno, yn ôl Idwal, oedd i'r gwynt droi, a mygu'r ffagl.

'Ia, Bei bach,' meddai llais trwynol Idwal wrth goffáu Byron, 'roeddet titha, fel finna, wedi meddwl y basan ni'n rhoi Cymru ar dân wrth bregethu Efengyl Gras. Ac mi roeson ni gynnig eitha teg arni hi ein dau. Mae'n bosib i ni lwyddo i ennyn fflam neu ddwy mewn ambell oedfa, ond diffodd wnaeth y rheini, fwya'r piti. Doedd dim byd yn rong ar y cynnig, Bei bach. Y gwynt wnaeth droi, yntê, 'ngwas i!'

IONAWR 29

Wele Oen Duw, yr hwn sydd yn tynnu ymaith
bechodau'r byd.
(IOAN 1:29)

PERSONOLIAETH ATHRYLITHGAR a chymhleth oedd W.D.P. Davies. (Esboniodd iddo ychwanegu 'P' at ei enw i gyfleu 'Pechadur'.)

Ar ôl pregethu yn oedfa'r pnawn ym Mryntwrog, Môn, a chael te yn y Tŷ Capel, dyma daro cotiau amdanom cyn troi allan am dro. Ar ôl sbel o gerdded, stopiodd W.D. yn sydyn – wedi sylweddoli iddo wisgo côt gŵr y Tŷ Capel mewn camgymeriad!

Wrth ddechrau traethu yn oedfa'r nos, eglurodd W.D.P.D. fod ganddo ddwy adnod yn destun. Y gyntaf oedd y seithfed ym mhedwaredd bennod Llyfr Genesis: 'Pechod a orwedd wrth y drws.' Yn Llyfr y Datguddiad yr oedd y llall, ugeinfed adnod y drydedd bennod: 'Wele, yr wyf yn sefyll wrth y drws...'

Yna, gyda Genesis yn nechrau'r Beibl, a'r Datguddiad yn y pen eithaf arall, cydiodd W.D. yn gorffol yn neupen y Llyfr Mawr, ei led godi gerbron y gynulleidfa, a dweud: 'Edrychwch y trwch sydd rhwng y ddwy adnod yma.' Wedyn, aeth ati gydag angerdd arswydus i ddisgrifio melltigedigrwydd pechod ym mywyd dynoliaeth.

'A gwrandwch chi ym Mryntwrog yma,' meddai â nerth iasol. 'Waeth i chi heb â chymryd y busnes drygioni yma'n ysgafn. Mae pechod yn *bod*. Mae o'n *ffaith*.' Yna saethodd tuag atom y sylw gwynias: 'Fasa neb ohonoch chi'n aros yn y drws ffrynt i ddadlau efo cobra!'

Dos, a gwna dithau yr un modd.
(LUC 10:37)

MEWN CWRDD YN RHES-Y-CAE, sir y Fflint, gwrandawn ar R.H. Williams, Chwilog, yn trafod y gorchymyn, 'Dos, a gwna dithau yr un modd.' Eglurodd sut y bu'n chwilota ar silffoedd ei lyfrgell am oleuni ar y gair 'modd'. Mynnai un esboniwr y dylid darllen ymdriniaeth Taylor ar y pwnc. Wedi troi at Taylor, awgrymai hwnnw fod esboniad Bartlett ymysg y goreuon. Ac felly y bu R.H. yn symud o silff i silff gan ddisgwyl yn ofer am oleuni.

'Pethau rhyfedd iawn ydi'r esbonwyr yma,' meddai. 'Pan mae hi'n dywyll arnoch chi, mae hi'n dywyll arnyn hwythau hefyd. Mi fydda i'n eu cael nhw'n debyg iawn i ganibaliaid – yn bwyta'i gilydd!'

Ar y terfyn, plygodd dros ymyl y pulpud at ei gynulleidfa, a chan grychu'r aeliau cringoch hynny, gofynnodd: 'Wel, bobol, be ydach chi'n ei feddwl o'r hen Efengyl fawr yma?' Yna, fel petai wedi ailgysidro, ychwanegodd: 'O ran hynny, dydi o ddim llawer o wahaniaeth be ydach *chi* yn ei feddwl ohoni *hi*. Be mae *hi* yn ei feddwl ohonoch *chi* ydi'r cwestiwn.'

... megis dy ddyddiau, y bydd dy nerth.
(DEUTERONOMIUM 33:25)

WRTH DYNNU at ddiwedd Ionawr, tybed sut mae'r Flwyddyn Newydd yn mynd rhagddi yn eich hanes? Mae'n debyg fod addewid neu ddwy wedi'u torri eisoes, a bod ambell gynllun wedi mynd i'r gwellt. Byd cymhleth felly yw hwn, ac un o'i wersi yw na ddylem gymryd unpeth ynddo'n ganiataol.

Yn nyddiau mebyd, caem ein siarsio i ddweud 'os gwelwch chi'n dda' a 'diolch yn fawr'. Wrth dyfu'n hŷn, dysgid ni i arfer yr ymadrodd 'os bydda i byw ac iach', rhag i ni gymryd gormod yn ganiataol, bid siŵr. Wrth anfon manylion am wasanaeth y Sul, byddai un ysgrifennydd o sir y Fflint yn cloi ei lythyr â'r frawddeg: 'Edrychwn ymlaen at eich croesawu atom y Sul nesaf, D.V.' Ystyr y 'D.V.' Lladin hwnnw yw 'Deo Volente' – 'os myn Duw'.

Yn y llythyr ardderchog a sgrifennodd Iago, ceir y ddoethineb a ganlyn: 'Clywch yn awr, chwi sy'n dweud, "Heddiw neu yfory, byddwn yn mynd i'r ddinas a'r ddinas, ac fe dreuliwn flwyddyn yno yn marchnata ac yn gwneud arian." Nid oes gan rai fel chwi ddim syniad sut y bydd hi ar eich bywyd yfory. Nid ydych ond tarth, sy'n cael ei weld am ychydig, ac yna'n diflannu. Dylech ddweud, yn hytrach, "Os yr Arglwydd a'i myn, byddwn yn fyw ac fe wnawn hyn neu'r llall." Ond yn lle hynny, ymffrostio yr ydych yn eich honiadau balch. Y mae pob ymffrost o'r fath yn ddrwg. Ac felly, pechod yw i ddyn beidio â gwneud y daioni y mae'n gwybod sut i'w wneud' (Iago 4:13-17).

CHWEFROR *1*

... ac [efe] a ddywedodd wrth y môr, Gostega, distawa. A'r
gwynt a ostegodd, a bu tawelwch mawr.
(MARC 4:39)

PAN GLYWAIS y newydd sobreiddiol fod Gwilym O.[†] wedi
cael strôc, brysiais tua'r ysbyty i'w weld. Wedi iddo ddod
adre'n ôl, euthum draw gyda pheiriant recordio er mwyn i
Tregelles Williams ddarlledu'i brofiad ar raglen fore Sul *Y
Ddolen*. Heddiw, pleser yw ildio i'r demtasiwn o gynnwys,
unwaith eto, gyffes Gwilym O. ar y radio'r bore hwnnw,
cyffes y bu sôn amdani trwy'r wlad:

'Meddyliwch chi rŵan be fasa'n digwydd tasach chi'n
eista i lawr i swpar heno, ac ar drawiad amrant dyma felltan
o boen o dan ochor chwith eich talcan chi. A dyma'ch golwg
chi'n diffodd. A'r eiliad nesa, dyma felltan arall o boen ingol
yn yr un fan, a dyma'ch lleferydd chi'n mynd... Rydach chi'n
gweld eich tŷ o glai yn dŵad i lawr. A'r saith rhyfeddod ydi
fy mod i'n glir ymwybodol o ymddatodiad fy nhŷ o glai, ac
i minna edrych heb ddim braw ar angau wrthi'n fy mhacio i
i'r bedd ... sylwi arno fo, hefo rhyw *detachment* braf, er i'm
golwg fod wedi diffodd ... Ond doedd arna i ddim ofn rŵan.
Achos, mi oedd yna ryw Fraich o Dawelwch glân gloyw
odana i, fel rhaff angor hyblyg o wead dur chwe modfadd o
drwch ... a mi roeddwn i'n gwbod rwsut bod hon yn siŵr
Dduw o ddal...'

[†] Brodor o Lŷn oedd Gwilym O. Roberts, Pontllyfni; seicolegydd lliwgar,
pregethwr a darlithydd. Bydd y gyfrol hon yn sôn eto amdano ef, a'i dad,
W.O. Roberts, gwladwr o gryn allu.

CHWEFROR 2

Gwn am dy weithredoedd, a bod gennyt
enw dy fod yn fyw er mai marw ydwyt.
(DATGUDDIAD 3:1)

ONID YW'N HYNOD sut y mae enw'n cydio? Ym myd moduron, Rolls Royce; chwaraeon, Slazenger; arlunio, Winsor and Newton; arwerthiant, Sotheby... Tebyg hefyd oedd pethau yn Asia yng nghyfnod cynnar Cristionogaeth. Mae'n wir fod yna chwech o eglwysi eraill ar hyd a lled y wlad, ond gan eglwys Sardis yr oedd yr *enw*.

Un siop ddillad ym Mhwllheli ac iddi enw arbennig yw Bon Marche (eiddo R.J. George yn nyddiau fy mebyd). Pan oeddwn yn llefnyn, gelwais yno i brynu pwt o ddilledyn, ac wedi talu amdano amcenais ei wthio i boced fy nghôt fawr. Er gwaethaf fy mhrotest, mynnodd y siopwr ei lapio mewn papur llwyd a'i glymu'n dwt â llinyn, ac wrth ei estyn imi'n fwndel taclus, plygodd dros y cownter a sibrwd wrthyf: 'Mae Mistar George wedi'n rhybuddio ni fel gweithwyr mai'r parsel ydi *reputation* y ffyrm.'

Ond arall fu tynged Sardis. Er i'w henw fynd ar led yn Asia, gadawodd yr eglwys i ddylanwadau llwgr effeithio arni nes rhwygo parsel y fendith yn gareiau.

Cofiaf oedi wrth adfeilion Sardis ar fin hwyr o Fedi. Dim ond un golofn atgofus oedd yn sefyll, a'r gweddill yn garneddi dros y llawr. Nid oedd un dyn byw o fewn cyrraedd i'r lle: '... marw ydwyt.' Wrth ymadael, cyfarthodd ci o'r creigdir gerllaw. Er ei fod yn arfer gennyf gerdded ymhell i anwesu ci, roedd arnaf ofn mentro cŵn Sardis.

CHWEFROR 3

Myfi yw goleuni'r byd...
(IOAN 8:12)

YN YSTOD yr Ail Ryfel Byd daeth gorchymyn o'r llywodraeth fod pawb i orchuddio'r ffenestri fel na ddôi llygedyn o oleuni allan o'r tŷ. (Felly y daeth y gair *blackout* i fod.) Ar wahân i'r tai, golygai hefyd orchuddio neu baentio gwydrau siopau, eglwysi a neuaddau; lampau moduron hefyd, a beiciau, heb anghofio diffoddi'n llwyr oleuon strydoedd, wrth gwrs.

Y rheswm oedd fod awyrennau'r gelyn yn hedfan dros y wlad yn y nos, ac os gwelid edefyn o lewyrch (yn enwedig o ffatrïoedd) byddid yn gollwng cawod o fomiau ar y mannau hynny. Yn y cyfnod tywyll hwnnw, byddai wardeniaid wrthi liw nos yn crwydro trwy dref a phentref er mwyn sicrhau fod pawb yn cuddio goleuon eu cartrefi.

Mewn un papur dyddiol ymddangosodd cartŵn (ar batrwm darlun Holman Hunt) o Iesu Grist allan yn y nos a'i lusern yn pelydru o'i flaen ar ddrws tŷ, ac yntau'n cyhoeddi mai Ef oedd 'Goleuni'r Byd'. Yng nghornel arall y cartŵn, safai Hitler, Stalin a Churchill, a'r tri yn gweiddi'r un gorchymyn: 'Put that light out!'

Wnaeth o ddim, fel y tystia'r Efengyl yn ôl Ioan (1:5): 'Y mae'r goleuni yn llewyrchu yn y tywyllwch, ac nid yw'r tywyllwch wedi ei drechu ef.'

CHWEFROR *4*

... canys wele, teyrnas Dduw, o'ch mewn chwi y mae.
(LUC 17:21)

WRTH WYLIO eira Chwefror yn chwipio'r cae, yn sydyn daliodd fy llygaid ar swp llwydwyn ar bwys y ffens ger y tŷ. Rhedais allan i'r ddrycin, a gweld mai oen bach oedd yno.

Wedi cludo'r bwndel llaith i'r tŷ, brysiodd fy ngwraig i'w sychu, ei lapio mewn tywel a'i osod o flaen y tân. Ceisiwyd rhoi diferion o laeth cynnes ar ei dafod, ond cyn pen awr bu'r creadur truan farw o dan ein dwylo.

Drannoeth, wrth ddarlledu'r rhaglen *Byd Natur* ym Mangor, soniais am y gofid wrth y milfeddyg, Gwyn Llywelyn. 'Problem wirioneddol anodd,' meddai'n syth. 'Ond, gyda phob parch, mi est ti ati yn hollol o chwith. I ddechre,' eglurodd, 'roedd yr oen bach wedi fferru drwyddo cyn i ti'i godi o'r cae. A'r hyn a wnest ti, yn ddigon naturiol, oedd ei lapio fo mewn tywel, a'i osod o flaen y tân. Yr hyn yr oeddet ti'n ei wneud oedd cynhesu'r oen bach o'r *tu allan*. Ond yr hyn ddylet ti fod wedi'i wneud oedd trio'i gynhesu o'r *tu fewn...*'

Gyda chymdeithas ein cyfnod ni wedi fferru'n gorn gan drais a dihidrwydd celain, y tebygrwydd yw mai gweithio ar y tu allan yr ydym, tra bod craidd yr helynt yn ddwfn y tu mewn.

CHWEFROR 5

... golch fi, a byddaf wynnach na'r eira.
(SALM 51:7)

WRTH YMWISGO ar gyfer y Sul, holodd D. Tecwyn Evans wraig y tŷ a oedd ei goler gron yn ddigon glân. Glynodd ei hateb yn ei gof: 'If it's doubtful, it's dirty.'

Ci gwyn oedd Nedw. Mae'n wir fod ceiniogau cochion ar flew y sbaniel hwnt ac yma, ond ci gwyn oedd o. Ar ddydd o haul tanbaid, byddai côt y sbangi'n wirioneddol lachar.

Wrth agor y drws un bore o Ionawr, roedd trwch o eira dros yr ardal i gyd. Rhedodd Nedw allan a sefyll yng nghanol yr eira dieithr: yn erbyn gwyndra'r eira, roedd yr hen sbaniel yn hollol bygddu. A minnau wedi arfer â chredu ei fod yn glaerwyn.

Crefyddwyr o fath felly oedd y Phariseaid; yn ddeddfol, yn cadw at fanion eitha'r gyfraith ac yn gofalu arddangos eu cyfiawnder a'u daioni wrth rodio'r wlad. Yn nhyb y lliaws, roedd eu buchedd yn loyw lân ac yn ddifrycheulyd o wyn.

Os darllenwch bennod arswydus gignoeth Mathew 23, cewch weld sut yr aeth y crefyddwyr hynny yn 'ffyliaid a deillion', yn 'rhagrithwyr' ac yn 'seirff a gwiberod'. Aeth yr eglwys glaerwen yn gwbl bygddu. Y rheswm oedd i storm o gyfeiriad Nasareth (neu'r Nefoedd) luwchio dros bawb ohonyn nhw, a hwnnw oedd y bore y gwelwyd y gwahaniaeth rhwng y llwyd a'r llachar.

Gall y ddedfryd fod yr un mor farnol ar bob eglwys, ac ar bob un ohonom ninnau: 'If it's doubtful, it's dirty.'

Os yw'n amheus, mae'n amhur.

CHWEFROR 6

... ac anfonodd i dorri pen Ioan yn y carchar.
(MATHEW 14:10)

ONID YW'R iaith Gymraeg yn syndod o greadigaeth? Dim ond mymryn bach o dir yw Cymru i gyd – 'y cornelyn hwn o'r ddaear', chwedl Hen Ŵr Pencader gynt. Eto i gyd, wedi canrifoedd o sarnu arni, mae'r heniaith yn y tir, a hynny yn nannedd her milflwydd arall.

Bydded oes oesol glod i'r ddau William – Salesbury a Morgan – am gyfieithu'r Beibl i iaith y Cymry dros bedair canrif yn ôl. A'r fath gyfieithu! Wrth ddarllen eu campwaith, sylwn sut y mae'r Gymraeg yng nghwrs amser yn newid graddau ar ystyron ei geiriau.

Ystyrier y gair 'lladd'. Ym Mathew 14:10, yr hyn sydd gan Salesbury yw 'ac a laddawd ben Ioan', sef 'a laddodd ben Ioan'. Eto i gyd, ar ôl pedwar can mlynedd a rhagor, rydym yn dal i glywed rhai ardaloedd yn sôn eu bod yn '*lladd* gwair' – am *dorri* gwair.

Beth wedyn am y gair 'maddau'? Gynt, roedd yn golygu 'troi heibio', 'rhoi ymaith'. Ym Mathew 5:32, cyfieithiad Salesbury oedd 'pwy bynnag a faddeuo ei wraig...' Nid maddau iddi yn ystyr heddiw'r gair, ond 'ei gollwng o briodas'. Y cyfieithiad Cymraeg diweddaraf yw 'pwy bynnag sy'n ysgaru ei wraig...' (Ar brydiau, byddwn yn clywed ambell un bwyteig yn dweud, 'Fedra i ddim *maddau* i'r gacen yma!' Sef yr hen, hen ystyr o fethu'n deg â rhoi'r gorau iddi; na all ei throi heibio!)

Y fath ollyngdod i'r truan hwnnw fu clywed Iesu'n symud oddi arno oes o faich: 'Ha fab! Cymer gysur, maddeuwyd i ti dy bechodau' (Mathew 9:2).

CHWEFROR 7

Eithr rhyw Samariad...
(LUC 10:33)

YN LUC 10:30-37, ceir hanes teithiwr ar siwrnai rhwng Jerwsalem a Jericho yn cael ei reibio gan ladron a'i adael yn hanner marw. Ond daw gŵr pur eithriadol ar ei draws gan ei ymgeleddu yn y modd mwyaf trugarog.

Pwy bynnag oedd y cyfaill tirion hwnnw, mae'n amlwg fod ganddo bob darpariaeth ar gyfer rhoi help llaw: 'rhwymodd ei archollion ef' (dyna'r doctor ynddo); 'gan dywallt ynddynt olew a gwin' (dyna'r fferyllydd, efallai); 'gosododd ef ar ei anifail ei hun' (dyna dacsi, o fath). Ar ben hynny, talodd am lety i'r truan, heb sôn am adael dyrnaid o bres iddo cyn ffarwelio. Yn rhyfedd iawn, nid oes sôn o gwbl am enw'r cymwynaswr, dim ond 'rhyw Samariad'.

Un noson ddrycinog, roeddwn yn gyrru o Wrecsam i gyfeiriad Corwen pan nogiodd y modur yn hollol wag o betrol. Y foment nesaf, roedd cerbyd wedi troi yn syth o'm blaen, a'r gyrrwr yn dod ataf i holi fy helynt. Agorodd gist ei gar, cydio mewn tun, a thywallt cyflenwad o betrol i'm tanc gwag, gan wrthod yn bendant dderbyn unrhyw dâl amdano.

Cyn ymadael, roedd am i mi gael golwg ar gynnwys y gist: pwyntiodd at dorch o raff, at fflachlamp gref, at sachaid o dywod, a rhaw. 'A phan wela i garej agored, mi fydda i'n llenwi'r tun petrol yma unwaith eto,' meddai.

Mae'r hanes uchod, air am air, cyn wired â'r pader. Ond pwy oedd y dyn? Does gen i ddim syniad. Beth oedd ei enw? Ni allaf ond cynnig 'rhyw Samariad'.

Os oedd y trugarog ar gael rhwng Jerwsalem a Jericho, yr oedd ar drafael hefyd rhwng Wrecsam a Chorwen.

... a'r saith eglwys yw'r saith ganhwyllbren.
(DATGUDDIAD 1:20)

O FFURFIO BRAS-DRIONGL rhwng Aberaeron, Ceinewydd a Llandysul, byddwch wedi amlinellu bro eglwysi Undodaidd fel Penrhiw, Allt y Blaca, Pantydefaid, Bwlch y Fadfa a'u tebyg. Am i'r cynulliadau hynny 'wrthod cymryd eu gwynnu' gan y diwygiadau oedd yn golchi'r wlad yn y ddeunawfed ganrif, galwyd y triongl hwnnw yn ardal y 'Smotyn Du'.

Un enghraifft o annibyniaeth barn y bobl dda hynny oedd eglwys Llwynrhydowen. Yn 1868, pleidleisiodd y trigolion dros y Rhyddfrydwyr – a gwrthod y Torïaid – gyda'r canlyniad i sgweier Alltrodyn ailfeddiannu'r capel, a chloi'r giatiau. Cyffrowyd yr ardalwyr cyfagos, a phan ddaeth tyrfa o dros ddwy fil i wasanaeth ar ffordd wledig y pentref, sylw agoriadol y gweinidog, Gwilym Marles, oedd: 'Aethpwyd â'r canhwyllbren oddi arnom.'

Wrth grwydro gwlad Twrci yn chwilio am 'y saith canhwyllbren aur' (saith eglwys Asia) y cyfeirir atyn nhw yn Datguddiad 1:11-12, daethom i derfyn yr ymchwil yn Laodicea. Yn y rhan hon o Asia lle bu eglwysi'r Crist, erbyn heddiw gwlad crefydd Mohamed yw hi. Ac yno, yn yr anial, y lleferais eiriau Gwilym Marles i'r camera fel clo i'r daith: 'Gall y gwrthwynebwr fynd â'r canhwyllbren, ond ni chaiff neb fynd â'r gannwyll. Cannwyll Duw ydyw.'

CHWEFROR 9

... felly y rhydd efe hun i'w anwylyd.
(SALM 127:2)

YN ÔL W. J. GRUFFYDD, gadawodd Twm Huws o Benyceunant, a Roli bach, ei frawd, bentre'r Felinheli:

> Am nad oedd gwyrthiau'r Arglwydd
> Ar lannau Menai dlawd.

Yn bersonol, byddaf yn ystyried cwsg yn wyrth o beth. Bod creadur mor brysur aflonydd â dyn, wrth gau llygaid gefn nos, yn medru diffodd allan o fod, ymron; yn hollol ddiymadferth, mae wedi cloi pawb a phopeth allan o'i gyfansoddiad – a'i gloi ei hunan yn ogystal, hyd y gallaf ddyfalu. Diolch, diolch am y fendith feunosol honno pan yw corff blinedig a meddwl trwblus yn cael cilio am wythawr i ddirgelwch diddymdra mor fwyn.

Os gellir galw cwsg yn wyrth o beth, tybed nad yw deffro yn fwy fyth o wyrth? Ni wyddai neb wrth fynd i gysgu neithiwr y câi ddeffro fore heddiw. Ond deffro a gaed. A deffro a nerth newydd sbon yn y cyfansoddiad. Tra bu corff blinderog neithiwr yn gorffwys, mae'n rhaid bod rhyw egnïon caredig wedi bod wrthi'n distaw weithio yng nghelloedd cig a gwaed.

Yr un modd, wrth i'r meddwl ymrwyfus ildio i hafflau cwsg, rhaid bod hwnnw hefyd wedi'i larieiddio gan ryw dirion weini dros nos.

Ninnau'n cymryd trugaredd mor rasol yn gwbl ganiataol, heb weld fod gwyrthiau'r Arglwydd yn llond y llofftydd bob nos.

Ac o flaen yr orseddfainc
yr ydoedd môr o wydr, yn debyg i grisial...
(DATGUDDIAD 4:6)

TUA THERFYN ei gerdd rymus yn trafod 'Cariad' (1 Corinthiaid 13), ceir y dweud hwn gan Paul: 'Yn awr, gweld mewn drych yr ydym, a hynny'n aneglur...' Yr hen gyfieithiad Saesneg oedd 'through a glass darkly'. Gwydr. Dyn yn gwybod ei Feibl oedd Pantycelyn pan roes 'Môr o Wydr' yn deitl i un o'i lyfrau.

Wrth yrru'r car ddoe y daeth y pethau hyn i'm meddwl, a minnau'n sylweddoli fy mod mewn math o dŷ gwydr ar bedair olwyn. O'm hochr y mae gwydrau'r pedwar drws – pump, gyda'r ffenestr gefn. O'm blaen, y mae dau fath o wydr: drych yw'r un uchaf, ac yn hwnnw gallaf weld yr hyn sydd o'm hôl.

Â gwydr blaen y car, gellir gwneud un o ddau beth. Gellir edrych *arno* i ddal ar smotyn o laid, dyweder. Ar nos o haf wrth yrru trwy gwmwl o wybed mân, cofiaf syllu ar y sgrin, a gweld staeniau bychain, bach o waed.

Wele rybuddio, fodd bynnag, y dichon craffu *ar* y gwydr fod yn wir beryglus, am nad ar hwnnw y dylai'r llygaid fod yn canoli o gwbl. Diben gwaelodol ffenestr flaen y car yw bod y gyrrwr yn edrych, nid *arni*, ond *trwyddi* tua'r pellter draw. Er ei bod yn llen rhag gwynt a glaw, cyn belled ag y mae gyrru'r cerbyd yn y cwestiwn, peth i'w anwybyddu yw'r sgrin wydr fel y cyfryw, ac i edrych trwyddi fel pe na bai'n bod. Gyrrwr felly oedd Williams, ac yn ddiogel o'i ben siwrnai:

Trwodd draw yr wyf yn edrych,
    Dros y bryniau mawrion pell...

... diolch, O Dad, Arglwydd nef a daear, am i ti guddio'r
pethau hyn rhag y doethion a'r rhai deallus, a'u datguddio
ohonot i rai bychain.

(MATHEW 11:25)

WRTH BENSYNNU o flaen yr allor ganhwyllog dan awyr las
cynteddau'r eglwys yn Lourdes, digwyddais edrych i lawr.
Ac yno o dan fy nhroed yr oedd teilsen droedfedd sgwâr lle
bu Bernadette yn gweddïo:

PLACE OÙ PRIAIT
BERNADETTE
11 FEVRIER 1858

Mae stori Bernadette Soubirous yn gyfareddol, a dweud y
lleiaf. Ar y dyddiad uchod, mynnodd ei bod wedi gweld y
Forwyn Fair uwchben ogof Massabielle. Mwy na hynny,
bod Mair wedi siarad â hi, a gofyn am godi eglwys yno.

Er gwaethaf erledigaeth leol am gyfnod, glynodd
Bernadette wrth ei stori. Codwyd eglwys ar y graig; mae dwy
arall ar ben honno heddiw, ac un o dan ddaear y cynteddau.
Dechreuodd pererinion ymweld â'r lle, gan honni fod
gwyrthiau'n digwydd.

Clywais innau'r Dr Mangiapan, meddyg y sefydliad, yn
tystio fod gwella uwchddynol, onid gwyrthiol, wedi
digwydd i niferoedd yno. Wrth gynnig ateb i'r dirgelwch, fel
hyn y barnodd un crediniwr:

'I'r rhai a gred yn Nuw, nid yw esboniad yn angenrheidiol.
I'r rhai na chredant, nid yw esboniad yn bosibl.'

CHWEFROR *12*

... brysia i'm cynorthwyo.
(SALM 22:19)

ROEDD GAN W.O. ROBERTS, y Pistyll, bregeth yn pwysleisio pa mor gyflym yr oedd gwaredigaeth yn gweithio. Ei gymhariaeth wreiddiol ef oedd 'sbîd angel'! Cyfeirio'r oedd at Daniel yn ffau'r llewod yn gweddïo am ddihangfa, ac meddai'r hen bregethwr: 'Roedd yr angel wedi cyrraedd y ffau cyn i'r nefoedd ddweud Amen.'

Yr un syniad oedd gan Eifion Wyn, ond ei fod lawer dewisach wrth drafod ei bwnc. (Gyda llaw, cyn iddo gael ei gyflogi fel clerc gyda chwmni llechi ym Mhorthmadog, bu'n athro am sbel, ac wedyn ym Mhorthaethwy yn paratoi ar gyfer y Weinidogaeth, nes i afiechyd ei luddias.)

Mewn pregeth ganddo yn y cyfnod hwnnw ar Genesis 37:29, noda Eifion Wyn fod yn rhaid i waredigaeth ddigwydd *mewn pryd*. Cyfeiria at gychod a welodd ar lan afon Menai yn hysbysu y byddai eu teithiau i ymwelwyr yn cychwyn ar adegau arbennig, gyda'r nodiad ychwanegol – 'os bydd y tywydd yn ffafriol'. Ond mynnai Eifion Wyn na welodd erioed eiriau felly ar ddrws y bad achub. Ac meddai, mor nodweddiadol o'i arddull lân: 'Cwch pleser yw cwch y Fenai, ac fe all pleser newid ei ddiwrnod. Ond cwch gwaredigaeth yw'r bywydfad, ac ni all gwaredigaeth ddim aros am awyr las.'

Swm y cwbl a glybuwyd yw,
Ofna Dduw, a chadw ei orchmynion...
(PREGETHWR 12:13)

NI DDYRY'R HEN DESTAMENT enw i'r 'Pregethwr', er bod ail enw i'w gael ar ei lyfr, sef 'Ecclesiastes'. Ystyr y Lladin 'ecclesia' yw'r fintai fyddai'n hel at ei gilydd pan ddôi areithiwr ar ei dro i annerch. Gydag amser, daeth lliw crefyddol ar yr 'ecclesia', ac o'r cytseiniaid hynny y daeth y gair 'eglwys' i'r Gymraeg.

Pwy bynnag ydoedd y 'Pregethwr' hwnnw, roedd yn feddyliwr dyfal, yn ŵr o farn bendant, boed sinigaidd ai peidio. Gallai gynghori'n ddoeth, ac yn ddi-ddadl roedd elfen gref o'r llenor ynddo. Mor gyfarwydd yw agoriad ei benodau ar ein clyw: 'Y mae amser i bob peth...'; 'Gwylia dy droed pan fyddi'n mynd i dŷ Dduw...'; 'Bwrw dy fara ar wyneb y dyfroedd...'; 'Cofia yn awr dy Greawdwr...'

Mae'n werth ystyried rhai o'i ganfyddiadau: 'Yr hyn a fu a fydd, a'r hyn a wnaed a wneir; nid oes dim newydd dan yr haul' (1:9). 'Gwell yw llond un llaw mewn llonyddwch na llond dwy law mewn gofid ac ymlid gwynt' (4:6). 'Y mae cwsg y gweithiwr yn felys, boed wedi bwyta ychydig neu lawer; ond y mae digonedd y cyfoethog yn ei rwystro rhag cysgu'n dawel' (5:12).

Am fod gŵr y plas yn lladrata anifeiliaid, gall fwyta'n frasterog, foldyn, ond difethir ei gwsg gan euogrwydd. Er mai potes maip digon dyfrllyd a gaiff y tyddynnwr, medr hwnnw gysgu'n felys ar hyd y nos. 'Esmwyth gwsg potes maip', medd doethineb yr hen Gymry, fel y 'Pregethwr', yntau, oesoedd o'u blaen.

CHWEFROR *14*

... mae ei dagrau ar ei gruddiau...
(GALARNAD JEREMEIA 1:2)

WEDI BOD allan gyda geneth ar noson lawog, a sylwi bod ei bochau'n wlybion, fe sgrifennodd llanc gân gyda'r teitl, 'Was it tears or was it rain?' Un peth yw defnyn glaw ar foch, peth hollol arall yw perl deigryn. Y tu ôl i hwnnw y mae angerdd a bair i'r ffynnon orlifo'n ddistaw – weithiau gan ddwyster, gan hiraeth, gan biti, gan lawenydd, gan euogrwydd, gan gariad ... ac weithiau gan angerdd na ellir rhoi rheswm drosto.

Teimla rhai na ddylid fyth arddangos dagrau. Yn ei farwnad i George Whitefield, mynnodd Pantycelyn mai galaru o olwg pawb a wnâi ef y tro hwnnw:

> Ac mi gaf, mewn lloches fechan,
> Wylo Whitefield wrthyf f'hunan.

Er hynny, nid gŵr swil oedd Williams ar fater torri'i galon. Yn wir, fe droes y sefyllfa'n hollol o chwith mewn un emyn:

> Lle cawn i wylo cariad pur
> Yn ddagrau melys iawn.

Pan ddaeth yr Arglwydd draw i Fethania a deall fod ei gyfaill, Lasarus, wedi marw, ceir y sylw tyner hwn: 'Yr Iesu a wylodd' (Ioan 11:35). Y grasol ei hun, mewn gresyn.

Wrth weini ar ambell enaid mewn trallod, a sylwi ei fod yn dal ar y ffrwyn braidd yn rhy dynn, byddwn yn annog yn dawel, 'Crïwch lond eich bol.' Er na ddylid gwneud sioe o beth mor gysegredig, eto pan bwysa gofid fel barn ar galon ysig, mae crio iawn yn fendith sy'n golchi'r ysbryd o'i sorod. Mae'n therapi. Yn iechyd. Yn iachawdwriaeth, hyd yn oed.

CHWEFROR *15*

Ferched Jerwsalem, peidiwch ag wylo amdanaf fi...
(LUC 23:28)

PED OEDEM AR GYRION CALFARIA, gwelem ŵr ifanc yn gwegian o dan ei groes ei hunan – croes y byddai'n hongian arni cyn canol y pnawn. Ar ei lwybr, y mae mintai o wragedd sy'n torri'u calon yn lân. Ond mae'r gŵr ifanc yn aros gyferbyn â nhw, ac yn dweud: 'Ferched Jerwsalem, peidiwch ag wylo amdanaf fi; wylwch yn hytrach amdanoch eich hunain ac am eich plant.'

Geiriau caled, brathog braidd. Y tebyg yw i'r Iesu sylwi mai wylo yr oedden nhw am *eu bod yn gweld y dioddef heb weld yr achos.* Nid condemnio'r dagrau sydd yma yn gymaint â'u hansawdd: nad oedden nhw'n sylweddoli'r rhagfarnau cibddall oedd y tu ôl i'w ddioddefaint.

Sylwodd hefyd *eu bod yn teimlo'n drist heb deimlo'n euog.* Gall dyn deimlo'n eithaf trist wrth edrych ar arall; ni all deimlo'n euog heb edrych arno'i hunan.

Gwedd bellach ar ddagrau'r gwragedd oedd *eu bod yn gwybod y pris heb wybod y prynu.* Roedden nhw'n gyfarwydd â dull Rhufain o beri i droseddwyr dalu'r pris, a cholli'r dydd wrth wneud hynny. Ond y pnawn hwnnw roedd yna dalu pris er mwyn 'prynu' dynol ryw. Sut bynnag y mae datod hen gwlwm diwinyddol y Tadau, roedd Iesu ar y groes ganol honno'n mynnu fod dyn yn greadur mor ddrud fel y byddai'n rhaid i rywun aberthu 'i achub gwael golledig euog ddyn'.

CHWEFROR *16*

... gan ddywedyd mai efe ei hun yw Crist Frenin.
(LUC 23:2)

ER MAI gwlad gymharol fechan yw Portiwgal, bu adeg pan oedd yn rheoli talpiau helaeth o'r byd o ganlyniad i orchestion morwrol Vasco da Gama a Ferdinand Magellan. Yn ei phrifddinas, Lisbon, gwelir hen, hen odidowgrwydd yn gymysg â chrefftwaith cyfoes a'i gesyd ymysg dinasoedd harddaf y ddaear.

Diddorol yw dysgu sut y bu'r Crist yn rhan o feddylfryd y Portiwgeaid ar hyd yr oesoedd; pan gyrhaeddai'r morwyr a'r cenhadon draeth estron, yr arfer fyddai plannu Croes Crist yn y fan honno. Ond nid oes unpeth i'w gymharu â'r Cristo-Rei (y Crist-Frenin) a welir yn y brifddinas heddiw.

Pan ffrwydrodd yr Ail Ryfel Byd ar wledydd Ewrop, aeth offeiriaid Lisbon i bledio ar y Fam Fair i warchod Portiwgal rhag cael ei thynnu i'r danchwa fawr. A phed arbedid eu gwlad, y bydden nhw wedyn yn codi cofeb i'r Crist-Frenin.

A'r fath gofeb yw honno! Gan gychwyn yn Chwefror 1952, buont yn gweithio arni am saith mlynedd lawn. Gosodwyd y Crist ar fryn amlwg wrth lan afon Tagus, yn edrych i lawr ar y ddinas a'i ddwyfraich ar led. (Mae'r pen yn dair troedfedd ar ddeg, a'r pellter rhwng y breichiau'n naw deg ac un o droedfeddi.) A phan ddelo'r hwyr i Lisbon, daw llifolau dros y ddelw a bydd y Cristo-Rei llachar yn bendithio'r ddinas ar hyd y nos.

CHWEFROR *17*

Fe gyfyd llawer o broffwydi gau a thwyllant lawer. Ac am
fod drygioni yn amlhau bydd cariad llawer iawn yn oeri.
(MATHEW 24:11-12)

EITHRIAD OEDD i ni gael cnwd o eira yn Eifionydd, a phan
ddigwyddai, byddai'n gyffro yn ein hanes fel plant. Mae'n
debyg mai newydd-deb yr eira oedd un achos y cynnwrf: y
trwch gwyn ar goed, ar do ac ar lawr daear; yna'r hwyl o
daflu peli eira ac o ymrowlio yn ei ganol. Ar ôl deuddydd neu
dri, fodd bynnag, byddem wedi ymgyfarwyddo â'r miri, ac
yn dechrau blino arno. Yn ystod dyddiau lled faith o
dywydd caled, byddai Mam yn arfer dweud fod 'yr eira
yma'n hen garchar'.

O ystyried, y mae swyn rhyfedd ynghlwm wrth bopeth
newydd. Felly y digwyddodd gynt pan gydiodd twymyn yr
yo-yo a'r *hula hoop* yn y miliynau; roedd pawb wedi glân
ymgolli yn y chwarae nes i'r newydd-deb wisgo'n denau ac
i'r ffansi basio heibio, a darfod.

Tybed a ddigwyddodd peth tebyg gyda'n bywyd
crefyddol? Bu amser pan oedd crefydda'n gyffro yn y tir
gyda diwygiadau ar gerdded, a'r tyrfaoedd yn tyrru i addoli.
Codwyd capeli dros y wlad ym mhobman – gormod, bid
siŵr, ar gyfer y galw. Ond cyfnod brwd felly oedd hi nes i
ryw syrffed rhyfedd gerdded trwy'r ardaloedd fel pla.

Efallai i bobl deimlo fod yr Efengyl 'yn hen garchar', bod
y newydd-deb cynnar wedi heneiddio, bod yr hwyl drosodd,
bod pawb wedi blino bellach, a chystal troi'r capel yn
fodurdy neu'n gaffi neu'n warws.

CHWEFROR *18*

... nid yw'n gwylltio, nid yw'n cadw cyfrif o gam...
(1 CORINTHIAID 13:5)

SUT Y GELLIR byw oes gyda'r Efengyl heb ddiflasu? O ran hynny, sut y gellir byw oes gydag unrhyw un heb ddiflasu?

Onid yw hwn yn gwestiwn cymdeithasegol o fawr bwys heddiw? A bod yn gwbl onest, prin fod un ohonom yn fodau hawdd byw efo ni. Natur aruthrol o gymhleth ydyw'n natur ddynol ni: gallwn fod yn glên – ac yn gas; yn ddibynadwy – ac yn oriog; yn onest – ac yn wyrgam; yn ystwyth – ac yn benstiff; yn garedig – ac yn greulon; yn angel – ac yn gythraul.

Ar wahân i ambell un eithriadol wastad ei dymer, gall ein natur ni bendilio o un eithaf i un arall, er gofid egr i'n cydnabod. Ni waeth hynny fwy na mwy, hen deulu dieflig o ddyrys yw teulu dyn. Pa ryfedd y dichon y naill lwyr ddiflasu ar y llall?

Eto mae'r cwestiwn yn aros – sut ydym i gyd-fyw heb alaru ar ein gilydd? Ni allaf yn well nag edrych i fyw llygad yr hen ymadrodd a ddefnyddiwn mor aml, ac mor ddifeddwl hefyd: 'Mae isio gras efo hwnnw!' (neu 'honno'). Wrth gwrs fod eisiau gras! A gras, neu gariad, yw'r unig ateb.

Mae'n werth darllen 1 Corinthiaid 13 yn fanwl, fanwl. Am y tro, craffer ar y sylw hwn gan Paul am gariad: 'nid yw'n cadw cyfrif o gam'. (*Love keeps no score of wrongs.*) Diolch byth am hwnnw, neu honno, nad yw yn ei natur i feddwl taro'n ôl nac isel ddannod. A hynny am nad yw'n cadw llyfr cownt o ffaeleddau neb.

CHWEFROR *19*

Y mae amser i bob peth . . . amser i dewi,
ac amser i ddywedyd...
(PREGETHWR 3:7)

YN 1969, cafwyd cyfrol dra chymesur ar Gandhi gan D. Ben Rees. Ynddi, gwelir dalen ffotograff sy'n dangos eiddo personol yr hen arwr: rhyw ddwsin o bethau fel sbectol, oriawr, sandalau, ei 'feibl' a llestr-bwyta neu ddau. Yn ddiddorol iawn, mae un eitem yn ennyn cryn chwilfrydedd, sef mowld o'r tri mwnci bach hynny sy'n eistedd yn dynn, ochr yn ochr.

Mae gan y mwnci ar y dde 'law' dros bob clust – nid yw am glywed dim. Mae'r un canol a'i ddwylo dros ei lygaid – nid yw am weld dim. Ac mae dwylo'r un ar y chwith dros ei geg – nid yw am ddweud dim. Tybed pa reswm oedd gan Gandhi dros arddel y tri hyn?

Ar hyd ei oes, nid oedd ef yn brin o glywed: clywed ei wlad (a'r byd) yn siarad, yn trafod ac yn dadlau. Nid oedd yn brin o weld: gweld cyflwr ei bobl, gweld arweinyddion, gweld galanastrau a gweld sawl trueni. Nid oedd yn brin o siarad, chwaith: siarad mewn marchnad, siarad mewn seneddau a siarad oddi ar lwyfannau.

Eto, roedd y tri mwnci bach yn symbol oedd yn negyddu'r cyfan hynny. Beth bynnag oedd rhesymau Gandhi, y mae'n wir fod nifer o bethau yn ein cymdeithas nad yw'n werth gwrando arnyn nhw; mae llawer o bethau nad yw'n werth edrych arnyn nhw, ac y mae sawl stori a sgandal nad yw'n werth eu hailadrodd o gwbl wrth neb.

CHWEFROR *20*

Wele, yr wyf yn gwneuthur pob peth yn newydd.
(DATGUDDIAD 21:5)

YM MHENNOD olaf ond un Llyfr y Datguddiad, myn Ioan iddo weld 'daear newydd'. Gallai dyn ei amau braidd, a thaeru nad oedd erioed wedi gweld y fath beth, am mai hen, hen ddaear yw hon, sy'n heneiddio fwyfwy o ganrif i ganrif. A bod yn sinigaidd, oni ellir haeru mai hanes hen fethu yw hanes ein daear ni?

Efallai bod hyder eithaf gloyw o gwmpas y cychwyn cyntaf yn Eden. Yno, gyda dyn am ddringo i'w baradwys, gwelir nad aeth fawr uwch na changhennau'r pren cyn cael ei godwm. Byth ar ôl hynny, rhyw ailadrodd 'codwm Eden' yw'r hanes.

Wedi i'r ci labrador sgriffinio'r bwrdd derw, dyma redeg peiriant y papur-tywod drosto nes bod creithiau'r ewinedd yn diflannu mewn manlwch. Ond fel y symudid y crafiadau ymaith, wele bren gwyn yn dod i'r wyneb! Er siom ddirfawr, nid oedd derw'r bwrdd hwnnw ond fenîr tenau trwch papur dros goedyn meddal. Onid dyna'r hen dwyll sydd o dan yr wyneb ym mhob canrif?

Wedi polish ugain canrif o 'Gristionogaeth', nid lledneisrwydd yw'r gelfyddyd ond lladrata; nid y llariaidd piau newyddion y wasg ond y llofrudd. Hyd y dydd hwn, fe bery rhyfeloedd – a sôn am ryfeloedd.

Ioan, druan, a'i 'ddaear newydd'! Ond y mae'r Difinydd hwnnw am inni'i ddarllen yn deg. 'Yr hyn a ddywedais i oedd hyn,' meddai. 'Mi a welais NEF newydd – a daear newydd. Ac y mae'n ymddangos eich bod chi'n disgwyl daear newydd heb ofalu am NEF newydd yn gyntaf. Y drafferth yw fod eich nef gyfoes chi yn rhy isel o lawer...'

CHWEFROR *21*

… peidiwch â gadael i'r haul fachlud ar eich digofaint, a pheidiwch â rhoi cyfle i'r diafol.
(EFFESIAID 4:26-27)

CYNNEDDF WYRTHIOL yw honno sy'n cofio blas a lliw, siâp a theimlad; cofio geiriau, awyrgylch, golygfa; cofio cymeriadau a sylwadau, chwerthin, dagrau a dychryn … cofio popeth oll a ddaw i'r arfod. Difyr yw taro ar hen gyfoedion bore oes, a'r sgwrs er ei gwaetha'n bwrw'n ôl i ailgodi'r hanesion a fu gynt. Rhan o'r difyrrwch bellach yw fod y naill yn cofio rhyw bethau oedd wedi llithro dros y ffin yng nghof y llall; eto, o'u hailadrodd, dônt i fyny'n ôl o ddyfnderoedd isa'r cof gyda'r mwynhad hyfryta'n fyw.

Os oes yna bethau sy'n felys o'u hailgofio, y mae yna hefyd bethau y dylid eu hanghofio. Gall dyn anwesu rhai troeon annheilwng, a dyfynnu ambell frawddeg front gan nyrsio'r cofion hynny â phleser afiach. Am fod noddi cyflwr felly'n gwenwyno'r sawl a'i hedrydd (ynghyd â'r rhai a'i gwrendy), dylid bwrw ati'n unswydd i'w hanghofio. Ond sut?

Un tro, o weld llygoden fawr yn mynd a dod o gwmpas y lle, yn ôl y drefn cafwyd swyddog o'r Cyngor i'w difa. Ni fu'r gwrda hwnnw'n hir cyn canfod yr achos: 'Does dim rhyfedd fod llygod mawr yma … on'd ydach chi'n eu *porthi* nhw!' meddai. Wedi sylwi yr oedd fod gennym fwrdd-adar o flaen y tŷ, a hwnnw'n llawn cnau a chrystiau blasus. Wrth geisio noddi angylion ar un llaw, roeddem yn pesgi llygod ar y llaw arall. Un ffordd o ddifa pla felly yw eu llwgu o fodolaeth.

CHWEFROR *22*

Pwy ydyw'r rhai hyn sydd wedi eu gwisgo mewn gynau
gwynion? ac o ba le y daethant?
(DATGUDDIAD 7:13)

ROEDD OCHRAU llethrog i goed Plas Talhenbont, a phont
dderw gref yn y pant ar gyfer croesi afon Dwyfach. Ar
wastad isel y goedwig tyfai amrywiaeth o flodau gwylltion –
trwch o eirlysiau, cennin Pedr, briallu, a'r arlleg wen.

Un noson sorth o haf, daeth yn storm o fellt a tharanau
gwbl arswydus, a'r llifogydd wrth chwalu pont y Dafarn
Faig, ger Bryncir, yn cipio i'w canlyn bob ysglodyn o bont
dderw'r Plas.

Ymhen blynyddoedd lawer wedyn, cerddwn y clawdd
llanw sydd o fewn ychydig i draeth Ynysgain Fawr. Ac yno,
ar fin aber bell yr afon, y mae clwm o goediach eirin-tagu,
helyg, a llwyni drain duon. Yno hefyd, y Chwefror hwnnw,
y creffais ar drwch cwbl annisgwyl o eirlysiau gwynion, fel
petai garddwr wedi'u plannu rhwng y llwyni ar fore'r creu.

A'r esboniad? Bod llifogydd y storm gofiadwy honno
gynt, wrth ysgubo trwy goed y Plas, wedi dadwreiddio
miloedd o fylbiau a'u gollwng filltir helaeth yn is i lawr
rhwng prysglwyni'r clawdd llanw. Wedi trigain mlynedd a
mwy, mae'r eirlysiau'n dal i flodeuo yng ngwynt y morfa
pell. Mae dawn gan stormydd bywyd i blannu blodau mewn
dyfodol pell ymlaen – a rhywun arall, ymhen blynyddoedd,
yn taro arnyn nhw ac yn pendroni.

Ond ni wyddai efe fod yr Arglwydd wedi cilio oddi wrtho.
(BARNWYR 16:20)

STORI BWERUS yw honno am Samson, gŵr a'i nerth corfforol yn ddihareb trwy'r wlad. Sonnir amdano'n cerdded coedwig Timna, ac yn lladd llew wrth basio, fel petai. Yn yr un modd swta y byddai hefyd yn difa'i elynion pan ddôi'r galw.

Mewn anterth felly yr aeth i Gasa, nes i Delila'i gael i'w hafflau. Canfu honno fod cuddiad ei gryfder yn ei dorchau gwallt, a bradychodd ef. Wedi'i roi yn nwylo'r Philistiaid, tynnodd y giwed hynny ddau lygad Samson, a galw'r miloedd i ddathlu yn nheml Dagon.

Oddi ar y terasau yno y clywyd y galw iasoer: 'Gelwch am Samson, i beri i ni chwerthin!' (I mi, dyna un o adnodau tristaf yr Hen Destament, Barnwyr 16:25.) Onid yw'r agwedd yn nodweddiadol o bob tyrfa pan gyll honno'i chwaeth? Ar un llaw, roedd y cawr yn garcharor, ac wedi'i ddallu ar ben hynny; ar y llaw arall, roedd yr edrychwyr yn niogelwch eu miloedd mewn hyder llwfr i loddesta ar sadistiaeth. 'Gollyngwch Samson, i ni gael sbort!'

Pa ryfedd i'r hen wron balfalu rhwng dwy golofn, ei gledrau'n eu gwthio ar wahân ac yn eu cracio nes i'r holl deml ymchwalu ar ben pawb. Ac yn nhraddodiad uchel-drasiedi, magwyd y ddihareb i Samson ladd mwy wrth farw nag a wnaeth wrth fyw.

CHWEFROR 24

... ac yntau a ddechreuodd fod mewn eisiau.
(Luc 15:14)

Os DILYNWN ni'r Mab Afradlon hwnnw i'r wlad bell, fe'i gwelir gyda'i waled lawn yn gwario'n hael mewn siop a marchnad. Mae stelcwyr y ddinas yn dechrau'i lygadu ac yn closio ato, ac wedi cael noson gofiadwy yn y dafarn win, maen nhw'n awyddus i drefnu nosweithiau eraill tebyg, a gwahodd nifer o'r rhyw deg i'r miri.

Profiad braf oedd bod yn gyfoethog yng nghwmni rhai tlawd. Teimlad arwrol, braidd, oedd prynu i hwn, talu dros hon, a rhoi benthyg i hwnacw. O dipyn i beth, rywsut neu'i gilydd, aeth y waled yn wag, ac mewn cyfwng felly, trodd at y ffrindiau difyr, newydd gan ofyn i un ei helpu, ac i arall dalu'r benthyciad yn ôl. Ond dyma'r ymateb: 'ac ni roddodd neb iddo' (Luc 15:16). A fu tristach sefyllfa erioed, a'r gwencïod wedi'i sugno'n sych? Mewn difri – *neb*!

Treuliodd yr Athro Ifor Williams ei yrfa ar drywydd yr ieithoedd Celtaidd gan ddadansoddi ac egluro geiriau'r Gymraeg â dawn oedd yn gwbl feistraidd. Tua diwedd ei oes, cwynai wrth gyfeilles ei fod yn methu â chofio ambell air, a bod geiriau, bellach, yn gyndyn o ddod ar ei dafod wrth sgwrsio. 'Yr hen betha sâl,' meddai hithau. 'A chitha wedi bod mor ffeind wrthyn nhw!' Buasai'r Mab Afradlon yn deall peth felly'n iawn. Hen betha sâl.

CHWEFROR 25

... pa le bynnag y pregethir yr Efengyl yma yn yr holl fyd,
adroddir hefyd yr hyn a wnaeth hon, er cof amdani.
(MATHEW 26:13)

MAE'N LLAWN bryd cydnabod teyrngarwch gwragedd i Iesu Grist a'i achos, a hynny o'r cychwyn cyntaf. Nhw oedd y rhai olaf wrth y Groes; nhw hefyd oedd y rhai cyntaf yn y fynwent, fel y tystir ym Marc 16:1: 'Mair Magdalen, a Mair mam Iago, a Salome, a brynasant beraroglau, i ddyfod i'w eneinio ef.'

Erbyn heddiw, yng nghyfnod y gwrthgilio, oni fyddai wedi darfod yn llwyr oni bai am ymlyniad y gwragedd?

Roedd cynhadledd fawr ar lefel fyd-eang wedi'i threfnu yn y ddinas, a dau gyfaill yn trafod y trefniadau gyda brwdfrydedd. Am mai anrhydeddu'r merched oedd y prif fwriad, mynnid mai gwragedd yn unig fyddai ar y llwyfan – merch yn llywydd, merch i arwain, merch i annerch, merched i gasglu...

Ac meddai'r cyfaill wrth ei bartner: 'Wyddost ti 'mod i wedi clywed si y gall y Pab ddod i'r gynhadledd yma?'

'Y Pab?' ebychodd y ffrind yn anghrediniol. 'Ddaw y Pab, o bawb, byth yma!'

'Mi ddweda i fwy wrthyt ti,' atebodd y brawd yn dawel. 'Mae yna sôn y gall hi ddod â'i gŵr efo hi.'

Pam lai, yn wir? Dyna fesur y chwyldro. Ymlaen, ferched!

CHWEFROR 26

Ac a wêl lonyddwch mai da yw...
(GENESIS 49:15)

HYNOD YW'R AWYDD mewn rhai pobl am fynnu creu sŵn o'u cwmpas: rhaid cael y teledu ar fynd, rhaid troi'r radio neu'r CD ymlaen, boed hynny yn y tŷ neu yn y car. Mwy dyrys fyth yw cynhyrchwyr rhaglenni sy'n mynnu ychwanegu cymysgedd o fiwsig ac ysgafn guriad drymiau fel cefndir i lais y darlledwr nes hanner boddi'r neges.

Pan oeddem blant, nid oedd dadwrdd drymiau'n cyrraedd coed y Gwynfryn. Nid oedd cerbydau'n pasio heibio, ar wahân i drol y ffarm, efallai; clepian pwyllog carnau'r ceffyl, a chylchau'r olwynion yn crensian dros raean y ffordd.

Oni byddai Mam yn y tŷ, yr hyn a wnaem fyddai aros yn llonydd, a gwrando. Toc, o glywed clec fechan, rhedem i'r coed cyn sefyll yn llonydd i wrando eto fyth. Y glec yn llawer nes atom erbyn hyn, a Mam yn nwfn y goedwig a phentwr o goed tân o'i blaen, yn codi brigyn o'r crinddail, ei ddal yn erbyn ei phen-glin cyn ei dorri'n ddau. Nid oedd cleciadau felly'n tarfu'r dim lleiaf ar dawelwch y coed. Am a wn i nad oedden nhw'n cyfrannu at y dwys ddistawrwydd, ac at ramant y lle, fel y byddai peswch nerfus ambell weddïwr yn angerddoli'r cwrdd yng nghapel Moreia ar noson lwyd o aeaf.

... pobl y goleuni, pobl y dydd, ydych chwi oll.
(1 THESALONIAID 5:5)

O'U CYMHARU â barddoniaeth amleiriog ei gyfnod, roedd telynegion Eifion Wyn fel y mêl. Felly hefyd ei emynau. Ac wrth adrodd y pennill a ganlyn o'i waith, byddaf yn wastad yn gweld ffurf triongl:

> Dod imi galon well bob dydd,
> A'th ras yn fodd i fyw;
> A boed i eraill trwof i
> Adnabod cariad Duw.

Ar un pegwn yng ngwaelod y triongl fe'm gosodir i: 'Dod i *mi...*' Yn y pegwn gyferbyn ag ef, gwelir person arall: 'Boed i *eraill...*' Yna, ym mhegwn ucha'r triongl, ceir yr hyn sydd uwchlaw pawb: 'cariad *Duw.*'

Rhediad y triongl yw bod Duw (yn y pegwn uchaf) yn gyrru ei gariad tuag ataf i (yn un o'r pegynnau isaf), a'm bod innau wedyn yn ceisio trosglwyddo'r gras hwnnw fel 'modd i fyw' i'm cydnabod (yn y pegwn gyferbyn). Yna, ei fod yntau, neu hithau, o'u cyswllt â mi (nid yn fy ngweld i, pell y bo hynny), ond meddai Eifion Wyn, yn cael cip, '*trwof i*', ar gariad Duw, sy'n dod â ni yn ôl at ben ucha'r triongl.

Dyna'r patrwm di-feth: Duw – i lawr ataf fi; myfi – ar hytraws at eraill; hwythau wedyn – yn ôl at Dduw. Cymhleth efallai, ond dyna'r diagram bob tro.

Fe all fod y triongl yn eglurach ym Mathew 5:16: 'Llewyrched felly eich goleuni gerbron *dynion*, fel y gwelont eich gweithredoedd da *chwi*, ac y gogoneddont eich TAD yr hwn sydd yn y nefoedd.'

CHWEFROR *28*

...dyro gyfrif o'th oruchwyliaeth...
(LUC 16:2)

DIWRNOD BWRW'R draul fydd hi heddiw. Gweld y llyfr yma'n gyndyn i dyfu'r ydw i. Pan addewais, sbel yn ôl, y buaswn yn sgrifennu cyfrol o'r natur yma, fe dybiais yr awn trwy'r gwaith fel cyllell trwy fenyn.

Ond bellach, mae'r egni'n dechrau pallu, y meddwl yn llesgáu a'r syniadau'n teneuo. A bydd angen dros dri chant eto! O ble ar y ddaear gron y daw trichant arall o bytiau? Teimlo ias o banig, fel Pantycelyn gynt:

> A minnau sydd am ffoi,
> Neu ynteu droi yn ôl...

Eto, ni thâl peth felly ar ganol y ddringfa. Bydd yn rhaid ymwroli a gyrru ymlaen tua'r copa pell. Pell iawn hefyd. Ond fel yr awgrymais ar Ionawr 1af, fesul cam y daw pethau. Ymddengys felly nad oes dim amdani ond pwyso ar Williams fawr unwaith yn rhagor:

> Wel, f'enaid, dos ymlaen,
> 'D yw'r bryniau sydd gerllaw
> Un gronyn uwch, un gronyn mwy,
> Na hwy a gwrddaist draw:
> Dy anghrediniaeth gaeth,
> A'th ofnau maith eu rhi',
> Sy'n peri it *feddwl* rhwystrau ddaw
> Yn fwy na rhwystrau fu.

Fel rheol, doedd yr hen wron hwnnw ddim ymhell ohoni.

CHWEFROR 29

Af yn ôl i'r dyddiau gynt
a chofio am y blynyddoedd a fu...
(SALM 77:5)

YR ENW gan rai ar Chwefror yw'r 'mis bach', am nad yw'n cynnwys ond 28 o ddyddiau. Bob pedair blynedd, sut bynnag, estynnir un diwrnod at ei hyd, a gelwir cyfnod felly'n 'flwyddyn naid', gyda 366 o ddyddiau yn ei chalendr.

Eglura'r deallusion mai hyd blwyddyn solar yw 365 niwrnod, 5 awr, a 48 o funudau. Gan fras dderbyn hynny fel 365 a chwarter o ddyddiau, penderfynodd Iwl Cesar ychwanegu un diwrnod ar ben pob pedair blynedd er mwyn cynnwys y pedwar chwarter hynny – sy'n cyfateb i 24 awr, sef un diwrnod.

A beth am sylwgarwch praff un bardd, lawer canrif yn ôl? 'Yn nyddiau ein blynyddoedd y mae deng mlynedd a thrigain: ac os o gryfder y cyrhaeddir pedwar ugain mlynedd, eto eu nerth sydd boen a blinder; canys ebrwydd y derfydd, a ni a ehedwn ymaith' (Salm 90:10).

'Digon i'r diwrnod' yw'r ateb bob gafael.

MAWRTH *1*

Ond yr ydych chwi yn hil etholedig,
yn offeiriadaeth frenhinol, yn genedl sanctaidd...
(1 PEDR 2:9)

DAW DYDD cyntaf mis Mawrth â ni at Ŵyl Dewi Sant, pan
fydd sawl cinio dathlu trwy'r wlad, a thros y byd lle bydd
Cymry'n ymgasglu. Ar wahân i lawysgrifau o Iwerddon ac o
Lydaw, prin iawn yw'r manylion am fywyd ein nawddsant,
felly rhaid dibynnu'n bennaf ar femrwn Rhygyfarch, esgob
ac ysgolhaig o'r unfed ganrif ar ddeg, lle mae'n disgrifio
'Bywyd Dewi Sant'.

Roedd Dewi'n byw yn y chweched ganrif, yn fab i Non a
Sant (brenin Ceredigion). Cafodd addysg yn Henfynyw ger
Aberaeron cyn ymsefydlu yng Nglyn Rhosyn ar fin afon
Alun, lle mae cadeirlan urddasol Tyddewi heddiw.

Yn ystod ein dathliadau ni ar yr ŵyl, mae'n debyg mai'r
dyfyniad mwyaf poblogaidd yw hwnnw o Lyfr Ancr
Llanddewibrefi, 'Buchedd Dewi', lle nodir siars olaf Dewi
Sant i'r Cymry: '... byddwch lawen. A chedwch eich ffydd
a'ch cred. A gwnewch y pethau bychain a glywsoch ac a
welsoch gennyf i...'

Wrth drafod cyflwr masnach yn America, rhoes Benjamin
Franklin y cyngor hwn: 'Gwyliwch rhag y mân gostau. Gall
un twll bychan suddo llong enfawr.' Sonia Sechareia am
berygl dirmygu 'dydd y pethau bychain'. Caed rhybudd gan
Iesu Grist rhag 'rhwystro un o'r rhai bychain hyn'. Ac yn
Salm 33:12, crynhoir y cyfan â'r sylw: 'Gwyn ei byd y genedl
y mae yr Arglwydd yn Dduw iddi...'

MAWRTH 2

Yn lle drain y cyfyd ffynidwydd,
yn lle mieri y cyfyd myrtwydd...
(Eseia 55:13)

YN OGYSTAL â bod yn brifathro ysgol fach Llawrybetws, roedd Stephen Davies hefyd yn arddwr llwyr ymroddedig. Bu ei farw sydyn yn ergyd ffrom i'r disgyblion, i gapel Glanrafon ac i'r ardal drwyddi draw.

Un bore teg o wanwyn, cerddwn heibio i'w dŷ galarus gan droi at gulffordd serth a chloddiau uchel o'i deutu. Anelu yr oeddwn am ffermdy Pen y Bryn, cartre John Lloyd, tad Tecwyn a brawd Llwyd o'r Bryn. Wedi cyrraedd, cyfeiriais at y clystyrau cennin Pedr oedd yn ddigon o ryfeddod ar frig y ddau glawdd, gan ychwanegu bod trafferthu â blodau yn beth pur anarferol i ffarmwr prysur.

'O na!' meddai John Lloyd. 'Does a wnelo fi ddim byd â'r cennin Pedr. Mistar Defis yr ysgol fu wrthi'r llynedd yn plannu bylbie ar y cloddie.'

O'r dydd hwnnw y dechreuais innau feddwl am Stephen Davies fel gŵr a adawodd brydferthwch ar ei ôl. Mae digon o bobl mewn byd fel hwn yn hau drain. Diolch i'r nef am y rhai hynny sy'n gadael blodau ar eu hôl:

'Canys mewn llawenydd yr ewch allan, ac mewn hedd y'ch arweinir; y mynyddoedd a'r bryniau a floeddiant ganu o'ch blaen, a holl goed y maes a gurant ddwylo' (adnod 12).

MAWRTH 3

A gofynnodd iddo, 'Beth yw dy enw?'
(MARC 5:9)

ROEDD Y 'DYN Â'R YSBRYD AFLAN' wedi eu canfod nhw'n
dod o'r môr ac yn dringo'r llethr i'w gyfeiriad. Safai'r
disgyblion mewn arswyd wrth wylio'r Iesu'n araf gamu tuag
at y lloerig. (Onid oedd y pentrefwyr wedi ceisio'i gadwyno,
ac wedi ei adael yn y fynwent gyda'r demoniaid?) Rhythent
arno'n anadlu'n gyflym, ei farf yn lafoer, ei dalcen yn waed, a
dolen fetel yn hongian gerfydd ei arddwrn.

Yn araf, dechreuodd ei gorff ymlonyddu, ei anadl
gymedroli, ac yn sydyn cwympodd yn llipryn wrth draed y
Gŵr Rhyfedd o'r Môr. Nid cythraul ymysg y beddau a welai
Ef, ond dyn allan o'i gynefin. Yna'n dirion, dawel,
gofynnodd gwestiwn iddo: 'Be ydi d'enw di?' (O ystyried, ni
ofynnir y cwestiwn hwnnw i neb ond dyn.) 'Lleng ydi f'enw
i,' atebodd y truan, 'am fod yna lawer ohonon ni.'

Beth bynnag am ddirgelwch ei gyflwr, fe wyddai'r tlawd
hwn fod yna garsiwn o hyrddiau tywyll yn ei ddarn ladd bob
hyn a hyn. 'Mae amryw byd ohonom yn fy nghlai', chwedl
Parry-Williams. 'Myfi ŷnt oll – ac eto nid myfi.'

Yr hyn a wnaeth y Gŵr Rhyfedd o'r Môr oedd cael y
creadur dryslyd i ddod ato'i hun; ei wneud yn un – ac nid yn
llawer mwyach. Pa syndod i'r pentrefwyr ddychryn o weld
y cythreulig 'yn eistedd a'i ddillad amdano ac yn ei iawn
bwyll' (Marc 5:1-20).

MAWRTH *4*

... a gerddodd o amgylch gan wneuthur daioni...
(ACTAU 10:38)

GŴR O'R WLAD OEDD O, newydd gyrraedd ffwndwr Llundain fawr, ac ar fedr croesi heol brysur cyn i'r goleuon newid. Pan oedd ar symud clywodd wichiadau brêc ac utgyrn cerbydau. Newidiodd y goleuon eu lliwiau, ond trwy orbetruso, collodd ei gyfle unwaith yn rhagor. A'r drafnidiaeth ddinesig yn ei gawdela fwyfwy, digwyddodd sylwi ar hen wraig ar ei bwys nad oedd, yn ôl pob golwg, yn cyffroi'r mymryn lleiaf.

Pan eglurodd wrthi nad oedd yn deall pryd na sut i bwyso botymau'r 'pedestriaid', cydiodd yn ei fraich, ac wedi eiliad neu ddau o wrando, meddai wrtho: 'Dowch! fe groeswn ni'n awr.' Ar ôl cyrraedd ar draws yr heol, ymddiheurodd y gwladwr am beri trafferth i hen wraig, o bawb. Ond ni fynnai hi mo hynny.

'Er mwyn i chi ddeall,' eglurodd, 'mi fydda i'n troi allan i'r stryd yma bob dydd. Ond rydw i'n ddall. Ac oherwydd hynny, does neb yn gofyn i mi am gymorth. Chredwch chi byth mor falch oeddwn i o drio'ch helpu chi funud yn ôl. Diolch i chi am ofyn i mi.' Ac aeth ymlaen gan bwyll ar hyd y pafing – i chwilio am gyfle'r gymwynas nesaf efallai.

'Cariwch feichiau eich gilydd, ac felly fe gyflawnwch Gyfraith Crist' (Galatiad 6:2).

MAWRTH 5

Lle bynnag y bydd y gelain, yno yr heidia'r eryrod.
(MATHEW 24:28)

PAN GYRHAEDDAIS GEREDIGION y Sadwrn hwnnw, sylwais fod y teulu wedi cael eu set deledu gyntaf un, a bod Ifan a Huw wedi ymgolli yn rhyfeddod lliwgar y teclyn newydd.

Rasio moto-beic oedd ar fynd – ugain lap oedd y rhif ar gornel y sgrin. Fflachiai'r gyrwyr heibio yn eu lledrau coch, glas a melyn, y naill yn ymlid y llall yn gwbl ryfygus, a'u peiriannau'n clecian dros y lle. Gwyliai'r ddau fach y gwibio aruthr heb symud o'u cadeiriau ... a'r beicwyr yn ysgubo trwodd o lap i lap ... rownd y tro, heibio i'r coed, i fyny'r rhiw, o dan y bont, tua'r drofa siarp ... hwnyma'n llithro, hwnacw'n codymu, a'r gweddill yn ysbydu heibio fel melltithion ar ddwy olwyn.

Toc, ar ôl chwe lap o'r un un patrwm, cododd Huw a gofyn inni gyda'r diniweidrwydd hwnnw na fedd neb ond plentyn: 'Tybed ble maen nhw'n mynd?'

Hyd heddiw, mae'r cwestiwn hwnnw fel cnul ar fy nghlyw: 'Tybed ble maen nhw'n mynd?' Yr arfau melltigaid sydd yn ystordai'r gwledydd, a'r gwario synfawr wrth ymhél â nhw. Yn yr un byd, miliynau heb waith, dim llyfrau i ysgolion, dim offer i ysbytai. Damweiniau atomfeydd fel Chernobyl, a difrod colli olew ar y môr. Nwyon ffatrïoedd a glaw asid yn difa coed a blodau, anifeiliaid a physgod – a phobl hefyd, yn ôl pob rheswm. Trais mewn cartrefi, a fandaliaeth yn yr heolydd. Cam-drin yr hen a llygru plant, a llacrwydd cymdeithas yn fagwrfa i afiechydon marwol. 'Tybed ble maen nhw'n mynd?' meddai llais y bychan hwnnw unwaith eto.

MAWRTH 6

A byddwch gymwynasgar i'ch gilydd...
(EFFESIAID 4:32)

ER BOD DRYGAU milain y byd yn ddigon â llethu'r ysbryd, ac er na ddylid encilio i dŵr ifori a chau llygaid ar helynt dynoliaeth, eto i gyd mynnaf dystio fod llawer iawn, iawn mwy o dda ar y ddaear nag o ddrwg.

Onid oes pobl ardderchog o'n cwmpas a gymerwn yn ganiataol, fel meddygon, athrawon, nyrsys, postmyn, gweinidogion, dynion y lorri ludw, cerbydau llaeth a bara beunyddiol, a lleng debyg sy'n gyson ar eu rownd? Ar nos o ddrycin, a ninnau'n glyd o dan do, gall criw'r trydanwyr fod ar bolion yn nannedd y storm eira; dynion y dŵr, hwythau, yn ceibio mewn traen wrth drwsio'r pibellau, a gwroniaid y bad achub allan yn y dyfroedd mawr a'r tonnau.

O fewn ychydig funudau wedi i chwaer adael ein tŷ ni yn ei char, daeth neges ffôn-boced gan gyfaill yn egluro'i bod wedi cael damwain ddrwg, chwarter milltir i lawr y ffordd. Brysio draw ar unwaith, a chyn pen pum munud arall, roedd yno ddau blisman, gwŷr y Frigâd Dân a chyfeillion ambiwlans. O ble, a sut y daethon nhw mor sydyn, sydd ddirgelwch i mi hyd heddiw. Ond yno'r oedden nhw, bob un yn ei faes ei hunan yn gweini cymorth tirion. Diolch filwaith am fyd â'i drugaredd ar olwynion.

MAWRTH 7

Hau dy had yn y bore, a phaid â gorffwys cyn yr hwyr...
(PREGETHWR 11:6)

'BWRW DY FARA ar wyneb y dyfroedd, ac fe'i cei'n ôl ymhen dyddiau lawer', medd Llyfr y Pregethwr (11:1). Tybed beth oedd ym meddwl y brawd diddorol hwnnw? Yng ngŵyl bregethu Awst ym Mhen Llŷn, roedd gan D.J. Lewis, y Tymbl, gynnig nas clywais gan neb arall na chynt na chwedyn: 'Bwrw dy fara ar wyneb y ceunant chwyddedig, a thi a'i cei *efallai*. Ond os na chei di e, fe'i caiff rhywun arall e. Ac os caiff rhywun arall e, mi fyddi dithe yn y swing yn rhywle.' Gwreiddiol, a dweud y lleiaf, sy'n gadael pwnc trafod eithaf astrus! O bob cyfieithiad, yr hyn a hoffaf i yw hwnnw yn y *New English Bible*: 'Send your grain across the seas, and in time you will get a return.'

Mae'r frawddeg yn awgrymu golygfa wledig o ffarmwr yn ymlwybro'n llafurus dros ael y bryn dan gario pwn enfawr o ŷd ar ei gefn. Ar gulffordd gyferbyn, dyma ffarmwr arall yn tywys ebol sy'n llusgo trol fechan ac ynddi hanner dwsin o sachau llawnion. Gŵyr y ddau amaethwr fod llong yn yr harbwr gerllaw yn aros am eu cynnyrch, i'w gludo ar draws y môr a'i werthu mewn porthladd arall. 'Send your grain across the seas...' 'Bwrw dy fara ar wyneb y dyfroedd...'

Yr awgrym yw credu mewn mentro hau, am y daw'r cynhaeaf yn ei amser, gyda lwc. Wedyn, bwrw ar fenter bellach, sef masnachu'r cynnyrch, gan dderbyn y daw'r tâl 'ymhen dyddiau lawer', siawns.

MAWRTH *8*

Yna cododd a cheryddodd y gwyntoedd a'r môr,
a bu tawelwch mawr.
(Mathew 8:26)

Dwy glec uchel, a dwy bellen o fwg yn yr awyr. Er bod
tanio rocedi felly'n digwydd dair milltir draw yng
Nghricieth, gallwn ni yn Rhos-lan glywed yr ergydion bob
tro y'u gollyngir. Bryd hynny, byddwn yn gwybod fod criw
o ddynion wedi ateb yr alwad, a'u bod eisoes wrthi'n lansio'r
bad achub er mwyn helpu rhywun mewn cyfyngder allan yn
y bae. Yr enw y tu ôl i'r trugarogion hyn yw'r RNLI, y
Royal National Lifeboat Institution.

Ar bwys Douglas, Ynys Manaw, mae ymylon craig
Conister yn codi'n fradwrus o'r môr, a bu hynny'n achos
colli sawl bywyd, heb sôn am ddryllio llawer llong. Yn 1834,
cododd Syr William Hillary gastell bychan ar y graig, a'i
alw'n 'Tŵr Noddfa', gan fwriadu iddo fod yn lloches i
forwyr mewn adfyd o'r fath. Dyna gychwyn yr RNLI, sydd
erbyn heddiw â badau achub yn cwmpasu holl arfordir
Prydain ac yn achub cannoedd o fywydau bob blwyddyn.

Mae mwy nag un cofnod am yr Iesu allan ar fôr garw, ac
yn tawelu ofnau'i ddisgyblion bob gafael. Yn Ioan 5:23,
sonnir bod 'llongau eraill' yn yr un cwmpasoedd; yr
awgrym, felly, yw i'w hofnau hwythau hefyd ymdawelu yn
sgil cyfeillion Crist. Fel y dywedodd y rheini fu allan drwy'r
nos ar drugaredd y tonnau: 'Peth braf oedd gwybod fod
rhywun yn chwilio amdanoch chi.'

MAWRTH 9

... a fu golledig, ac a gafwyd.
(LUC 15:32)

BROC MÔR. Dyna'n disgrifiad ni o'r gweddillion hynny a edy ton benllanw ar ymyl ucha'r traeth. A'r fath amrywiaeth a welir wrth graffu ar y gymysgedd: torchau o wymon, cerrig llyfnion, brigau, cregyn, clwm o gortynnau, poteli plastig, pêl, hyd o goedyn, asgwrn pysgodyn, bwced felen...

Un tro, gwelais rwyf gyfan wedi'i golchi i'r lan. Dro arall, pen doli: pen bach glân, dannedd gwynion a llygaid siriol yn wên i gyd. Codais hwnnw o'r gwymon, a rhyfeddu ato gan ramantu er fy ngwaethaf: y pwtyn bach clws wedi cael ei gorddi gan y tonnau a'i adael gyda'r broc môr – ac eto, roedd yn dal i wenu! (Mae hwnnw gennyf ar y silff o hyd, yn f'atgoffa o ambell un yn wynebu hergydion bywyd heb chwerwi'r dim lleiaf; 'yn gorfoleddu mewn gorthrymderau', yn ôl Rhufeiniaid 5:3.)

Trwy bopeth, erys un math hynod o chwilfrydedd o gwmpas broc môr: onid yw'r cyfan oll wedi bod yn *perthyn* i rywun yn rhywle, ryw dro? Pwy, tybed, oedd perchennog y rhwyf honno? A fu'n yfed o'r botel blastig? Yn chwarae â'r bêl? A beth am yr eneth fach a aeth tuag adref heb ei doli? Ar un wedd, broc môr diwerth. Ar wedd arall, perthynas goll.

MAWRTH *10*

Byddwch yn barod bob amser i roi ateb i bob un fydd yn
ceisio gennych gyfrif am y gobaith sydd ynoch.
(1 PEDR 3:15)

YN CHWEDLONIAETH GROEG, ceir hanes Pandora (sy'n cyfateb i Efa Llyfr Genesis) yn agor blwch gwaharddedig, gan ollwng ei holl ddrygau i'r byd. Llwyddodd, fodd bynnag, i gadw 'Gobaith' rhag dianc ohono.

Yn ystod pumdegau'r ugeinfed ganrif, aethom i lawr yr allt serth sy'n arwain i Nant Gwrtheyrn. Roedd y tai, y capel a'r ysgol yn dadfeilio'n ddistaw, heb un enaid byw ar gyfyl y lle. Mor anodd oedd derbyn fod y trigolion fu yma wedi gweithio yn Nhrefor gyfagos, a oedd ar un adeg y chwarel ithfaen fwyaf yn y byd.

Cofiaf dynnu cylch haearn allan o domen ar bwys un o'r tai. Yn blant, byddai gan bob un ohonom gylch felly i'w dywys ar hyd y ffordd gerfydd bachyn. (Mae'n anodd credu imi, yn 1983, weld bachgen o Dwrc yn gyrru cylch – yn union fel ninnau gynt – ym mhentref Seljuk gerllaw Effesus.)

Er gwaethaf diboblogi'r pentref, erbyn 1978 roedd Nant Gwrtheyrn wedi'i adfer unwaith eto: Canolfan Iaith Genedlaethol wedi'i sefydlu yno, a dosbarthiadau brwdfrydig yn llenwi'r tai unwaith yn rhagor. Wedi'r cyfan, ni chafodd Gobaith ddianc allan o'r blwch.

Er mai mater arall oedd gan Pedr, teg fyddai i selogion y Gymraeg ddal ar ei eiriau uchod.

MAWRTH *11*

… ac efe a aeth ar hyd ei ffordd ei hun yn llawen.
(ACTAU 8:39)

TEITHIO YR OEDDEM i gyfeiriad Staylittle sydd rhwng Llanidloes a Llanbryn-mair, a'r cefn gwlad hwnnw'n ogoneddus yn haul y pnawn. Roedd fy nghyfaill, Bleddyn, yn gyrru'n chwim, ond fe ddaliwyd cymaint ar ein sylw gan wrych gwastad oedd yn cyd-redeg ag ymyl y ffordd nes i'r jehiw-yrrwr hwnnw, hyd yn oed, ymbwyllo'n sylweddol.

Roedd yn amlwg mai newydd gael ei blygu'r oedd y gwrych, am fod ei doriadau'n wynion, a'r plethiad yn lân fel ymyl basged. Wedi pasio trofa neu ddwy ymhellach, dyma weld y plygwr cywrain wrthi'n cwmanu ar ganol ei orchwyl a'i arfau llymion yn fflachio yn yr haul. Arafwyd y car cyn aros yn union gyferbyn â'r gŵr yn y gwrych. Agorodd Bleddyn ei ffenestr a bwrw un gair yn eglur fwriadus i gyfeiriad y crefftwr: 'Ardderchog!'

Rhwng brigau'n gwrych, daeth pen y plygwr i'r amlwg, a gwenodd dan ateb yn fonheddig: 'Diolch yn fawr i chi.' Yna, heb un sill ymhellach, pwysodd Bleddyn ar y pedal a gyrru ymlaen i'r daith – ond wedi gadael calondid ar ei ôl. Gŵr wrth ei grefft yn cael gair o werthfawrogiad gan deithiwr dieithr. Telyneg o sgwrs. A thelyneg o brofiad.

MAWRTH *12*

Pan weithreda yn y gogledd, ni sylwaf;
os try i'r de, nis gwelaf.
(JOB 23:9)

WRTH EISTEDD yn fy modur yn gwag synnu, sylwais ar wraig yn dynesu dan gario clap du yn ei dwrn. Yn sydyn, anelodd y clepyn hwnnw at gerbyd yn f'ymyl. Fflachiodd lamp ar ei ochr a chlywid sŵn rhuglo o'i du mewn. Agorodd y wraig y drws ac aeth i'w modur.

Onid oes grymoedd rhyfedd ar waith o'n cwmpas, er na welwn ni mohonyn nhw? Rai llathenni i ffwrdd, roedd tonfedd electronig gwbl anwel wedi cysylltu'r wraig honno â'i cherbyd. Felly y digwydd gyda grym y microdon. A'r teleffon. A'r teledu. A'r trydan. Mae'r pwerau i gyd ar waith, er na *welwn* yr un ohonyn nhw.

Un bore niwlog, roedd bachgen yn chwarae â barcutan, neu'r 'ceit' fel y'i galwai. Cododd y ceit mor uchel nes mynd o'r golwg yn y niwl. Toc, daeth cymydog heibio, ac o sylwi ar y bychan yn cynnal dim ond hyd o linyn rhwng ei ddwylo, gofynnodd iddo beth oedd ar fynd.

'Chwarae efo'r ceit yma'r ydw i,' atebodd gan bwyntio tua'r niwl uwch ei ben.

'Wela i ddim byd,' meddai'r cymydog. 'Sut gwyddost ti fod y ceit i fyny yn fanna?'

'Mi clywa i o'n tynnu,' oedd yr ateb.

Pan ddigwydd gorfoledd mewn diwygiad, neu wefr mewn oedfa, mae'n wir nad oes un dim y gellir ei *weld*, fel y cyfryw. Ond dadl yr addolwyr am y cyffro yw eu bod 'yn ei glywed yn tynnu'.

... am hynny tynnais di â thrugaredd.
(JEREMEIA 31:3)

ER MWYN goleuo'i neges i werin gwlad, roedd yn arfer mynych gan Iesu Grist siarad ar ddamhegion, e.e. yr hedyn mwstard, y ddafad golledig, y wledd briodas, yr heuwr, y talentau a'u tebyg. Mae'n wir, fodd bynnag, y gall eglurebau felly (sy'n nodwedd o'r llyfr hwn) dorri i lawr a gorgymhlethu pethau. Eto, ar ôl sylw ddoe, caf fy nhemtio i ymyrraeth ymhellach ag eglureb y barcutan – a'i gorsiarsio, mae'n bur siŵr!

Ym miri'r bachgen bach, natur y ceit oedd tynnu tuag i fyny. Natur y plentyn oedd ei dynnu tuag i lawr. (Eto, mae'n bosib na wyddai'r bychan yn bendant pa un oedd y ddewisaf o'r ddwy natur oedd rhwng ei ddwylo.) Pen draw eitha'r miri, sut bynnag, fyddai i'r ddau fynd tuag adre gyda'i gilydd. Ond pwy fyddai'n tynnu pwy? I ba gyfeiriad?

Y cyfeiriad y pennodd Williams arno oedd:

> Tyn fi, Iesu,
> Beunydd atat Ti dy hun.

(Er bod sigl bendant yn yr eglureb erbyn hyn, nid drwg o gwbl fyddai dadansoddi'i breuder yn ogystal. Trafoder!)

MAWRTH *14*

... â pha fesur y mesuroch, yr adfesurir i chwithau.
(MATHEW 7:2)

AM EI BOD yn berl o stori, nid wy'n ymddiheuro am ei chynnwys yn y gyfrol hon ... fel y byddai Elin Ifans yn cerdded o'i thyddyn pell â basgedaid lawn o'i hymenyn cartref i'w fasnachu yn siop fach y pentref. Er i hynny fod yn arfer ffurfiol a hwylus ers blynyddoedd lawer, y diwrnod hwnnw roedd y groser siriol yn gwta'i eiriau, ac yn bur siarp ei dymer.

'Rydw i wedi synnu atoch chi, Elin Ifans,' meddai. 'Roedd pob un pwys o fenyn yr wythnos dwytha o dan ei bwysau ... o leia ddwy owns yn brin. Rydw i wedi fy siomi'n arw ynoch chi.'

Bu'r hen wraig â'i phen yn ei phlu am funud neu ddau yng nghornel bella'r siop, nes iddi yn y man sirioli drwyddi, ac esbonio wrth y groser: 'Rydw i newydd gofio be ddigwyddodd,' meddai. 'Yr wythnos o'r blaen, wrth ddidol y menyn yn bwysi yn ôl f'arfer, fedrwn i ddim dros fy nghrogi â dod o hyd i'r clapyn pwys fydd gen i yn y bwtri acw ... a'r unig beth oedd yn cyfateb i hynny oedd eich pwys siwgwr chi. A *hwnnw* oedd gen i ym mhen arall y glorian, cofiwch...'

'Na fernwch fel na'ch barner,' medd y Bregeth ar y Mynydd.

MAWRTH *15*

... a bod gennych goffa da amdanom ni yn wastadol.
(1 Thesaloniaid 3: 6)

Mor hawdd yw troi ffasiwn yn draddodiad. Un arferiad sydd wedi cydio bellach yw cludo blodau at lecyn trychineb nes gorchuddio'r fangre'n llwyr â phetalau.

Wrth grwydro gwlad Groeg, daliodd fy llygad sawl gwaith ar flychau bychain a geid hwnt ac yma ar ymyl y ffordd – ar bwys trofa go chwyrn yn amlach na pheidio. O ran maint, maen nhw'n debyg i flwch llythyrau, a'u defnydd yn amrywio rhwng carreg, pren a metel, a drws gwydr yn cau ar yr 'allor'.

Y tu mewn, ceir eicon o Sant Nicholas (sydd, fel Christopher, yn nawddsant y teithiwr). Ceir yno hefyd gannwyll, yn ogystal â chostrelaid o olew'r olewydden. (Defnyddia'r Groegwr yr olew i fendithio'r marw, i fedyddio'r byw, ac i borthi fflam y gannwyll.)

Y rheswm dros godi'r blychau hyn yw coffáu'r sawl a fu farw wrth foduro yn y llecyn hwnnw, cyfleu diolch ar ran y rhai a arbedwyd, a dymuno bendith i'r rhai sy'n dal ar eu siwrnai.

Sbel yn ôl bu damwain ym mhentref Llanystumdwy pan laddwyd teithiwr o'r Iseldiroedd. Erbyn heddiw, mae carreg goffa fechan ar yr ymyl welltog gerllaw, ac arni'r geiriau, *Rob Mei 1998 Christine-Onno*. A thraddodiad cyfandirol wedi magu patrwm newydd yn Eifionydd bell.

MAWRTH *16*

Oni welais i di gydag ef yn yr ardd?
(IOAN 18:26)

MAE'R EFAIL yn Nhalyllychau mewn cyflwr da o hyd, ond gwag oedd hi pan elwais yno, a'r pentan tywyll yn oer. Pa ryfedd, a Thomas Lewis, y gof, yn ei fedd ers canrif a hanner.

Bûm yn mwydo yn ei emyn-un-pennill yn gyson ar hyd y blynyddoedd. Ystyrier y gair 'griddfannau'; o gael ergyd chwithig wrth orddio, gwyddai'r gof yntau beth oedd eiliad neu ddau o riddfan yn ei blyg. Wedyn y 'chwŷs' a gronnai wedi cwrs o forthwylio wrth gylchu olwyn trol. Yna'r archoll ar gefn llaw wrth i ddernyn dur raselu'r cnawd, a 'defnynnau o waed' yn ffrydio i'r llawr.

Galwai ffermwyr yn eu tymor i raenuso'r swch ar gyfer 'aredig', a'r morthwyl yn 'taro' ac yn tincial ar yr engan. Pwy wedyn, ond gofaint, a fedrai saernïo erfyn mor gywrain â 'chleddyf'? A beth am y galw cyson am hoelion?

Yna'r ddeuair olaf sy'n cloi'r emyn: 'na thodd'. Gwyddai Thomas Lewis beth oedd chwyrnad cryg ei fegin wrth i'w dân wyniasu, a'r haearn cyndyn yn ystwytho yn y gwres.

> Wrth gofio'i riddfannau'n yr ardd,
>   A'i chwŷs fel defnynnau o waed,
> Aredig ar gefn oedd mor hardd,
>   A'i daro â chleddyf ei Dad,
> A'i arwain i Galfari fryn,
>   A'i hoelio ar groesbren o'i fodd;
> Pa dafod all dewi am hyn?
>   Pa galon mor galed na thodd?

Na feddwl ddrwg yn erbyn dy gymydog,
ac yntau yn trigo yn ddiofal yn dy ymyl.
(DIARHEBION 3:29)

RWY'N DOTIO fwy a mwy at y ddoethineb a geir mewn diarhebion, pob un ohonynt yn ffrwyth blynyddoedd o sylwgarwch a phrofiad. Pedwar gair yn unig yw'r sylw – 'Camgymeriad eiliad, gofid oes' – ond mor wir.

Beth wedyn am y rhai sy'n bwrw sen ar ei gilydd? Gall ymrafael felly ddigwydd mewn cweryl rhwng cymdogion; gall ddigwydd hefyd pan yw ambell lecsiwn yn troi'n wyllt, a'r ymgeiswyr yn cyhuddo'i gilydd ag edliwiadau personol a 'budr' iawn. Ac yna, llefarodd y doeth: 'Mae'r sawl sy'n lluchio baw yn colli tir.'

Beth hefyd am y garddwr hwnnw a gollodd arno'i hunan yn ei dŷ gwydr? Cododd garreg gan amcanu ei bwrw at ei elyn a safai yn y drws. Ond y mae pob rheswm yn galw arno i ymbwyllo am y dichon ei wylltineb, nid yn unig ddolurio'i elyn, ond hefyd dorri'r gwydrau'n chwilfriw, ac anafu ef ei hun yn y fargen. Ac meddai'r siars: 'Ni ddylai preswylwyr tai gwydr daflu cerrig.'

Oni fyddai dilyn cyngor y diarhebion uchod yn iechyd i ysbryd pawb ohonom?

MAWRTH *18*

O na wrandawsit ar fy ngorchmynion! yna y buasai dy
heddwch fel afon, a'th gyfiawnder fel tonnau y môr...
(ESEIA 48:18)

TRIGAI DAFYDD JONES a'i chwaer mewn tyddyn ar ochrau
Cader Dinmael; Dafydd yn ddoniol barablus, a hithau'n
foneddiges dawel ei natur, ond yn bur drwm ei chlyw. Ar nos
Sul, doi'r ddau i lawr o'r llethrau yn selog ar gyfer oedfa'r
hwyr yn y capel.

O sylwi fod eu lle yn wag ers deusul neu dri, dyma alw
heibio'r tyddyn rhag ofn eu bod yn wael. Fel arfer, roedd gan
Dafydd ateb parod, ac fe'i mynegodd gyda'r sirioldeb mwyaf
enillgar: 'Wn i ddim yden ni rywfaint haws â dod i'r capel
chwaith. Dydi fy chwaer ddim yn clywed, a dydw inne ddim
yn gwrando!'

Boed ddireidi ai peidio, roedd Dafydd wedi cyffwrdd
hanfod o fawr bwys: un peth yw clywed, peth arall hollol yw
gwrando. Wrth annerch saith eglwys Asia, roedd gan yr
Ysbryd neges wahanol ar gyfer pob un. Serch hynny, ar
derfyn pob neges, yr un un siars oedd ganddo ar gyfer pob
eglwys yn ddiwahân, sef, os ydych chi wedi *clywed*, yna
gofalwch *wrando*. 'Yr hwn sydd ganddo glust, gwrandawed
pa beth y mae'r Ysbryd yn ei ddywedyd wrth yr eglwysi...'
(Datguddiad 2:7, ac ymlaen felly hyd seithwaith).

... caewyd ffynhonnau'r dyfnder a ffenestri'r nefoedd,
ac ataliwyd y glaw o'r nef.
(GENESIS 8:2)

FYDDWCH CHI'N dal sylw ar ffordd pobl o edrych ar bethau? Yr hyn sy'n ddiddorol yw ý gall dau berson ymateb i'r un sefyllfa mewn dwy ffordd gwbl wahanol. Gwelodd un y capel yn hanner gwag; gwelodd y llall y capel yn hanner llawn! Aiff un o gylch yr ardal yn drymllyd ddi-hwyl; cerdda un arall y fro yn hapus heulog. Mae'n debyg mai craidd y cyflwr yw ffordd dyn o feddwl, ei ffordd o dderbyn, neu o wrthod, sefyllfa.

Roedd hi wedi bod yn wythnos eithriadol o lawog. O ddydd i ddydd ac o nos i nos, ni chaed dim ond glaw di-baid a niwloedd diollwng. Un gyda'r nos, galwodd Jac Penrallt heibio inni gan hongian ei gôt ddiferol yn y lobi.

'On'd ydi hi'n dywydd digalon, Jac?' meddai Mam. 'Mae'r glaw yma'n ddi-stop ers wythnos bron.'

'Wel, mae gynnon ni un cysur,' meddai Jac yn chwerthinog. 'Tywydd braf *gawn* ni nesa!'

Mae'n debyg mai'r un agwedd oedd gan Islwyn, yntau, pan oedd yn ddigon craff i weld 'uwchlaw cymylau amser'.

MAWRTH *20*

Dydd i ddydd a draetha ymadrodd,
a nos i nos a ddengys wybodaeth.
(SALM 19:2)

O'R LLADIN 'AEQUUS' (cydradd, cyfartal) a 'nox' (nos) y caed
y ffurf 'equinox'. Yr hyn a olygir gan y gair cyfansawdd hwn
yw bod y nos a'r dydd yr un hyd yn union: dyna ystyr
'cyhydnos'. Ni ddigwydd hynny ond ar ddau dro yng
nghwrs y flwyddyn – yn y gwanwyn oddeutu Mawrth 21ain,
ac yna'r hydref, tua Medi 21ain.

O Fawrth ymlaen bydd y nos yn byrhau fwy a mwy, a'r
dydd yn ennill i gyfeiriad yr haf. Pan ddêl Medi, bydd cwtogi
ar olau'r dydd, a'r nos yn hwyhau tua thywyllwch y gaeaf.
Ac felly y trigwn ninnau, boblach daear, yn rhan o'r cread
mawr ac ar drugaredd popeth sydd ynddo: goleuni,
tywyllwch, gwyntoedd, glawogydd, lluwchfeydd eira,
stormydd tywod, oerni, gwres, sychder, mellt a
daeargrynfâu.

Ac meddai William Ambrose, yn hyder i gyd:

Canaf ym mhob tywydd
Os caf wenau f'Arglwydd.

MAWRTH *21*

Y mae'r gwynt yn chwythu lle y mynno...
(IOAN 3:8)

ONI FEDRODD Alexander Madocks atal y môr wrth godi'r
Cob rhwng Porthmadog a blaenau Minffordd? Onid yw
miloedd o fylbiau trydan yn drech na thywyllwch nos yn ein
trefi, a phelydr y radar yn hollti'i ffordd trwy'r niwloedd
dwysaf? Gyda'i rocedi'n gwibio trwy'r gofod, a'i fys ar
fotwm y bom, yn y man bydd dyn yn rheoli nefoedd a daear.

Boed hyder dyn beth y bo, meddai'r Iesu, ni all ef fyth
reoli'r gwynt. Fel erioed, bydd hwnnw'n 'chwythu lle y
mynno'.

Hen stori gynhyrfus yw honno am y gŵr busnes oedd ar
daith dynghedol bwysig ynglŷn ag arian ei gwmni. Cyn troi
o'i dŷ, craffodd ar y baromedr i weld arwyddion y tywydd
am y dydd. O bopeth, pwyntiai'r nodwydd tuag at
hurricane. Collodd y pwysigyn ei dymer yn llwyr a bwrw'r
teclyn i'r llawr yn deilchion ulw. Ac meddai'r storïwr,
'Hwyrach ei fod wedi dryllio'r baromedr, ond bu'n rhaid
iddo wynebu'r *hurricane* ar ei ffordd adre.'

Ar un adeg, tybiai Senacherib y gallai reoli pawb a
phopeth, a bu wrthi'n lluchio'i gylchau ar hyd y gwledydd
nes bod ei enw'n arswyd coch. Roedd popeth mor gadarn,
nerthol yn ei law nes i'r corwynt ei fwrw'n sypyn i'r ddaear.
Yn ôl 2 Brenhinoedd 19:28, dyma'r neges a glywodd
Senacherib: 'Am i ti ymgynddeiriogi i'm herbyn, ac i'th
ddadwrdd ddyfod i fyny i'm clustiau i; am hynny y gosodaf
fy mach yn dy ffroen, a'm ffrwyn yn dy weflau, ac a'th
ddychwelaf di ar hyd yr un ffordd ag y daethost.'

Lle mynno'r gwynt!

MAWRTH 22

Tad yr amddifaid, a Barnwr y gweddwon, yw Duw,
yn ei breswylfa sanctaidd.
(SALM 68:5)

AR LAN LLYN TEGID mae mynwent Llanycil, ychydig i
ffwrdd o dre'r Bala, ac yno y gorwedd gweddillion nifer o
wŷr fu'n amlwg yn y cylch, fel Thomas Charles a Lewis
Edwards. Yno hefyd, flynyddoedd yn ddiweddarach, y
claddwyd Bob Roberts, Tai'r Felin.

Un pnawn, galwodd O.M. Edwards, y gwron o
Lanuwchllyn gyfagos, heibio i'r fynwent, ac wrth y porth,
sylwodd ar fachgen ysgol yn sefyll yn oediog. Gyda'i ddawn
hynod o gael plant i sgwrsio, ac felly dynnu gwybodaeth
allan ohonyn nhw, rhoes O.M. Edwards gynnig ar ymgomio
â'r bychan hwnnw, a gofyn, 'Fedri di enwi rhywun mawr
sydd wedi'i gladdu yn y fynwent yma?'

Bu eiliad neu ddau o dawelwch cyn i'r ateb unsill daro ar
ei glyw:

'Mam.'

Y fath ateb eneidfawr, ac yn 'llorio fel plentyn'.

MAWRTH 23

*Ac nid â i mewn iddi [i'r ddinas sanctaidd] ddim aflan, nac
yn gwneuthur ffieidd-dra, na chelwydd...*
(DATGUDDIAD 21:27)

YN NYDDIAU cynnar teledu plant, roedd y Lone Ranger a'i
bartner, Tonto, yn boblogaidd ryfeddol. Er bod yr arwr (a'r
masg hwnnw dros ei wyneb) yn gryn saethwr os barnai fod
gofyn am beth felly, eto brwydro yn erbyn y bobl ddrwg y
byddai, a gellid bod yn dawel mai'r 'da' fyddai'n cario'r dydd
bob gafael.

Un tro, roedd adyn wedi ffoi i eglwys gan obeithio na
welid mohono ymysg y gynulleidfa. Cyn bo hir, ar ôl codi
trywydd y ffoadur, cyrhaeddodd Tonto a'i feistr at yr eglwys.
Ond cyn mynd i mewn, dyma'r Lone Ranger yn dadfyclu
gwregys ei ddryll a'r bwledi, ac yn eu gosod ar lawr y tu allan.

Am na fedrai Tonto ddeall pam y gwnaeth ei arwr beth
mor anarferol, dyma'r Lone Ranger yn egluro wrtho (ac
wrth blant y teledu hefyd, bid siŵr): 'This is a church. Guns
don't belong here.'

Clywodd Pedr neges i'r un perwyl gan ei Feistr yntau yng
Ngethsemane: 'Rho dy gleddyf yn ôl yn ei le, oherwydd
bydd pawb sy'n cymryd y cleddyf yn marw trwy'r cleddyf'
(Mathew 26:52).

MAWRTH *24*

... efe a ganfu ... Pedr, ac Andreas ei frawd,
yn bwrw rhwyd i'r môr; canys pysgodwyr oeddynt.
(MATHEW 4:18)

DIODDEFODD EGLWYS gynnar y Crist swm o erlid. Bu nifer
o flaen llysoedd, rhai mewn carchar, a chafodd ambell un fel
Steffan ei labyddio'n gelain o dan gawod gerrig. Serch hynny
roedd y fintai fach yn glynu'n driw, gan ymgynnull hwnt ac
yma i sôn am Iesu, ac i ddysgu dieithriaid amdano.

Eto i gyd, sefyllfa annigonol iawn oedd hi. Un o'r
trafferthion oedd gwybod pwy oedd pwy; gallasai bradwr
fod yn eu plith, a hynny'n esgor ar gosb, hyd yn oed at
farwolaeth.

Felly, er mwyn medru adnabod ei gilydd mewn ardal
anghyfarwydd, cytunwyd ar ymarfer math o arwydd cudd,
a'r hyn y pennwyd arno oedd gair o'r iaith Roeg, sef *ichthus*,
sy'n golygu 'pysgodyn'. Yn wir, pan alwodd Iesu ei
ddisgyblion cyntaf, wrthi'n pysgota ym Môr Galilea yr oedd
Pedr ac Andreas, gydag Iago ac Ioan ar ganol cyweirio'u
rhwydau (Mathew 4:18-22). Roedd *ichthus*, gan hynny, yn
air tra derbyniol. Wrth gwrdd â dieithryn, nid llefaru'r gair y
byddid fel arfer, ond crafu amlinell o bysgodyn yn y pridd
neu'r llwch â blaen ffon – braslun tebyg i hwn:

O gymryd y gair *ichthus* [ἰχθυς] fesul llythyren, byddai'n
ymagor fel math o fformiwla i'w cred: I – Iesous (Iesu); Ch –
Christos (Crist); Th – Theos (Duw); U – Uios (Mab); S –
Soter (Iachawdwr). Ac felly y cywasgwyd neges yr Efengyl
mewn un gair cartrefol.

MAWRTH 25

Cymerwch hefyd helm yr iachawdwriaeth,
a chleddyf yr Ysbryd, yr hwn yw gair Duw.
(EFFESIAID 6:17)

MAE TORRE PELLICHE ar y ffin rhwng yr Eidal a Ffrainc wrth odre'r Alpau sy'n codi'n eiraog tua'r entrych, gyda'r copaon yn ymgolli mewn niwloedd. Lle tawel, pwyllog yw'r dreflan hon, ym mhen draw'r byd fel petai, heb ynddi fawr o drigolion nac o draffig. Yr hyn sy'n ddiddorol am Torre Pelliche, fodd bynnag, yw'r capel Protestannaidd – annisgwyl a phur anghyffredin yn yr Eidal Babyddol. Yr enw ar yr addolwyr yw'r Waldensiaid, dilynwyr Pierre Waldo o Lyon, a roes fod i'r sect yn y ddeuddegfed ganrif.

Yng nghwrs hanes, bu cryn erlid ar y mudiad, ond byddai'r aelodau'n taro'n ôl dros eu cred a'u hawliau, a hynny'n llythrennol ag arfau tân. Yn yr amgueddfa, gellir gweld arsenal fygythiol o arfogaeth y Waldensiaid, yn gleddyfau trymion a drylliau powdwr-du milain yr olwg. (Yno hefyd, sylwais eu bod yn arddel darlun o Oliver Cromwell a'i bolisi: *trust in God, but keep your powder dry.*)

O flaen y capel yn Torre Pelliche saif delw o Enrico Arnaud – *pastore e Duce dei Valdesi* – gweinidog ac arweinydd y Waldensiaid. Hanner y ffordd i mewn (neu allan) o boced chwith y ddelw y mae yno Feibl. Ond am y llaw dde – mae honno'n cydio mewn cleddyf parod i daro. Go brin y cenid emyn Elfed o bulpud Enrico Arnaud:

> Heb nawdd na nerth, ond tarian ffydd
> A chledd yr Ysbryd Glân...

MAWRTH 26

Canys nid fy meddyliau i yw eich meddyliau chwi,
ac nid eich ffyrdd chwi yw fy ffyrdd i, medd yr Arglwydd.
(ESEIA 55:8)

DYMHORAU LAWER YN ÔL, plennais rosyn ym morder yr ardd yn Rhos-lan. A chyfadde'r gwir, un eithaf llegach oedd y planhigyn bach o'i gychwyn cyntaf. Yn wir, wrth basio heibio iddo o'r naill ddydd i'r llall, sylwn ei fod yn gwyro tua'r ddaear yn bur druenus ei gyflwr. Ymhen tipyn, piciais draw at lwyn oedd yng nghornel bella'r ardd, a chyllellu ohono droedfedd helaeth o wialen. Gwthiais honno i'r pridd fel ffon a chlymu'r rhosyn eiddil wrthi er mwyn ei sadio ar y ffordd tuag i fyny, fel petai.

Fel yr âi'r misoedd heibio, gwelwn fod y tipyn rhosyn yn gwywo er fy ngwaethaf, a chyn pen llawer wedyn crinodd allan o fod. Ond er syndod cymhleth i mi fy hunan, roedd y wialen y bwriedais iddi fod yn ffon-gynnal i'r rhosyn wrthi'n deilio'n rymus. A phan ddaeth tymor arall ar ei dro, wele flodau *forsythia* hwnt ac yma ar y coesyn. Erbyn heddiw mae'r ffon fechan honno wedi tyfu'n llwyn praff, gan flodeuo'n odidog felyn bob gwanwyn.

Mae'n wir nad felly o gwbl yr amcenais i bethau fod ym morder yr ardd, ond yn y pen draw, yr Hen Fam Natur fydd piau'r gair olaf bob gafael. A'r pryd hwnnw, ni waeth beth fydd bwriadau dyn, dilyn ei chynlluniau oesol hi'i hun a wna'r Hen Fam.

MAWRTH *27*

Bydd drain yn tyfu yn ei phalasau,
danadl ac ysgall o fewn ei cheyrydd...
(ESEIA 34:13)

YN YR UNIGEDD celain o'm cwmpas ar ynys Thásos, sylweddolais fy mod yn carbwl gamu dros weddillion teml Dionysus. Roedd popeth yno'n garneddau blith draphlith, heb batrwm o ddim oll ar unpeth.

Eto, yr oedd yno fywyd. Ar un llaw, bywyd gwyrddlas coed masarn. Roedd y rheini i'w gweld ar ganol eu gwaith: canghennau llyfngrwn, yn gyhyrau i gyd, wrthi'n gwthio brigau trwy hen fwâu, a thalpiau o'u meini yn friwsionach dan draed. Ac o bob rhyfeddod, colofnau celyd ar eu gwastad yn cael eu cracio yn bisiau llythrennol.

Ar wahân i'r masarn, roedd bywyd glaswellt yno'n ogystal; ei dyfiant wedi hen, hen wreiddio, ac yn distaw weithio ar weddillion y deml gan eu plygu a'u mygu'n gorn. Ym mhangfeydd y tawelwch hwnnw, daeth trosiad sobreiddiol Williams Parry i'm meddwl fel na ddaethai erioed yn debyg o'r blaen:

'Nes dyfod trosolion y glaswellt a'u chwalu'n sarn.'

Trosolion ar fy ngwir! Addolwyr Dionysus wedi diflannu. Teml Dionysus wedi chwalu. Nid oedd un dyn byw yn y fangre ond mi fy hunan ... ac yn dysgu unwaith yn rhagor mai'r Hen Fam Natur oedd piau'r gair olaf.

Nid ofni rhag dychryn nos;
na rhag y saeth a ehedo y dydd.
(SALM 91:5)

UN CARGO ARBENNIG a ddadlwythid yn harbwr Porthmadog oedd coed. Ac un gŵr amlwg o'r dref a ddeliai â'r fasnach honno oedd Francis Jones. Sawl tro y gwelais lwyth o byst hirion ac ystyllod glân yn cyrraedd y gweithdy ar stad Gwynfryn!

Un dydd, pan oedd fy mrawd, Jac, wrthi'n plaenio ar y fainc, clywodd sŵn dieithr yn y coedyn. Fe'i clywyd hefyd gan fy nhad, ac ar ôl archwilio'r graen, cyn pen ychydig roedd wedi cynio allan o'r pren delpyn crwn o blwm. Bwled! A honno'n un hen ffasiwn iawn. Aed ati wedyn i ddadansoddi'r sefyllfa: llong goed yn dod i Borthmadog o Ffinland, efallai. Coed o Rwsia, tybed? Pren pîn o'r Baltig oedd ar fainc y Gwynfryn, yn bendant.

Ond pwy a daniodd y fwled? Ai heliwr yn y goedwig? Os anelwyd at anifail, medrodd hwnnw ffoi yn sŵn y glec. Tybed, wedyn, ai milwr a'i taniodd mewn brwydr? Os saethwyd at elyn, cafodd yntau ei arbed y diwrnod hwnnw – am i goeden bîn yng nghanol y fforest gymryd yr ergyd i'w mynwes ei hunan.

Un o straeon hynod gweithdy'r saer yn y Gwynfryn, a allasai mor hawdd â dim fod wedi'i hadrodd yng ngweithdy Nasareth.

Dyddiau dyn sydd fel glaswelltyn...
(SALM 103:15)

OS NAD YW AMSER yn brin gennym, y mae o leiaf yn prinhau. Dyna'n union a welodd A.E. Housman wrth sylwi ar odidowgrwydd petalau'r ceirios yn nhymor y Pasg. Yn wyneb y fath hyfrydwch, fe'i trawyd gan ffaith ddiwrthdro: dim ond am ychydig bach, bach y byddai'r ffasiwn brydferthwch yn blodeuo. Un tymor byr, byr – dros nifer o ddyddiau'n unig. Ac yna, byddai'r holl ogoniant yn diflannu'n llwyr.

Dyna pryd y gweithiodd Housman ar fathemateg y peth. Rwy'n ugain oed eleni. Felly (gan dderbyn y caiff dyn einioes o ddeng mlynedd a thrigain) does gen i ond hanner cant ar ôl bellach. Ac am nad yw hanner can gwanwyn yn llawer i syllu ar flodau'r ceirios, nid oes amser i'w golli o gwbl:

> Down to the woodland I will go
> To see the cherry hung with snow.

Neu, yn nhrosiad medrus J.T. Jones (yr enillodd arno ym Mhrifwyl Caerdydd, 1938):

> Ac am fod pum-deg gwanwyn mwyn
> Mor fyr i syllu ar flodau'r llwyn, –
> Mi af i weld, yng Nghoed y Glyn,
> Y ceirios bren dan eira gwyn.

MAWRTH *30*

... mae'r sawl sy'n ennill cyflog yn
ei gadw mewn cod dyllog.
(HAGGAI 1:6)

YN HAUL Y TRAETH, mae yna blentyn bychan noethlymun
sydd wedi ymgolli'n llwyr mewn tasg bwysig iawn. Ar y
foment mae wrthi'n palu'n ddyfal i'r tywod. Yn y man,
mae'n cydio yn ei bwced blastig dan how-redeg at fin y môr,
ddecllath oddi wrtho. Daw â hi'n ôl a'i llond o ddŵr a
thywallt y cynnwys yn ofalus i'r twll.

O weld y dŵr yn diflannu o'r golwg, try ar ei sodlau bach
i gyrchu bwcedaid arall. Ar ei ffordd yn ôl, mae'n baglu ac yn
colli'r rhan fwyaf o'r heli. Brysia ymlaen yn llafurus i wagio
pedwar diferyn pitw i'r twll cyn tuthian tua'r môr am siwrnai
arall o'i ddyfroedd. Dychwelyd eto fyth ac arllwys i'r pant
hollbwysig y cais ei lenwi.

Nid yw fel petai'n malio dim fod y tywod yn sugno pob
defnyn y mae'n ei dywallt iddo. Os daw i hynny, bydd y
plentyn yn barod i gludo'r môr i gyd i'r twll, a hynny fesul
bwcedaid, ac erbyn diwedd y pnawn bydd wedi'i lenwi i'r
ymylon, costied a gostio. Neu felly, o leiaf, y mae ei feddwl
syml ef yn gweld pethau. 'Y mae meddwl dyn yn cynllunio'i
ffordd', medd Llyfr y Diarhebion 16:9, 'ond yr Arglwydd
sy'n trefnu ei gamre.'

Y noson honno fe gysgodd y bychan mewn blinder braf.
Y noson honno hefyd, daeth y môr i mewn gan lefelu'r traeth
fel pe na bai neb wedi bod ar ei gyfyl erioed.

Lle ni byddo gweledigaeth, methu a wna y bobl...
(DIARHEBION 29:18)

YN ARWAIN AT Y TŶ, y mae canllath gwta o glawdd – hen, hen glawdd terfyn llydan o gerrig tir, gyda phridd a mân dyfiant yn clymu'r cyfan trwy'i gilydd. Un bore llwm o aeaf, gwelais bosibilrwydd hyfryd o liwgar yn yr hen glawdd: pan ddôi'r gwanwyn, byddwn yn plannu hadau yn ei bridd, ac erbyn yr haf byddai'n flodau drosto i gyd.

Ac felly'n union y bu. Wedi prynu pacedi o hadau 'nasturtium', euthum ati i'w gosod ym mhridd y clawdd, a hynny gyda manylder bys a bawd. Wrth ofalus blannu pob un hedyn, medrwn ragweld yr ochrau'n hongian o dan drwch o ddail gwyrddion, a'r blodau'n gawod o felyn, coch ac oren. Yn ogystal â gweld, roeddwn yn dechrau clywed, hyd yn oed – clywed pobl ar ben y ffordd wedi aros mewn edmygedd: 'Wel, wel, mae'r lle yma'n ddigon o ryfeddod gynnoch chi.'

Fe gysgais yn esmwyth y noson honno. Ond y noson honno hefyd, ni wyddwn i fod llygod bach y maes wedi cael gwledd i'w chofio. Er gwaetha'r breuddwyd teg a'r gwario dyfal, ni welais gymaint ag un blodyn ar y clawdd. Sut bynnag, rwy'n derbyn yn wylaidd fod gan anifeiliaid y maes, hwythau, bob hawl i fwyta.

EBRILL *1*

... ac ni bydd lawen tad yr ynfyd.
(DIARHEBION 17:21)

DYDD FFŴL EBRILL! Yr enw arno yn yr Alban yw *April Gowk*, gydag adlais amlwg y 'gog' a'r 'cuckoo' yn y dafodiaith. Yn Ffrainc, nid 'ffŵl' yw'r dweud, ond 'pysgodyn' Ebrill.

Mae o leiaf ddau fath o ffŵl. Un yw'r brawd lliwgar a direidus a fyddai'n codi hwyl gynt yn neuaddau'r Oesoedd Canol. Os oedd y 'jester' hwnnw'n gwbl ddiddrwg, gall y ffŵl arall fod yn greadur peryglus, nid yn unig iddo'i hunan, ond i eraill o'i gwmpas yn ogystal.

Gair y Beibl am ffŵl yw 'ynfyd'. Dyma'r sylw amdano yn Llyfr y Diarhebion, 26:3-4: 'Ffrewyll i farch, ffrwyn i asyn, a gwialen i gefn yr ynfyd. Na ateb yr ynfyd yn ôl ei ynfydrwydd; rhag dy fod yn gyffelyb iddo.' Yn Luc 12:16-21, disgrifir dyn a dynnodd i lawr ei ysguboriau ac adeiladu rhai mwy, a mwy eto, a mwy fyth wedyn, heb arwydd fod pen draw ar ei raib. 'Eithr Duw a ddywedodd wrtho, O ynfyd...'

Nyddodd William Jones, Tremadog, gerdd am Dduw yn cynllunio gwych o fyd 'yn wyrdd ei lawr a glas ei do', ac yna'n creu dyn yn aer y byd hwnnw. Ond wele derfyn y gân:

> A chwythodd hwn â'i fennydd pŵl
> Y sioe i gyd yn racs – y ffŵl.

Fwya'r piti, mae'r ffŵl hwnnw ar waith bob mis, gydol y flwyddyn gron.

EBRILL 2

Yn y dechreuad yr oedd y Gair,
a'r Gair oedd gyda Duw, a Duw oedd y Gair.
(IOAN 1:1)

MAE POB BARDD A LLENOR (a phawb arall ohonom o ran hynny) yn dueddol o ddefnyddio ambell air yn fwy na'i gilydd. Mae'n amlwg fod yr emynydd crefftus, W. Rhys Nicholas, wedi hoffi'r gair 'melodi': 'Mae melodïau'r cread er dy fwyn.' Fe'i defnyddiodd mewn rhai emynau eraill yn ogystal.

Pa un, tybed, oedd hoff air Williams Pantycelyn? Fe awgrymwn i, ar amcan sydyn, mai'r gair hwnnw oedd 'pur': 'llythrennau d'enw *pur*'; 'dacw'r llwybyr *pur* yn amlwg'; 'o fewn pabell *bur* fy Nuw'; 'fe roes ei ddwylo *pur* ar led'.

Ar rai adegau, defnyddiai Williams y gair yn eithaf direol gan ei fwrw i linell er mwyn llanw'r bwlch, fel petai. Os tery'r hwyl arnoch, ewch trwy'r llyfr emynau o'i gwr ar drywydd y gair 'pur' ganddo. Erbyn y diwedd, bydd gennych restr anhygoel o faith ac amrywiol: aroglau pur, gwleddoedd pur, addewid bur, cariad pur, eisteddfa bur, Canaan bur, rheol bur, llysiau pur ... Wedi dechrau'r helfa, gall y chwilota droi'n heintus, a bydd yn anodd rhoi'r gorau iddi. Y fargen, fodd bynnag, fydd taro ar drysorau eraill wrth fynd heibio.

Rhoddwyd iddo lyfr y proffwyd Eseia, ac agorodd y sgrôl...
(LUC 4:17)

CERDDODD DEFI LLOYD gan bwyll at fwrdd bach y festri, ac wedi symud y llyfr emynau o'r neilltu, bu wrthi'n bodio hwnt ac yma trwy'r Beibl. Am fy mod yn eistedd ar ei bwys, gallwn weld iddo o'r diwedd gyrraedd at y ddalen wen honno sydd rhwng yr Hen Destament a'r Newydd.

Daliodd y Llyfr Mawr o flaen y cynulliad, ac meddai:

> 'Dyma Feibil annwyl Iesu,
>   Dyma rodd deheulaw Duw.'

Yna, agorodd y llyfr dan godi ochr yr Hen Destament at i fyny a dweud, gyda phwyslais pendant ar y gair 'hwn':

> 'Dengys *hwn* y ffordd i farw.'

Wedyn, gan ostwng yr Hen Destament yn ôl i'w lefel, cododd ochr y Testament Newydd i fyny a ledio ymlaen:

> 'Dengys *hwn* y ffordd i fyw.'

Unwaith yn rhagor, cododd yr hen Destament i fyny, ac egluro:

> 'Dengys *hwn* y golled erchyll
>   Gafwyd draw yn Eden drist.'

A chydag un tro terfynol i'r cloriau, dyna godi'r Testament Newydd i'r amlwg:

> 'Dengys *hwn* y ffordd i'r bywyd,
>   Trwy adnabod Iesu Grist.'

Ac meddai'n rhadlon, 'Canwch y pennill, bobol!'

Fy mwa a roddais yn y cwmwl,
ac efe a fydd yn arwydd cyfamod rhyngof fi a'r ddaear.
(GENESIS 9:13)

GAIR GWYNEDD amdani yw 'enfys'. I gyfeiriad Clwyd, 'pont y glaw'. Mewn parth o Faldwyn, 'y wenwisg'. Yn nwfn Powys, clywir 'bwa'r drindod'. Ac yn Nyfed, 'bwa'r arch' sy'n adlais o Arch y Dilyw, gyda Duw yn bendithio Noa.

Bob tro y digwydd, mae'r enfys yn wyrth o brydferthwch, ac yn denu pawb i syllu arni. Ar dywydd cawodog y gwelir hi, pan yw'r haul o'r tu ôl yn adlewyrchu ar gwmwl sy'n llawn diferion glaw. Pair hynny i holl liwiau'r sbectrwm ymdoddi'n raddol, y naill i'r llall, o fioled i las, o wyrdd i felyn ac o oren i goch. (Un tro – ac un tro yn unig – gwelais enfys wen yng ngolau'r lleuad; profiad eithriadol.)

Yng nghyfieithiad D. Tecwyn Evans o emyn Matheson, ceir y llinellau hyfryd hyn:

> Rwy'n gweld yr enfys trwy y glaw,
> Yn ôl d'addewid gwn y daw
>   Diddagrau fore llon.

Un peth sy'n bendant, os ydych am fwynhau'r enfys, yna mae'n rhaid derbyn y gawod sydd yn y cwmpasoedd. Heb anghofio anogaeth a sicrwydd Herber Evans:

> Os daw deigryn, storm a chwmwl,
>   Gwena drwyddynt oll yn llwyr;
> Enfys Duw sy'n para i ddatgan
>   Bydd goleuni yn yr hwyr.

EBRILL 5

Ar y dydd Saboth aethom y tu allan i'r porth at lan afon...
(ACTAU 16:13)

YSTYRIA TRIGOLION TWRCI mai eu gwaredydd a'u 'tad' yw Mustafa Kemal. Yn nauddegau'r ganrif a basiodd, parodd ef lawer newid yn eu hanes. Un o'r is-newidiadau oedd rhoi enw newydd ar sawl man a lle, fel Istanbul am Constantinople, ac Izmir am Smyrna.

Pan ddaethom ni i Thyatira, cawsom mai'r enw cyfoes yw Akhisâr. Fodd bynnag, yno y bu Lydia ar un adeg gyda'i ffatri'n cynhyrchu lliw porffor drudfawr. Ar ryw wedd, gellir dweud mai lle tueddol o golli'i liw am ben pobl oedd Thyatira. (Yn Llyfr y Datguddiad 2:18-29, cyhudda'r Ysbryd ryw 'Jesebel' am ei bod yn colli'i lliw ar Eglwys Crist yn Thyatira gydag effaith ddifaol.)

Yn Llyfr yr Actau, 16:9-15, gwelir fod Lydia wedi gadael Thyatira am Philipi (gwlad Groeg heddiw) gan agor cangen o'i ffatri borffor yno. Pan glywodd hi fod cenhadwr hynod o'r enw Paul am annerch ar lan yr afon islaw'r ddinas, aeth yno i wrando. Ar ddiwedd yr oedfa ryfedd honno, mynnodd Lydia ei bod hi a'i theulu'n cael eu bedyddio gan Paul, a thybir mai hi oedd y wraig gyntaf yn Ewrop i gael bendith felly yn enw Crist.

Gallaf gofio'n eglur y bore cawodog hwnnw yn Ebrill 1982, a'r clychau'n tincial o dan yddfau'r geifr. Am nad oes enw i'r afon fach yn Llyfr yr Actau, eglurodd brodor o'r lle wrthyf mai'i henw yw Angitis. Ac wrth ymadael, a phasio gwesty bychan, unig ar bwys y fangre, cyffro cynnes oedd darllen yr enw uwchben y drws: Hotel Lidia. A sylweddoli ei bod hithau hefyd wedi colli'i lliw ar hanes.

EBRILL 6

O anadl, tyred oddi wrth y pedwar gwynt,
ac anadla ar y lladdedigion hyn, fel y byddont byw.
(ESECIEL 37:9)

ROEDDWN WEDI ADDO i deulu bach o Lundain y deuwn i
wasanaethu wrth gladdu llwch perthynas iddyn nhw.

Am fy mod yno ymhell cyn pryd, euthum i rodio ymysg
y beddau. Er ei bod yn fore heulog, roedd gwynt eithriadol
gryf yn gyrru dros y fynwent nes bod y glaswellt yn plygu'n
llafnau disglair rhwng y beddfeini. Wrth sefyllian yn y fan
honno, dyma'r syniad yn fy nharo'n sydyn: er bod digon o
wynt ar gyfer pawb yn y fynwent, nid oedd neb yn anadlu
yno ond myfi.

A daeth yr hen gwestiwn hwnnw ataf unwaith yn rhagor:
pa bryd y mae'r gwynt yn troi yn anadl? A pha sut? Fel
rheol, mae dyn yn ymarfer y broses anadlu ddydd a nos, a
hynny'n hollol ddiarwybod iddo'i hunan. Ond os digwydd
damwain neu gyfyngder eithafol, yr unig obaith fydd cael
rhywun arall i anadlu'n llythrennol i gorff y trallodus
hwnnw. Yr ymadrodd diweddar am drugaredd o'r fath yw
'cusan bywyd'.

Honno fyddai'r alwad yr oedd Eseciel i'w seinio yn
nyffryn yr esgyrn sychion: 'O anadl, tyred oddi wrth y
pedwar gwynt, ac anadla ar y lladdedigion hyn, fel y byddont
byw'.

Felly yr adleisiodd John Hughes, Pontrobert:

> *Anadla*'n rymus ar y glyn,
> Fel y bo byw yr esgyrn hyn.

O feddwl, nid peth diweddar yw cusan bywyd.

EBRILL 7

Eithr pan wnelych di elusen,
na wyped dy law aswy pa beth a wna dy law ddeau...
(MATHEW 6:3)

CYNHESOL IAWN oedd rhai o hen arferion Cymru gynt. Mewn ambell ardal yn Eifionydd hyd heddiw, pan ddigwydd profedigaeth ar aelwyd, daw'r cymdogion heibio i estyn llaw cydymdeimlad. Ond yn fwy na hynny, byddant yn gadael chwarter o de, clap o fenyn neu baced o siwgr. Gwybod y maen nhw y bydd perthnasau'n galw mewn niferoedd ac y dichon hynny drethu'r cwpwrdd bwyd yn llym a hynny ar adeg anniddan.

Gallai amaethdai ar foelydd y mynyddoedd fod yn fannau unig iawn. Mewn un ffermdy, pan fyddai gwreigdda'r aelwyd honno'n paratoi swper i'w theulu, byddai'n gofalu gosod un cwpan a phlât ychwanegol ar ben y bwrdd, a chadair yn union ar eu cyfer.

Pan ofynnodd un anghyfarwydd beth oedd amcan darparu lle gwag felly ym mhen y bwrdd, yr ateb oedd, 'Wyddoch chi ddim na ddaw yna rywun diarth dros y mynydd. Dim ond rhag ofn, yntê?'

EBRILL *8*

... fe ddylech chwithau hefyd olchi traed eich gilydd.
(IOAN 13:14)

AR NOSON y Swper Olaf cododd Iesu oddi wrth y bwrdd, tynnu dilledyn oddi amdano, clymu tywel am ei ganol, a thywallt dŵr i gawg. Heb un rhybudd, plygodd o flaen Ioan, ac o bopeth annisgwyl, aeth ati i olchi traed y cyfaill hwnnw. Gwnaeth felly i Tomos, ac felly hefyd i Iago. Roedd y cyfan mor gwbl wahanol i batrwm eu cymdeithas, ac yn gymaint o sobrwydd i bawb, fel na wyddai neb o'r disgyblion beth i'w ddweud.

Nes i'r Iesu osod y cawg o flaen Pedr. Fel y gellid disgwyl, ni fedrai'r byrbwyll hwnnw fod yn dawel yn hir.

'Chei *di* ddim golchi fy nhraed i – *byth*!' protestiodd yn gadarn. 'Job i gaethwas ydi golchi traed pobol, nid job i'r Mistar!'

Fel ateb i'w frwdaniaeth, rhoddodd Iesu amod derfynol bendant i Pedr:

'Os na chaf i olchi dy draed di, does yna ddim lle i ti efo mi, Pedr.'

Ni synnwn nad aeth y Meistr rhagddo i ymhelaethu wrth weddill y disgyblion, gan fanylu ar ystyr bod yn was: 'gwasanaeth' – onid *gwas*-anaethu yw hanfod y gair, yn union fel y gair 'serve' yn y Saesneg, 'servant'?

'Ddynion!' meddai Iesu. 'Mae'n rhaid i chi fod yn barod i faeddu'ch dwylo, a phlygu'n bur isel weithiau er mwyn helpu pobol. A chredu fod Cariad yn beth digon mawr i wneud gwaith GWAS.'

EBRILL 9

A Phedr a aeth allan, ac a wylodd yn chwerw-dost.
(LUC 22:62)

'ROEDD HWNNA'N anerchiad hyfryd,' meddwn i wrth Gwen wedi iddi siarad yn y Gymdeithas.

'Diolch yn fawr,' atebodd yn wylaidd. 'Ond roeddwn i mor nerfus – doeddwn i ddim yn *gweld* y gynulleidfa, cofiwch!'

Gweld neb, er bod ei llygaid yn agored? Ar un llaw, dan bwys nerfau, mae hynny'n hollol bosibl. Ar y llaw arall, mae'n annichon inni weld dim oll heb *edrych* yn gyntaf.

Yr 'edrych' mwyaf trywanol y gwn i amdano yw hwnnw ar adeg profi'r Crist yn llys yr archoffeiriad (Luc 22:54-62). Draw yn y cyntedd yr oedd Pedr wrthi'n rhegi ac yn rhwygo, ac o bob siom, yn mynd ati i daeru nad oedd ef yn adnabod Iesu o Nasareth. Yna, a'r ceiliog hwnnw'n canu, wele'r adnod lwythog hon: 'Troes yr Arglwydd ac *edrych* ar Pedr...' Ni ddywedodd Iesu un gair, dim ond edrych. Troi – a dweud dim. Edrych – a dweud dim.

Iesu yn edrych – a Phedr yn *gweld*. Yn gweld llygaid diniwed ei Feistr yn syllu'n ddolurus i ddwfn eithaf ei fod. Dau bâr o lygaid yn cwrdd â'i gilydd am un eiliad angerddol boenus: diniweidrwydd y naill, ac euogrwydd y llall.

Am unwaith, nid oedd gan y disgybl preplyd ddim dewis ond ildio. Llithrodd allan tua'r cefn a beichio wylo dros y lle. Ni synnwn na olchodd y dagrau hynny'r llwfrdra allan o fod i lawr traeniau'r llys, ac i'r hen ddisgybl hoffus hwnnw weld Iesu fel nas gwelodd erioed o'r blaen.

EBRILL *10*

Gwell nag aur yw ennill doethineb...
(DIARHEBION 16:16)

GWEHYDD O LANGLOFFAN, sir Benfro oedd William Lewis, a blaenor brwd gyda'r Bedyddwyr. Yn ei grefft o weithio carpedi, cydnabyddai uchelwyr y cwmpasoedd fod ei batrwm a'i liwiau'n orchestol, a byddai galw mynych am ei wasanaeth.

O ganlyniad, daeth William Lewis yn gyfarwydd â gweld goludoedd y plasau: tlysau aur, llestri arian, heb sôn am y perlau hynny a wisgai'r gwragedd modrwyog. Ar derfyn dydd, byddai'n cefnu ar foeth y parlyrau ac yn cyrraedd yn ôl i'w gartref llwydaidd cyn troi wedyn tua'r tŷ cwrdd i gadw seiat yng ngolau cannwyll.

Wrth gerdded i'r Capilla Real yn Granada ar lethrau Sierra Nevada, dechreuais rythu mewn sobrwydd. Roedd popeth yno'n disgleirio gan ryw felyndra llachar, ac meddai'r tywysydd wrthym gyda balchder: 'Yn y fan yma, rydych chi'n edrych yn llythrennol ar aur Periw.'

Yna'n felltennol sydyn – Duw sy'n dyst – dyma bennill William Lewis yn gwanu trwy awyr y cysegr ac i ddwfn fy mod:

Pe meddwn aur Periw
A pherlau'r India bell,
Mae gronyn bach o ras fy Nuw
Yn drysor canmil gwell.

Cerddais allan i'r awyr iach fel yr uchelwr cyfoethocaf yn Sbaen.

EBRILL *11*

... a'ch canhwyllau wedi eu golau:
A chwithau yn debyg i ddynion yn disgwyl eu harglwydd...
(LUC 12:35-36)

AR 11 EBRILL 1982, roeddwn yn dathlu'r Pasg yng nghapel y Bwlch yng ngwlad Llŷn. Cyn pen wythnos, roeddwn yn dathlu Pasg arall yn Thesalonica, gwlad Groeg; dyna yw trefn calendr yr Eglwys Uniongred Roegaidd.

Am un ar ddeg o'r gloch y nos Sadwrn honno, roeddem yn eglwys orlawn San Dimitrios, ac arogleuon cwyr canhwyllau yn drwm yn awyr y gwasanaeth.

Am hanner nos, diffoddodd goleuon yr eglwys yn llwyr a'n gadael mewn tywyllwch llethol. Canodd cloch yr eglwys yn y tŵr. Roedd hi'n fore Sul y Pasg.

Yna, o'r tywyllwch dwys, gwelwn fflam eiddil yng nghyffiniau'r allor. Aeth un yn ddwy, dwy yn dair, tair yn bedair... Yr hyn a ddigwyddai oedd bod pob un oedd â fflam ar ei gannwyll yn ei hestyn at gannwyll yr agosaf ato, a dyna'r lle yn oleuni cynnes unwaith yn rhagor.

Yn y tywyllwch tu allan yr oedd tyrfa drwchus yn estyn eu canhwyllau oerion i'w tanio gan fflam yr eglwys. Unwaith eto, cerddodd y tân o'r naill gannwyll i'r llall, a chyn pen dim yr oedd nos Thesalonica yn olau gan filoedd o ganhwyllau. Dywedir mai gobaith blynyddol y Groegiaid yw cysgodi'r gannwyll orau y gallant, a llwyddo i gyrraedd eu cartrefi a fflam y Pasg ynghynn.

Yn y gwesty, ychydig wedi hanner nos, roedd y criw ffilmio wedi rhyfeddu at y ddefod hyfryd a welsom, ac meddai Ken Mackay, ein dyn camera, 'Petai pawb trwy'r byd yn cynnau ond un gannwyll, y fath wahaniaeth a wnâi hynny.' Digon gwir.

EBRILL *12*

Cymerwch, bwytewch ... Yfwch bawb o hwn...
(MATHEW 26:26-27)

YN NIWEDD pedwardegau'r ganrif a basiodd, byddai nifer ohonom yn cynnal Noson Lawen ar lwyfannau'r wlad. Y criw oedd y bianyddes hyfedr, Elen; yna Islwyn, J.R., Huw a minnau. Ond seren y parti oedd Bob Roberts, Tai'r Felin, nad oedd erbyn hynny ymhell o'i bedwar ugain.

Erys yr atgof am y noson hwyliog a gafwyd yn Felin-foel ar bwys Llanelli, gyda'r gofalwr ar y terfyn yn dosbarthu'r criw ohonom ar gyfer lletya'r nos ar wahanol aelwydydd. Fore trannoeth, wedi i bawb ohonom ailymgynnull, roedd gan Tai'r Felin neges arbennig iawn: wedi iddo dreulio'r nos yng nghartre rheolwr gwaith tun Bynea gerllaw, y siars oedd ein bod, cyn troi tua'r gogledd, i alw yn y ffatri i gael golwg ar brysurdeb y lle.

Wrth i'r chwech swil ohonom gerdded at y fynedfa, dyma warchodwr yn sefyll ar draws ein llwybr. Yn naturiol, fel swyddog diogelwch, ni allai ganiatáu i ddieithriaid fynd trwy'r pyrth, ond daeth Tai'r Felin i'r adwy gydag un frawddeg awdurdodol: 'Mae'r manijar wedi dweud y cawn ni.' Fe setlodd hynny'r broblem ar un trawiad, ac i mewn â ni.

Y Sul o'r blaen, safwn wrth Fwrdd y Cymun gan syllu ar y llestri disglair a'r lliain claerwyn. Meddyliais am annigonolrwydd y disgyblion cynnar ... ac wedyn am ein diymadferthedd ninnau, ugain canrif ar eu holau. Sut oedd criw mor frith yn cael ymhél o gwbl â Bwrdd yr Aberth? Bron na chlywn lais yr hen felinydd yn ateb yn ein lle: 'Mae'r manijar wedi dweud y cawn ni.'

EBRILL *13*

... eithr y pen ôl a ymddatododd gan nerth y tonnau.
(ACTAU 27:41)

O ACHOS y bomio yn ardaloedd Lerpwl, cafodd HMS *Conway* hafan ddiogel ar afon Menai yn 1941. Hen long ryfel oedd hi, dros ganmlwydd oed erbyn hynny.

Un noson dywyll, ar wahoddiad yr awdurdodau, roedd cwch gorlawn o fyfyrwyr yn tynnu ar draws yr afon lydan. Cofiaf ddal fy llaw yn y dŵr a sylwi ar 'wreichion' yn fflachio rhwng fy mysedd. (Deall wedyn mai mordan oedd hwnnw, math o fywyd dŵr a geir mewn heli. Ni welais mohono na chynt na chwedyn chwaith.) Cyrraedd at y *Conway* oedd yn uchel uwch ein pennau, a thair rhes o ffenestri sgwâr yn goleuo'r afon fel plasty hynafol. Yna bwriodd pawb yn eu tro i ddringo'r ysgol raffau nes cyrraedd bwrdd y llong. Rhyfeddu at y gwaith coed cadarn oedd arni, at ddisgleirdeb ei hoffer pres, a'r urddas anniffiniol oedd yn perthyn i'w henaint.

Ar fore 14 Ebrill 1953, trefnwyd i symud y *Conway* i Birkenhead ar gyfer ei hymgeleddu o newydd. Gyda dau beilot ar ei bwrdd, a dau dynfad yn ei thywys, yn sydyn torrodd un o'r rhaffau, a chipiwyd y *Conway* gan chwyrndrobwll y 'Swellies'; tynnodd y cerrynt hi i'w hysigo'n anadferadwy ar greigiau'r lan fymryn islaw Pont Menai. Wn i ddim am faint y bûm yn pensynnu arni, dim ond imi o'r diwedd yrru ymlaen i Fôn wedi teimlo i'r byw.

Mae rhywbeth calonrwygol mewn colli llong – fel colli perthynas neu gyfaill neu hen arwr. Eto, rywsut neu'i gilydd, mae'r urddas yn mynnu aros – yn y ddau golli.

EBRILL *14*

Paid ag ymffrostio ynglŷn ag yfory, oherwydd ni wyddost
beth a ddigwydd mewn diwrnod.
(Diarhebion 27:1)

Nos Sul, 14 Ebrill 1912. Dyna ddyddiad suddo'r *Titanic* pan rwygwyd ei thor gan fynydd rhew ger Newfoundland. Fel llong newydd sbon danlli, a'r fwyaf yn y byd, roedd ei mawrdra'n syfrdanol: ei hyd yn dri chanllath, un angor yn pwyso hanner can tunnell, ac am enfawredd ei boiler, gallai honno gynnwys tri bws dec-dwbl yn eu llawn hyd a 29 o foileri felly yng ngholuddion y llong!

Wrth i'r *Titanic* adael Southampton nawn Mercher, 10 Ebrill, pa ryfedd fod cwmni'r White Star Line yn ymfalchïo. Roedd ymffrostio eisoes ar ei bwrdd y byddai'n torri pob record cyflymdra wrth groesi'r cefnfor am Efrog Newydd. Am ei bod yn 'ansuddadwy', gallai hefyd herio'r llwybr byrraf, rhew neu beidio.

Ond beth am stori'r glo? Byddai'r *Titanic* yn llosgi pum mil o dunelli bob dydd, a llwythwyd ei gwaelodion â 26,000 tunnell o lo. Un ffaith syfrdanol yw bod glo'r *Titanic* ar dân *cyn iddi gychwyn ei mordaith*, a bod dwsin o weithwyr wrthi ddydd a nos yn tywallt dŵr ar y fflamau oedd ym mherfedd y cafnau. Tystiai'r swyddog, J. Dilley (a achubwyd), fod y glo yn dal i fflamio pan drawyd y rhew. Serch yr holl ymffrostio, erys y ffaith drist nad oedd y *Titanic* wedi *cychwyn* yn iawn.

EBRILL *15*

… canys y môr, ie, cryfder y môr, a lefarodd…
(ESEIA 23:4)

YN ÔL EI ARDDULL, yn ddistaw iawn y traethai J. Williams Hughes, ond barnaf ei fod yn ddistawach nag arfer y noson honno mewn gŵyl bregethu yn neuadd Rhoshirwaun.

Aeth ati i sôn am fordaith gynta'r *Titanic* yn Ebrill 1912. Llong fwya'r byd, ac yn fwyaf arbennig, llong nad oedd bosibl ei suddo; yr 'unsinkable', fel y pwysleisiai'r pregethwr gan ddyfynnu honiad cwmni'r White Star.

Yna daeth â ni i gyffiniau Newfoundland pan rygnodd y llong yn erbyn mynydd rhew awchlym. Archollodd hwnnw'i meteloedd dur nes i'r môr ddylifo i'w pherfeddion a'i suddo'n llwyr o'r golwg.

Roedd nifer y teithwyr dros 2,300. Erbyn deall, ni allai holl gychod-achub y *Titanic* gynnwys ond 1,100 ar y mwyaf. Boddwyd 1,635 yn y fan a'r lle.

Wedi manylu ar y gyflafan, syllodd Williams Hughes ar ei gynulleidfa heb dorri gair. Yna craffodd ar ei destun yn yr ail Salm o'i flaen, dan gyhoeddi: 'Yr hwn sydd yn preswylio yn y nefoedd a chwardd!' Oedodd dri eiliad arall cyn sisial 'Na!' gwyntog, gan ychwanegu, 'Na! Dydw i ddim am ddweud ei fod EF yn chwerthin…' Ac yna sibrydodd â'r pendantrwydd rhyfeddaf: 'Ond yr oedd yna RYWBETH yn chwerthin.'

Ar ôl yr holl flynyddoedd, rwy'n dal i bendroni beth, neu pwy, oedd y RHYWBETH hwnnw.

EBRILL *16*

… y mae'r blodau'n ymddangos yn y meysydd, daeth yn
amser i'r adar ganu, ac fe glywir cân y durtur yn ein
gwlad…
(CANIAD SOLOMON 2:12)

YN Y CITÉ DES PAUVRES yr oeddwn, canolfan fechan i'r
tlodion yn unigedd y Pyreneau uwchben dinas Lourdes yn
Ne Ffrainc. Wrth eistedd felly yn heddwch cefn gwlad, o
fewn dim imi o goedlan gyfagos, canodd y gog yn odidog
eglur. Profiad gwir gyfareddol.

Dro arall safwn mewn gwinllan wastad ar bwys pentref
Asprovalta yng ngogledd gwlad Groeg. Nid oedd unpeth yn
torri ar y tawelwch ond crafiad cribyn hen ŵr oedd yn twtian
o gylch bonau'r gwinwydd. Ond yn sydyn, canodd y gog yn
groyw glir dros ddistawrwydd gwych yr ardal.

Bob gwanwyn ar hyd y blynyddoedd, mae clywed cwcw
gynta'r tymor yn wefr wirioneddol yn fy mhrofiad. Ond
roedd clywed y gog mewn gwlad dramor yn angerddoli'r
wefr nes troi'r digwydd yn fath o sacrament; yn tynnu tua'r
cyfriniol, am a wn i. (Prawf o'r ias yw'r manylder amser yn
fy nyddiaduron. Gog Ffrainc: '1973, dydd Llun, Ebrill 23ain,
2.15 y pnawn.' Gog Groeg: '1982, dydd Llun, Ebrill 19eg, 10
y bore.')

Tybed ai munud dethol o ymdoddi'n un â'r cread yw'r
hanfod? Ceir llonder tebyg yn llyfr prydferth Caniad
Solomon, 2:11-12: 'Canys wele, y gaeaf a aeth heibio, y glaw
a basiodd, ac a aeth ymaith; gwelwyd y blodau ar y ddaear,
daeth amser i'r adar i ganu...'

EBRILL *17*

... chwi a gewch ebol yn rhwym,
ar yr hwn nid eisteddodd dyn erioed...
(LUC 19:30)

WRTH DDATHLU SUL Y BLODAU, cofir am Iesu'n
marchogaeth tua Chaersalem ar ebol asyn. Ar y daith, aeth
nifer ati i daenu dail palmwydd yn garped ar y ffordd tra bod
y gweddill yn ei glodfori dan ganu ambell ddarn o salm;
mewn miri felly y daeth y fintai hapus i'r ddinas.

Lle llawn miri gan y Cymry ym mis Awst yw maes y
Brifwyl. Wrth gwrdd â hen gyfeillion nas gwelwyd ers llawer
blwyddyn, un o'r cwestiynau fydd, 'Sut y daethoch chi
yma?' Bydd rhai wedi dod ar awyren o bellafoedd daear, rhai
ar long, eraill gyda modur, heb anghofio tylwyth y carafanio.

Pan oedd Iesu yng nghanol y dyrfa yng Nghaersalem, a'r
fintai'n canu, 'Bendigedig yw'r un sy'n dod yn frenin yn
enw'r Arglwydd', nid syn fuasai i nifer ofyn iddo yntau, 'Sut
y doist ti yma?' Gallaf weld yr Iesu'r cofleidio mwng yr asyn
bach ac yn ateb gyda balchder, 'Hwn! Yr hen asyn bach yma.
Fo cariodd fi yr holl ffordd, chwarae teg iddo fo.'

Buasid yn disgwyl i'r Brenin, o bawb, gyrraedd y ddinas
ar gamel neu geffyl urddasol. Ond nid felly. Yn hytrach,
rhoes y Brenin fri ar greadur bach eithaf dirmygedig, sy'n
gysur i bawb ohonom ninnau am nad oes neb rhy ddisylw i
'ddwyn y Brenin adref'. Enw prydferth yw Sul y Blodau.
Onid llawn mor brydferth fyddai ei alw'n Sul yr Ebol?

EBRILL *18*

Mi a chwenychais yn fawr fwyta'r
pasg hwn gyda chwi cyn dioddef ohonof.
(LUC 22:15)

CYNGOR GWERTH ei ailadrodd yw hwnnw a gefais un tro gan hen wraig hirben: 'Peidiwch byth â thorri newydd drwg nes bydd pawb wedi gorffen bwyta.' Sylw gwirioneddol graff, yntê? Os clywch chi newydd drwg, mae rhywbeth ym mioleg y corff a'i emosiwn sydd am ladd pob archwaeth yn syth. Os clywch chi newydd drwg ar ganol bwyta, y siawns yw y byddwch yn gadael y pryd hwnnw ar ei hanner.

Adeg y Swper Olaf, fe gyhoeddodd yr Iesu newydd go drwm wrth ei ddisgyblion. Ond dengys Luc 22:21 mai *ar ôl* bwyta y mynegodd ef y tristwch fod un o'u plith nhw, o bawb, yn fradwr.

O sôn am y Swper hwnnw, a ddaeth yn sacrament i'r Eglwys fyth wedyn, cofiaf am y mymryn blwch lledr a fyddai gennyf, yn cynnwys ffiol win arian fechan gyda phlât a phedwar cwpan disglair. Un bore eiraog, roeddwn yn agor y blwch bach yn Ysbyty Caer ar gyfer gweinyddu'r sacrament i wraig bur gystuddiol ei chyflwr. Mae'r hyn a ddywedodd wrthyf wrth ffarwelio yn dal ar fy nghlyw: 'Diolch i chi am ddod. Mi fydda i'n well rŵan.' Yn ôl ei gair, bu'r ymweliad yn fendith iddi hi. A theg yw cyfaddef y bu felly i minnau'n ogystal.

EBRILL *19*

Pedr a ddywedodd wrtho,
Pe gorfyddai imi farw gyda thi, ni'th wadaf ddim.
(MATHEW 26:35)

OS YW'N GYMERIAD CYMHLETH, mae rhywbeth od o hoffus yn Simon Pedr. Creadur prysur, brwd, siaradus a theimladwy. Gallai wneud safiad yn ogystal â throi yn ei garn; gallai fod yn dyner, ddwys, yn ogystal â bod yn rheglyd, wyllt.

Disgrifia Mathew (26:57) sut yr aed â'r Iesu i'w brofi i dŷ Caiaffas, ac yna, 'Canlynodd Pedr ef *o hirbell* hyd at gyntedd yr archoffeiriad, ac wedi mynd i mewn *eisteddodd* gyda'r gwasanaethwyr, i *weld y diwedd*.' A dyna wedd bellach eto arno:

Y disgybl a fu'n agos wedi mynd ymhell. Y cyfaill a fu yng nghyfrin gyngor yr Iesu, mor agos ato ar hyd y daith, wedi mynd i ganlyn 'o hirbell'. A dyma wedd arall:

Y disgybl a fu'n sefyll wedi mynd i eistedd. 'Pe rhwystrid pawb o'th blegid di, ni'm rhwystrir i byth,' meddai Pedr yn un o'i funudau brwd. Ond wedi ymffrostio mewn safiad o'r fath, dyma'i gael yn eistedd, a hynny gydag awdurdodau'r gelyn! Ac wele drydedd gwedd arno:

Y disgybl a welodd y dechrau am wylio'r diwedd. Cafodd ei alw ar lan Môr Galilea, clywodd y Bregeth ar y Mynydd, teimlodd iasau'r Gweddnewidiad. Gallai Pedr dystio bob gafael, 'Roeddwn i yno! Mi welais i ddechrau'r pethau mawr bob un.' Ond bellach, fe'i cawn wedi ildio 'i weld y diwedd'.

Eto, a bod yn deg â Phedr ddyrys, edrydd un chwedl y'i ceir yntau yn y man yn Rhufain bagan wrthi'n cyhoeddi nad oedd 'y gân ond dechrau'.

EBRILL 20

Fel y bwytaoch ac yr yfoch ar fy mwrdd i yn fy nheyrnas...
(LUC 22:30)

MAE SWM o nodweddion cartref i'w gael yn y cysegr. Gellir nodi pethau mor amlwg â muriau, drysau, ffenestri, seddau a tho. Ond o bopeth angenrheidiol, mae yno fwrdd: 'fy mwrdd i', fel y dywedodd Iesu wrth ei ddisgyblion.

Nid oes un cartref am ystyried bod heb fwrdd. Os oes raid, gellir gwneud heb biano, heb deledu, a heb garped. Ond nid heb fwrdd. Gall eglwys, hithau, fod heb weinidog, heb organ, heb festri, ond y mae bwrdd ym mhob cysegr.

Y fath amrywiaeth o bethau a roddwn o'n llaw ar fwrdd yr aelwyd: neges o'r siop, blodau o'r ardd a llyfrau o'r silffoedd. Cofio llawen yw hwnnw amdanom yn blant gartre, a geriach dros y bwrdd i gyd – ffrwythau, melysion, gemau, teganau a phapurach. Cyn bo hir, dyna lais Mam yn galw o'r pantri: 'Reit, blant! Mae'r cinio bron â bod yn barod. Cliriwch y bwrdd rŵan!'

O bryd i'w gilydd, mae bwrdd y capel, yntau, yn medru cynnwys cryn amrywiaeth: ffiol a blodau, amlenni, arian y casgliad, nodiadau'r cyhoeddwr, llyfrau cyfrifon gydag ambell daflen ac esboniad strae. Ond ar oedfa arbennig, mae llais y Penteulu'n galw: 'Cliriwch y bwrdd, yr hen blant! Rydych chi wedi byw digon ar fanionach. Dowch, rŵan – at fy mwrdd i.'

Ac yno y mae'r Wledd Gariad sydd wedi porthi'r miliynau dros gyfnod o ddwy fil o flynyddoedd.

EBRILL *21*

*Ac wedi iddynt ganu emyn
aethant allan i Fynydd yr Olewydd.*
(MATHEW 26:30)

YM MATHEW UCHOD, cawn sôn am y disgyblion yn seinio cân. O gysidro, roedd hi'n hel am storm y noson honno, a'r syndod yw eu bod mewn hwyl canu o gwbl.

Yn un peth, roedd hi'n bur dywyll y tu allan: roedd yr awdurdodau wrthi'n trefnu dialedd ar eu Meistr, a rhai eisoes yn y cysgodion â chleddyfau a ffyn. Yn waeth na hynny, roedd hi'n dywyllach fyth y tu mewn: onid oedd Jwdas (un o'r deuddeg) wrthi'n cynllwynio brad? Heb un os, roedd hi'n hel am storm.

Serch hynny oll, fe gododd y disgyblion wrth fwrdd y Swper Olaf a bwrw iddi i ganu emyn. Eitha hawdd yw canu mewn cymanfa, ond fe ganodd y rhain mewn cyfyngder; canu yn nannedd y ddrycin. A'r rheswm am hynny oedd iddyn nhw ganfod testun yn eu Harglwydd a fyddai'n drech na'r dymestl.

Mae swm o ganu digon swnllyd yn neuaddau'r byd heddiw, ond dod i ben ei rawd a wna hwnnw yn ôl y ffasiwn – am nad oes yno destun a ddeil sôn amdano. Gyda thros dri chan mlynedd wedi pasio er pan aned Handel, pam fod corau'n dal i berfformio'i Oratorio fawr? Onid am iddo ganfod testun yn y 'Meseia' a fyddai'n goroesi stormydd yr oesoedd?

> 'D oes destun gwiw i'm cân
> Ond cariad f'Arglwydd glân...

Daeth tywyllwch dros yr holl wlad hyd dri o'r gloch y
prynhawn, a'r haul wedi diffodd.
(LUC 23:44)

DYN, MEWN GWAED OER, a lifiodd y deuddarn pren. Dyn fu'n blaenllymu'r hoelion. Dyn a gofiodd ddod â'i forthwyl a'i bicell ar gyfer y pnawn macabr. Yn ystod holl ddiawlineb y paratoi, ni newidiodd dyn ei feddwl o gwbl. Roedd wedi mynd i'r drafferth o gasglu drain hyd yn oed, ac yn y man câi bleser sadist wrth boeri i ganol gwaywr'r wyneb.

Nid damwain oedd Calfaria, ond dyn wedi penderfynu bod y Grasol o Nasareth yn mynd i'w artaith y pnawn Gwener hwnnw. Erys y tristwch nad yw dyn wedi newid fawr trwy'r canrifoedd: mae'n dal i fedru dial, i gasáu, i glwyfo, i dreisio ac i lofruddio.

Boed Dyfed yn orflodeuog neu beidio, mae rhyw ias yn y llinellau hyn:

> Dacw fy Mhrynwr ar dŵr blinderau
> O dan yr hoelion, a'i dyner hawliau
> Dan draed ynfydion, geirwon gyhyrau,
> Gwŷr a delorent uwch gwae'r doluriau;
> A'r Iesu annwyl, er gras ei enau,
> I'w gwawd yn hongian ar goeden angau;
> Tawel iawn oedd telynau angylion,
> A sŵn yr hoelion yn synnu'r heuliau!

Lle bynnag y bo cythreuldeb ar gerdded, y mae'n dinistrio bob gafael, ac yn y diwedd yn ei ddinistrio'i hunan. Ond lle bo cariad ar waith, y mae'n trwsio. Ac yn trio mendio truan fyd.

EBRILL *23*

A'r Barabbas hwnnw oedd leidr.
(IOAN 18:40)

CERDDAI BARABBAS yn ôl ac ymlaen yn anniddig yn ei gell. Roedden nhw wedi'i ddedfrydu i farwolaeth am ladrata a llofruddio, a'r pnawn hwnnw byddai'n un o'r tri yn sesiwn groeshoelio'r Rhufeiniad. Yn sydyn, agorwyd y drws, ac eglurodd y swyddog fod Peilat am ollwng un carcharor yn rhydd ar yr ŵyl, fod y bobl wedi dewis ei ryddhau ef, Barabbas, a bod rhyw rebel o Nasareth i'w groeshoelio yn ei le.

Cyn canol dydd, roedd Barabbas yn hel meddyliau ar bwys Calfaria: os dewisodd y dorf ollwng adyn fel ef yn rhydd, roedd yn siŵr fod rebel Nasareth yn is fyth ar ysgol troseddau. Toc, gwelodd ef yn dod dan sigo gan bwysau'i groes. Nid horwth cableddus oedd hwn fel y buasid yn disgwyl i rebel fod; ond wedyn cofiai Barabbas weld ambell un digon ysgafn o gorff yn ffyrnigo fel cath y diffeithwch pan ddôi diawlineb y creadur hwnnw i'r berw.

Wedi codi'r tri ar eu croesau yng nghanol rhegfeydd a chras-weiddi'r dyrfa, yn y man clywodd lais o ben y groes ganol: 'O Dad, maddau iddynt, oherwydd ni wyddant beth y maent yn ei wneud.' A chyn pen tipyn, bu farw Iesu o Nasareth.

Wrth droi'i fysedd yn nerfus, sylwodd Barabbas ar olion hen waed yn rhiciau dwfn ei figyrnau – gwaed ffrwgwd echnos. Syllodd i fyny at y groes ganol gan ddangos cefn ei law i'r Iesu, ac meddai wrtho, 'Gwaed rhywun arall sydd ar hon. Does gwaed neb ond ti dy hunan ar dy gledrau di. Wn i ddim yn y byd mawr pwy wyt ti, ond mi gofia i Galfaria tra bydda i byw...'

... pan welaf y gwaed byddaf yn mynd heibio i chwi, ac ni
fydd y pla yn eich difetha pan drawaf wlad yr Aifft.
(EXODUS 12:13)

DAW'R GAIR 'Pasg' o'r Hebraeg, 'pasach', ac o'r Groeg, 'pascha', sy'n cyfateb i'r Saesneg, 'passover'. Carn yr hanes yw gwaredu'r Israeliaid o'u caethiwed yn yr Aifft (gweler Exodus 12). Y noson honno, byddai angel yn lladd pob cyntaf-anedig yng nghartrefi'r Eifftiaid.

Sut bynnag, roedd plant Israel wedi cael rhybudd ymlaen llaw i daenellu gwaed oen ar byst eu drysau, a phan welai'r angel dinistriol yr arwydd hwnnw, byddai'n 'pasio heibio' i'r tai hynny. Dyna'r 'passover', a dyna'r Pasg Iddewig.

Ynghlwm wrth y gair 'Easter', ceir y ffurf 'Eostre', sy'n hanfod o fytholeg gwlad Groeg, sef Eos, merch y wawr – 'aurora' yn Lladin. O hynny ymlaen, fe'n teflir i gyfrodedd lle mae crefydd, paganiaeth a chwedloniaeth yn gylymau byw.

Gyda'r Pasg Cristionogol, fe gofir y Groglith, lle 'taenellwyd' gwaed Oen Duw ar byst y Groes, ac yna dethlir yr Atgyfodiad, am fod 'yr Oen a laddwyd eto'n fyw'. Yng ngwlad Groeg, rhennir wyau cochion ar y Pasg – y coch yn arwydd o'r gwaed, a'r ŵy yn symbol o fywyd newydd.

EBRILL 25

... yr wyf yn atolwg i chwi ... roddi ohonoch eich cyrff yn aberth byw, sanctaidd, cymeradwy gan Dduw...
(RHUFEINIAID 12:1)

CLYWAIS SAWL cerddor yn tystio mai'r miwsig gyda'r perffeithiaf a gyfansoddwyd erioed yw'r 'Ave Verum' gan Mozart. Onid yw'r alaw yn wylo drwy'r darn, a'r cordiau fel petaen nhw'n cael eu dryllio gan ofid? Beth, wedyn, yw ystyr y Lladin a genir – 'Ave, ave verum corpus natum de Maria Virgine'? Dyma gyfieithiad John Eilian:

> Henffych, henffych, gorff diymwad
> anwyd in o Fair, y Forwyn bur;
> Aberth drosom wedi'i ledu
> ar groesbren dan hoelion dur;
> Ac o'i ystlys drywanedig
> llifa gwaed a dŵr ei gur;
> Bydd di, er ein digolledu,
> wrth farw yn gadarn fur.

Clywais y diweddar John Roberts, Llanfwrog, Môn, yn adrodd hanes am athro mewn ysgol yn Lloegr yn gofyn i'r plant sgrifennu traethawd am dymor y Groglith a'r Pasg. Bwriodd un o'r bechgyn ati i ddisgrifio'r Groes, a'r creulondeb a laddodd Iesu Grist.

Yna, daeth at stori'r Trydydd Dydd, gan sôn am y milwyr yn gweld fod y bedd yn hollol wag. Brawddeg olaf traethawd y bychan oedd – 'That shook 'em'.

EBRILL 26

A Simon Pedr a atebodd ac a ddywedodd,
Ti yw'r Crist, Mab y Duw byw.
(MATHEW 16:16)

ER NAD OES GWARANT Feiblaidd o gwbl yn tystio i Pedr fod
yn Rhufain, cydiodd H. Sienkiewicz yn y chwedl, a gweithio
nofel arni. Serch bod Nero a'r Cesariaid yn ymlid y
Cristionogion yn fileinig, roedd celloedd bychain o'r
ffyddloniaid yn cwrdd yn enw Iesu ar hyd a lled y ddinas, a
Phedr yn eu gwarchod fel bugail ei ddefaid.

Wrth i'r erlid ddwysáu, clywyd fod senedd Rhufain yn
chwilio'n unswydd am Pedr. Y noson honno, perswadiwyd
yr apostol, oedd yn fregus a phenwyn bellach, i ffoi ar long a
fyddai'n hwylio o Napoli am Sisili.

Ar lasiad y dydd drannoeth, cerddai Pedr a'i gyfaill ifanc,
Nazarius, o Rufain ar y Via Appia. Ym mhelydr yr haul
cynnar, pan welodd Pedr ffurf dyn yn dod i'w gwrdd,
plygodd i'r llwch dan alw, 'Y Crist wyt ti, y Crist!' Yna
gofynnodd, 'Quo vadis, Domine?' (Lle'r ei di, Arglwydd?)
Cafodd yr ateb mewn llais trist, tawel, 'Pedr! Gan dy fod ti'n
eu gadael nhw, rydw i'n mynd i Rufain i gael fy
nghroeshoelio unwaith eto.'

Cododd Pedr o'i blyg, pwyso'n sigledig ar ei ffon, a
throi'n ôl tua'r ddinas. Pan ddaliwyd ef yn y man, ei ateb
distaw, llawen i'r holl groesholi oedd, 'Rydw i wedi gweld yr
Arglwydd!' Ni bu'n hir, ysywaeth, nad aeth ei groesholi yn
groeshoelio. Tybed beth a debygai'r hen wron fod eglwys
fwyaf Rhufain heddiw yn arddel enw Sant Pedr?

EBRILL 27

Fy Nuw, fy Nuw, paham y'm gadewaist?
(MARC 15:34)

WRTH DDISGRIFIO dirfawr greulondeb croeshoelio, rwyf am ystumio'r pennill i'r cyfeiriad hwn:

> Poen ac anobaith dan y loes,
> Tristwch a chabledd ar y groes.

Ond nid dyna ddisgrifiad Pantycelyn o gwbl oll. Eithr hyn:

> Poen a llawenydd dan y loes,
> Tristwch a chariad ar y groes.

Ar yr olwg gyntaf, nid yw *poen* a *llawenydd* yn arfer partneru o gwbl. Ond wedyn, wrth ddod â phlentyn i'r byd, gyda phoen yr enedigaeth fe ddigwydd yn ogystal lawenydd na ŵyr neb ond mam ei orfoledd.

Ar yr olwg gyntaf, nid yw *tristwch* a *chariad* yn arfer partneru chwaith. Ond wedyn, pan wêl cariad ei blentyn yn dioddef, daw tristwch yn rhan wirfoddol o'i dynerwch.

Dyna felly'r pedwarawd a welodd Williams: poen a llawenydd, tristwch a chariad – ac 'olew Calfarî' yn mynnu nofio'n ddisglair i'r wyneb trwy ferddwr pechod ac angau. Er cymaint o sôn sydd heddiw am *detergent*, nid oes gymysgedd ar gael a ddichon chwistrellu'r grasau hyn allan o fod. Addas iawn yw'r holi:

> Ple bu rhinweddau fel y rhain
> Erioed o'r blaen dan goron ddrain?

... a'i galon ef [Nabal] a fu farw o'i fewn,
ac efe a aeth fel carreg.
(1 SAMUEL 25:37)

CYN I'R MECANEIDDIO modern newid y patrwm o roi wyneb ar ffyrdd y wlad, byddai gan y torrwr cerrig (neu'r malwr metlin) ddigonedd o waith.

Fe'i gwelid ar gwr hen chwarel, neu wrth adwy fferm, yn eistedd ar glustog o sach a dau forthwyl neu dri o wahanol bwysau at ei alw. Tynnai garreg o'r pentwr ar ei bwys, ac o wybod yn reddfol am fan gwan y maen, fe'i holltai'n ddeuddarn glân ag ergyd y morthwyl. (Yn ôl y sôn, cerrig afon oedd y rhai rhwyddaf i'w malu.) Bwriai ati wedyn i guro'r haneri'n ddarnau llai, a chyn terfyn dydd, byddai ganddo domen helaeth o'r metlin mân ar gyfer gosod wyneb ar y ffyrdd.

'Sut mae swyddogion y ffordd fawr yn dy drin di?' holodd cymydog wrth basio heibio.

'Digon da,' atebodd y malwr metlin, 'ar wahân i un neu ddau. Mae'r rheini 'run fath ag ambell garreg yn fama – mi ân' i'r ddaear cyn yr ildian nhw i neb!'

Sonia'r Beibl yn fynych am rai tebyg: caledwch calon Pharo (ym mhenodau cynnar Exodus), a'r Nabal milain hwnnw.

EBRILL 29

... dos, gweithia heddiw yn fy ngwinllan.
(MATHEW 21:28)

DDECHRAU IONAWR, roedd angen tri chant chwe deg a
phump o bytiau i gyffwrdd pob dydd o'r flwyddyn. Erbyn
diwedd Chwefror, ar ôl sgrifennu tua thrigain o bytiau felly,
cofiaf anobeithio am fod eisiau trichant wedyn at y rheini.
Bellach, mae hi'n Ebrill pell, a minnau, ar ôl cael ail wynt,
wedi cyrraedd rhicyn dau gant a hanner. Ond bydd gofyn am
o leiaf gant arall. Cant *arall*, sylwer! I ddyn sydd â'i
ddychymyg ar fin fferru, mae disgwyl am gant eto ar ben y
cyfan yn ddigon â llethu'r meddwl – a'r corff, am a wn i.

Ni wn a ddylai awdur gwynfan fel hyn yng ngŵydd ei
ddarllenwyr caredig, ond rwy'n gwneud hynny o fwriad, am
mai llyfr o natur felly yw hwn – llyfr sy'n chwalu meddyliau
i bob cyfeiriad. Un rheswm fy mod yn rhannu'r tipyn
profiad uchod yw y gall eich bod chwithau hefyd wedi
teimlo'r un fath sawl tro, a bod gofalon bywyd, ar ambell
awr, agos â'ch trechu'n deg.

Dyma'n union fel y gwelaf i bethau: mae ddoe wedi mynd;
mae yfory heb ddod. Y cyfan sydd ar gael yw heddiw. Ni
waeth hynny fwy na mwy, mae'n rhaid derbyn fod yna
bethau na allwch chi, na minnau, fyth eu cyflawni i gyd ar
unwaith. Bydd yn rhaid i'r rheini aros tan yfory, neu
drennydd neu dradwy – os daw'r dyddiau hynny. Ac os na
ddôn nhw, wel, diolch am yr hyn a gaed, onidê? Sut bynnag,
eithaf syniad fyddai argraffu geiriau'r Meistr ar bob dalen o'r
flwyddyn gron: 'Peidiwch felly â phryderu am yfory,
oherwydd bydd gan yfory ei bryder ei hun. Digon i'r
diwrnod ei drafferth ei hun' (Mathew 6:34).

EBRILL *30*

Nid yw ef yma...
(LUC 24:6)

YN LUC 24:1-6, ceir cyfrif am y merched teyrngar yn dod at fedd yr Iesu gyda pheraroglau ar gyfer eneinio'i gorff, ac yn sylwi bod 'y maen wedi'i dreiglo ymaith oddi wrth y bedd'. Yna, daeth dau ŵr atyn nhw gyda chwestiwn godidog: 'Pam yr ydych yn ceisio'r byw ymysg y meirw?' Ac wedyn yr ychwanegiad: 'Nid yw ef yma, y mae wedi'i gyfodi.'

Am ail gymal y gosodiad uchod, hyd y gallaf ddirnad nid oes neb wedi gallu esbonio'r digwydd hwnnw, nac yn wyddonol na diwinyddol. Cystal dyfynnu'r Salmydd ar ddirgelion rhagluniaeth: '... uchel yw, ni fedraf oddi wrthi' (Salm 139:6). '... y mae'n rhy uchel i mi ei chyrraedd', medd y cyfieithiad diweddaraf.

Am y gosodiad cyntaf, sut bynnag, fe ddeil hwnnw ystyriaeth deg. Dylid cofio'n ystyriol mai peth personol iawn iawn yw'r modd yr effeithia galar ar wahanol bobl. Ceir ambell un wedi angladd yn cefnu'n chwap ar y fynwent, a dyna gau'r bennod yn y fan a'r lle. Am un arall, bydd yn galw'n fynych i hiraethu wrth y beddrod. Na fernwch, am mai mater hollol breifat yw'r modd yr ymetyb galarwyr i'w profedigaeth.

Serch hynny, fe garwn weld bwa dros borth pob mynwent, ac wedi eu saernïo arno mewn aur, y pedwar gair: NID YW EF YMA – am fod yna ryw bethau na ddichon mynwent, hyd yn oed, eu cadw'n gaethion iddi.

MAI *1*

Yr Arglwydd [Y Tragwyddol] yw fy mugail.
(SALM 23:1)

ER NAD wy'n llithrig o gwbl mewn Ffrangeg, byddaf yn cael byd o gysur wrth ddarllen o benodau sy'n gyfarwydd imi, a gweld yr ystyr yn dawnsio allan o'r estroniaith:

Vous êtes le sel de la terre – Chwi yw halen y ddaear.
Vous êtes le lumière du monde – Chwi yw goleuni y byd.

Sbel yn ôl wrth ymhél â'r drydedd salm ar hugain, dyma droi i'r Beibl Ffrangeg (o ran ymyrraeth yn fwy na dim) rhag ofn y byddwn yn taro ar rywbeth newydd. Tybiais y dylai pethau ddechrau'n eithaf rhwydd: 'Yr Arglwydd yw fy Mugail' yn rhoi 'Le Seigneur est mon berger.'

Ond na, yn wir! Nid 'Le Seigneur...' yw'r agoriad gan y Ffrancwr, ond 'L'Eternel est mon berger.' Felly, yn lle 'Yr Arglwydd', ceir 'Y Tragwyddol'.

Gan hynny, dyma frysio at y cyfieithiadau diweddaraf un yn y Saesneg a'r Gymraeg, rhag ofn eu bod hwythau wedi newid pethau. Ond na! 'The Lord...' a 'Yr Arglwydd yw fy mugail' a geir yno. (Am nad wy'n ysgolhaig, rwy'n ildio'n weddaidd i'r gwybodusion ar y mater.)

Ond eto, rwyf wedi cymryd at 'Y Tragwyddol' yn arw iawn – yn hytrach nag 'Yr Arglwydd'. Y mae fel petai'r Salmydd yn cyhoeddi nad rhyw 'arglwydd' bach dynol, daearol sydd ganddo ef. Oni fu arglwyddi ar gael erioed yn hanes pobloedd? Ac os ân' nhw'n brin, digon hawdd fydd creu nifer o arglwyddi eraill i lanw'r bwlch, fel petai.

Dyna pam fod 'Y Tragwyddol' ('L'Eternel') fel bugail, yn codi dyn i lefel anfeidrol uwch. A diogelach hefyd.

MAI 2

A Thomas a atebodd ac a ddywedodd wrtho,
Fy Arglwydd a'm Duw.
(IOAN 20:28)

PREGETH RADIO y bu sôn amdani trwy Gymru oedd honno
gan Idwal Jones – Pencader, bryd hynny. Ei destun oedd Ioan
20:24: 'Eithr Thomas, un o'r deuddeg, yr hwn a elwir
Didymus, nid oedd gyda hwynt pan ddaeth yr Iesu.'

Thema'r bregeth oedd fod Thomas wedi colli'r oedfa.
Ond yn hytrach nag annerch y gynulleidfa, yn ôl yr hen arfer,
yr hyn a wnaeth Idwal oedd defnyddio'r microffon i siarad
yn bersonol efo Tomos, oedd yn ei gartre ar fore Sul yn
darllen y *News of the World.* Aeth ati i ddisgrifio criw o blant
ar noson ffair yn cael hwyl ar y meri-go-rownd, nes i ddyn
meddw neidio ar yr hyrdi-gyrdi a chael gafael yn y lifar gan
yrru'r plant a'r ceffylau bach 'fel cath i gythraul nes bod yr
organ yn sgrechian yn awyr y nos yn gymysg â chri eu
mamau nhw...'

Ac meddai Idwal wedyn gyda'r llais trwynol, caredig
hwnnw: 'Wyt ti'n cofio diwedd stori'r ceffylau bach, Tomos?
Fe ddaeth rhyw fachgen ifanc o rywle, a thra oedd pawb arall
yn gweiddi mewn ofn, mi fentrodd hwn ei fywyd, a neidio ar
yr hyrdi-gyrdi gwallgo. Mi gafodd ei frifo'n ofnadwy wrth
wneud hynny, ond fe lwyddodd i gyrraedd y peiriant, ac i
frwydro efo'r diafol meddw oedd yn gyrru'r gwae ar
gerdded. Fe'i gorchfygodd o yn y frwydr, mi gafodd ei law ar
y lifar, a throi peiriant lladd yn beiriant pleser unwaith eto...'

Dyna un wedd ar wythnos y Palmwydd, y Groglith a'r
Pasg.

MAI *3*

... a hwy a lanwyd oll o'r Ysbryd Glân.
(ACTAU 4:31)

MAE PLISGYN y stori wedi mynd i rywle, ond mae'r cnewyllyn yn aros. Ni allaf gofio enw'r ysgolhaig hwnnw o Loegr, ond byddai'n treulio rhan o'i wyliau mewn ardal wledig yng Nghymru. Er na ddeallai Gymraeg, byddai wrth ei fodd yn troi i oedfa'r Sul yng nghapel bach y fro. Teimlai fod awyrgylch yr addoliad, heb sôn am ganu'r gynulleidfa, yn cael effaith riniol arno.

Wedi'r oedfa un bore Sul gofynnodd i un o'r cyfeillion oedd yn sgwrsio y tu allan i'r capel, beth oedd ystyr y geiriau 'Ysbryd Glân' y cyfeiriai'r cennad mor fynych atyn nhw yn ystod ei bregeth. Am na fedrai'r cyfaill hwnnw gofio'r Saesneg – tebyg i 'Holy Ghost', dyweder – gweithiodd y brawd ar gyfieithiad llythrennol yn y fan a'r lle, ac meddai, 'He was preaching about the Clean Spirit.'

Roedd yr ysgolhaig wedi'i gyfareddu'n hollol gan ateb y Cymro; yn gymaint felly nes iddo, ar ôl dychwelyd i'w goleg, sgrifennu erthygl o dan y teitl 'The Clean Spirit'.

Lle bynnag y ceir y Glân, boed yn wyneb baban neu ar betal lili, mae rhywbeth o'i gylch sy'n gwyleiddio'r galon, a'i denu, ni synnwn, at lefelau addoli.

MAI 4

*... tyn dy esgidiau oddi am dy draed, oherwydd
y mae'r llecyn yr wyt yn sefyll arno yn dir sanctaidd.*
(EXODUS 3:5)

A SILICON tywod yr anialwch yn poethi yn yr haul, medraf
ddyfalu y gall llwyn crinsych fynd ar dân a chael ei ddifa'n
lludw gan y fflamau. Ond yr hyn a welodd Moses oedd perth
yn llosgi, ac eto'n dal heb ei difa. Pan oedd, o chwilfrydedd
cwbl naturiol, ar gamu tuag ati, dyma 'Breswylydd y Berth'
yn ei orchymyn i dynnu'i esgidiau cyn mentro cam yn nes at
y 'tir sanctaidd' hwnnw.

Onid yw'n rheol gan y Mwslemiaid i ddiosg eu hesgidiau
a'u gosod yn rhes y tu allan i'r deml? Pe na bai'n ddim arall,
mae rhywbeth glanwaith yn y syniad o adael baw a llwch yr
heolydd y tu allan rhag llygru'r cysegr.

Un noson, wedi i'r ymwelydd olaf adael eglwys San
Marco yn Fenis, clowyd y drysau, a chawsom ganiatâd (a
braint unigryw) i ffilmio y tu mewn yn y tawelwch mawr.
Wedi dod i ben â'r gwaith, eglurodd y gofalwr fod gwynt y
Scirocco wedi gyrru i fyny'r Adriatig, a bod strydoedd Fenis
erbyn hynny o dan fodfeddi lawer o ddŵr. Nid oedd dim i'w
wneud ond tynnu esgidiau a sanau, torchi'r llodrau, a
cherdded yn droednoeth trwy'r dyfroedd tua'r llety.

Ar un llaw, roedd hynny'n enghraifft gofiadwy o'r drefn
yn gweithio'n hollol o chwith: tynnu esgidiau *ar ôl* bod yn y
deml! Ar y llaw arall, mae'n wir y dichon ambell oedfa yrru
dyn tuag adre yn wahanol iawn i'r modd y cerddodd iddi.

MAI 5

Oni werthir dau aderyn y to er ffyrling? ac ni syrth un
ohonynt ar y ddaear heb eich Tad chwi.
(MATHEW 10:29)

YSTYR YR EIDALEG 'piccolo' yw bychan. Am yr offeryn
cerdd o'r un enw, perthyn i deulu'r ffliwt y mae'r picolo, ond
bod ei sain octif yn uwch ac yn feinach na'r ffliwt arferol.

Clywais fy Modryb Margiad yn sôn droeon am W.O.
Roberts, y Pistyll, yn pregethu ar ofal Duw dros y mwyaf di-
nod o'i blant. Aeth ati i ddisgrifio cerddorfa'n ymarfer gan
gyfeirio at nodau cryfion y dwbl-bas, y trwmped a'r
ewffoniwm, heb anghofio curiadau dyfnion y drymiau. Fel
yr ymchwyddai'r miwsig i'w lawn nerth, a'r cordiau'n
atseinio trwy'r neuadd, yn sydyn tapiodd yr arweinydd ei
faton ar ymyl yr astell gan roi taw ar bopeth. O'r tawelwch,
pwyntiodd at offerynnwr yn ei gerddorfa a dweud, 'The
piccolo has stopped playing.'

O ganol cymysgedd bwerus o fiwsig, dim ond clust
cerddor profedig a fyddai wedi clywed bod y ffliwt leiaf wedi
tewi. Yn wir, byddai fy modryb yn canu union nodau hen
hwyl y pregethwr o'r Pistyll:

d . r | m : m | – r | t₁ : l₁
The pi - cco - lo   - has stopped playing

A moes dy law i mi'r eiddilaf un,
Ac arwain fi i mewn i'th fyd dy Hun.

MAI 6

Cymerwch ofal i beidio â chyflawni
eich dyletswyddau crefyddol o flaen dynion,
er mwyn cael eich gweld ganddynt...
(MATHEW 6:1)

AR UN LLAW, ydy hi'n wir nad yw pobl dda yn sylweddoli eu bod yn dda? Ar y llaw arall, onid oes ambell un sy'n dueddol o wneud sioe o'i ddaioni, gan ddifetha'r cyfan am i'r hunan fynnu hysbysebu'r weithred?

Ym Mathew 25:36-40, dywed Iesu wrth ei ddisgyblion iddo fod yn newynog, yn sychedig, yn ddieithr, yn noeth, yn glaf ac yng ngharchar, a'u bod hwy wedi gweini arno ym mhob un o'r helbulon hynny. Taerodd y disgyblion na welson nhw erioed mo'u Meistr yn y fath drafferthion. Yn iaith heddiw, gall mai fel hyn y byddai Iesu'n eu hateb: 'Na, efallai na welsoch chi mohono' i felly. Ond fe roisoch bryd o fwyd i'r hen dramp hwnnw. Fe fuoch chi heibio i gleifion Ysbyty'r Garth. Ac fe adawsoch bentwr o ddillad i Oxfam.'

'Wel ... do – efo'r rheini efallai,' meddai'r disgyblion. 'Ond welson ni erioed mohonot *Ti* mewn cornel felly.'

'Naddo,' meddai yntau. 'Ond yn gymaint â'ch bod chi wedi gwneud felly iddyn nhw, yn y pen draw rydych chi wedi gwneud felly i *mi* hefyd.'

'Is this Paddington?' holodd rhyw estron coeglyd pan arhosodd y trên yng ngorsaf fechan wledig Arthog ym Meirionnydd.

'No,' atebodd y porter. 'But it's the same line.'

Yr un yw'r egwyddor ym mhob man: 'i mi y gwnaethoch', bob gafael.

*Canys ymddangosodd gras Duw, yr hwn
sydd yn dwyn iachawdwriaeth i bob dyn...*
(TITUS 2:11)

ADEG RHYFELOEDD Napoleon a Wellington, ymunodd
Tomos Williams, Capelulo, â'r milisia gan grwydro Affrica a
De America cyn gadael y fyddin a dychwelyd i Lanrwst.
Yno, cafodd waith yn gyrru gwartheg a moch i fannau fel
Wrecsam, Caer ac Amwythig. Os bu'n camymddwyn yn y
fyddin, roedd Capelulo'n fwy anystyriol fyth ar ôl dod adre.

Pan oedd wedi taro'r gwaelod isaf, ac yntau bellach tua
thrigain oed, fe 'ymddangosodd gras Duw' i hen rafin fel
Capelulo, o bawb. Yn y twymiad hwnnw ymunodd â'r
Gymdeithas Lwyrymwrthod fel 'titotal'. Dysgodd ddarllen
y Beibl gan ymaelodi â'r Methodistiaid, ac fel sawl un arall a
gafodd 'dro', roedd ei frwdfrydedd yn eithafol o selog.

Un noson aeth i seiat mewn capel gwledig, capel yr oedd
ymgecru rhwng yr aelodau wedi rhannu'r achos yn
ddwyblaid chwyrn, ac meddai,

'Mi rydw i wedi clywad nad ydach chi ddim yn byw yn
rhyw gytûn iawn yn fama ... a'ch bod chi'n ffraeo ac yn tafodi
fel Gwyddelod mewn ocsiwn ... Mae gweld dynion yn heltar
sgeltar mewn tŷ tafarn yn beth digon hyll, ond mae eu gweld
nhw'n higldi pigldi mewn capal yn beth saith gwaeth. Peth
anffodus oedd i'r llongwrs hynny gysgu ar y *voyage* honno i
Tarsus erstalwm, ond yr oedd i Jona gysgu yn gwneud y
busnas yn waeth ganwaith. Ond pe cawsech chi'ch taflu i fôr
y byd, mi fyddai holl *sharks* uffern wedi'ch gneud chi'n
sgyrion cyn pen dau funud. Mewn difri, ddynion,
gweddïwch fwy, a ffraewch lai.'

MAI 8

O enau plant bychain...
(SALM 8:2)

'EDRYCH!' MEDDAI TOMOS seithmlwydd wrth ei dad ar y ffordd adre o'r ysgol. 'Mae dy ffrind di yn fan'cw.'

'Pwy?'

'Dy ffrind di.'

'Wela i ddim ffrind,' mynnodd ei dad.

'Ond dacw fo ... wrth y ciosg acw.'

Ar un wedd roedd Tomos yn hollol iawn. Gwyddai y byddai ei dad yn delio llawer â'r dyn hwnnw yn broffesiynol – mewn pwyllgor, ar y ffôn, ac, ar dro, yn y swyddfa.

'Eto,' meddai ei dad wrthyf, 'doeddwn i rioed wedi meddwl amdano fel *ffrind* o'r blaen. Ond yn ffordd Tomos o weld pethau roedd dyn o'r fath yn siŵr o fod yn *ffrind* i mi. Ac mi gefais olwg newydd sbon ar fy mherthynas i â'r brawd hwnnw. Erbyn meddwl, be arall ydi'r dyn – ond ffrind, yntê?' Mor onest a syml!

> Ehanga 'mryd, a gwared fi
> Rhag culni o bob rhyw,
> Rho imi weld pob mab i Ti
> Yn frawd i mi, O! Dduw.

MAI 9

A hwy beunydd yn parhau yn gytûn yn y deml,
ac yn torri bara o dŷ i dŷ, a gymerasant eu lluniaeth
mewn llawenydd a symledd calon.
(ACTAU 2:46)

MAE ADEGAU ym mywyd dyn pan yw'n debygol o dderbyn
yr hyn a ddaw am mai dyna'r 'drefn'. Gyda heneiddio'n rhoi
cyfle i hel meddyliau, y dydd o'r blaen dechreuais holi
ynghylch rhai oedfaon y bûm yn gweinyddu ynddyn nhw.
Petawn yn llai byrbwyll, mae'n bur debyg fod rheswm
digonol dros y 'drefn' y pennwyd arni yng nghwrs yr
oedfaon hynny.

Pan bregethwn ers llawer dydd yn y 'prif gapeli' –
goddefer y fath ymadrodd am y tro – cawn f'anfon i'r
'gangen' neu i'r 'capel cenhadol' i weinyddu yn oedfa'r
pnawn. Cofiaf hynny'n digwydd yn Llanrwst, Pwllheli,
Aberystwyth, Caernarfon a Llangefni, i enwi dim ond rhai
mannau.

Yr argraff sy'n aros yw bod yr oedfaon 'cenhadol' yn rhai
byrlymus iawn. Meinciau hirion a geid ar gyfer eistedd, piano
flinedig yn lle'r 'organ reiol', ac yn hytrach na'r pulpud
castellog, astell i gynnal pwt o Feibl. Byddai'r tadau a'r
mamau yno, y plant yn gwingo gan egni, a'r canu hapus yn
atseinio o'r to sinc.

Ni wn pam y dechreuwyd rhannu crefyddwyr y dref yn
ddwy adran, yn enwedig o gofio galwad y Prif Weinidog:
'Deuwch ataf fi, *bawb*...' (Mathew 11:28).

MAI *10*

Coroni yr ydwyt y flwyddyn â'th ddaioni;
a'th lwybrau a ddiferant fraster.
(SALM 65:11)

Y MAE AMBELL DYMOR yn amlwg yn fwy tyfadwy na'r llall.
Caed cychwyn cynnar i bethau gyda chawod gofiadwy o
eirlysiau, briallu, carn yr ebol, llygad Ebrill, blodau menyn,
llygad y dydd a chlychau'r gog.

Yna, daeth y perthi a'r coedydd i'w hwyl gyda thynerwch
dail cynta'r dderwen, y ffawydden, yr onnen a'r gastan-
wydden. Ond eleni'n ogystal, penderfynodd Natur fod
sbloet arbennig i ddigwydd yn hanes y rhedyn, yr eithin, ac
yna'r ysgawen, y lelog, y criafol, y dendron coch, heb
anghofio'r pren afal.

Am y drain gwynion, ni wn a welais erioed y fath
ysblander: i ba gyfeiriad bynnag y fforchai'r canghennau,
roedd pob un brigyn wedi'i lwyr orchuddio gan lawes drom
o flodau, a phob llwyn dros erwau'r wlad yn plygu dan bwys
y petalau. I goroni'r holl brydferthwch, roedd awyr y bore
bach, fel tawelwch yr hwyr, yn swrth gan felyster y llwyni
godidog hyn.

Credaf fod dau beth a ddichon lethu perarogl, sef twrw ac
oerni. Ond pan geir tawelwch a chynhesrwydd, caiff persawr
ei angerddoli bob gafael. At fendith felly yr anelai'r emyn:

> Megis gardd ddyfradwy
> O aroglau'n llawn,
> Boed fy mywyd, Arglwydd,
> Fore a phrynhawn.

MAI *11*

... a'r môr nid oedd mwyach.
(DATGUDDIAD 21:1)

GALLWCH DARO ar *Peggy* yn Castletown ar ynys Manaw. Yn ei dydd cafodd fywyd anturus, a'r ynyswyr yn ei hedmygu am sawl gwrhydri. Ond daeth tro ar fyd, a rhyfedd yw ei gweld hi, o bawb, mor ddisymud.

Hen long yw *Peggy*, sgwner dau fast, a'i bwrdd yn nydd ei nerth yn cynnwys arfogaeth o wyth canon. Ddau can mlynedd yn ôl, pan oedd llongau Ffrainc yn rheibio morwyr wrth hwylio rhwng Belfast, Lerpwl a Bryste, byddai gynnau *Peggy* yn tanio mewn brwydrau gyda môr-ladron y cyfnod hwnnw.

Erbyn heddiw, mae'r sgwner fach wedi'i halio o'r heli, a'i chlymu dan do yng ngolwg yr harbwr. Gan werthfawrogi'r gwarchod sydd drosti, eto i gyd mae rhywbeth yn drist o sylwi bod wal isel wedi'i chodi yn union o dan fow yr hen long, fel na all *Peggy*, druan, lithro i ddŵr yr harbwr tua'r môr mawr fyth eto.

Nid yw llong yn gartrefol rhwng pedair wal, mwy nag yw llew ar lawr syrcas, neu ganeri yn ei gawell. Na dyn mewn dynjwn:

> Tor y bolltau pres yn gandryll,
> Tyn y barrau heyrn yn ôl,
> Gad i'm henaid, o'r dyfnderoedd,
> Hedeg yna fry i'th gôl.

MAI *12*

... ac efe a welodd Ysbryd Duw yn disgyn fel colomen,
ac yn dyfod arno ef.
(MATHEW 3:16)

NOSON BRAF o wanwyn oedd hi, Cyfarfod Dosbarth yng nghapel Glanrafon, a John Lloyd wrthi'n traethu ar y cymal uchod.

Fel yr oedd yr agorwr yn trafod nodweddion y golomen, yn sydyn daeth sŵn ysgafn a dieithr o gyfeiriad un o ffenestri'r capel, a throdd pawb i edrych. A'r hyn a welem oedd colomen wedi clwydo ar ffrâm y gwydr, ac yno yr arhosodd gydol y gwasanaeth. Yng nghwrs deng mlynedd fy ngweinidogaeth yng Nglanrafon, ni welais y golomen erioed cyn hynny, ac ni welais mohoni fyth wedyn chwaith.

Un pnawn gormesol boeth o haf, pregethwn yng nghapel bach Sardis yn unigedd Eifionydd. Tua chanol y bregeth, cerddodd ci i mewn o'r gwres, edrych tua'r pulpud, camu i'r sêt fawr a gorwedd o'm blaen gan wrando (hyd y gwn i) yn gwbl weddaidd.

Aeth deng mlynedd ar hugain heibio, ac wrth ddarlithio yn Rhyd-ddu, yn Arfon digwyddais sôn am y ci a ddaeth i'r oedfa honno yn Sardis bell. Daeth gŵr ataf ar derfyn y ddarlith gan ddweud, er sobrwydd i mi, 'Wyddoch chi mai'n ci ni oedd hwnnw?' Y fath gyd-ddigwydd!

Heb amcanu darllen gormod i achlysuron fel hyn – colomen mewn un oedfa, ci yn y llall – eto mae cael plant Natur Fawr yn ymhél â ni yn rhoi hynodrwydd arallaidd ar fyw a bod yn y cread hwn.

MAI *13*

Byddaf fel gwlith i Israel: efe a flodeua fel y lili...
(HOSEA 14:5)

MEWN EMYN cadarn ei gyfansoddiad, gofynna R.R. Morris am i'r Ysbryd greu'r fath gynyrfiadau nes bod eu hergydion yn siglo'r byd i'w seiliau:

> Rhwyga'r awyr â'th daranau,
> Crea'r cyffroadau mawr...

Mae'n wir y bu rhwygiadau pur ddinistriol yn hanes crefyddau'r ddaear o bryd i'w gilydd, heb sôn am ymrafael pechadurus o greulon rhwng carfanau eglwysi Cred.

Eto, fel rheol, nid mewn cyffroadau yn gymaint ag mewn tawelwch y digwydd y pethau gwir fawr. Nid oherwydd ubain y ddrycin y mae'r perthi'n glasu, ac nid o achos y corwynt y tyf clychau'r gog. Pan yw'r gwanwyn ar waith mewn gardd a dôl, y mae wrthi'n llwyr dawel.

'Byddaf fel gwlith i Israel,' meddai'r Arglwydd wrth Hosea. Er mor fendithiol yw diferion gwlith ar dir sychedig, yn dawel, dawel y disgynnodd pob perl ar y glaswellt. Ac er i bawb ohonom weld y gwlith dan draed, eto ni *chlywodd* neb mo'r fendith honno'n cyrraedd. Mae hynny'n beth sy'n digwydd yn gwbl ddi-stŵr, fel y canodd J.T. Job:

> O ddydd i ddydd ei hedd a ddaw,
> Fel gwlith ar ddistaw ddôl.

MAI *14*

Chwi yw halen y ddaear: eithr o diflasodd yr halen, â pha
beth yr helltir ef? ni thâl efe ddim mwy ond i'w fwrw allan
a'i sathru gan ddynion.

(MATHEW 5:13)

AR ÔL I UN eneth fach ddweud ei hadnod am 'halen y
ddaear', gofynnodd y gweinidog i'r plant beth a wydden
nhw am halen. Dechreuodd yr atebion ddod yn rhesi: fod
halen yn wyn, fod halen yn hallt, y rhoddid halen ar ben
bwyd, a bod halen yn llosgi ar ddolur. Wedi eiliad o
dawelwch, dyma un plentyn yn cynnig ei ateb yntau:

'Mae halen yn codi syched arnoch chi.'

O bob ateb, roedd hwnnw wedi siglo'r pregethwr.

'Chi sydd y tu ôl acw – glywsoch chi'r cynnig yna?'
gofynnodd i'w gynulleidfa. 'Mae halen yn codi *syched*
arnoch chi ... Gwrandwch!' ychwanegodd o dan deimlad
amlwg. '*Chi* ydi halen y ddaear yn y Llan yma. Gwnewch
eich hunain yn eglwys ym Methel fel y byddwch chi'n codi
syched ar bobol y pentre 'ma am gwmni'ch Arglwydd chi!'

> Gwna ni fel halen trwy dy ras,
> Yn wyn, yn beraidd iawn ei flas;
> Yn foddion yn dy law o hyd
> I dynnu'r adflas sy' ar y byd.

MAI *15*

Pan elych trwy y dyfroedd, myfi a fyddaf gyda thi.
(ESEIA 43:2)

YN YSGOL SIR PORTHMADOG GYNT, gwersi difyr oedd y rheini gyda'r *Merchant of Venice*, a Mr Llywarch Dodd yn gofyn i'r dosbarth ddarllen-actio geiriau Bassanio, Gratiano, Portia, Nerissa, a gwahanol gymeriadau eraill y ddrama. Bryd hynny, doeddwn i fawr feddwl y buaswn, ar ben deugain mlynedd arall, yn ymweld â Fenis wych, yn sefyll ar Bont Rialto lle bu Antonio a Shylock yn croesdynnu, yn symud mewn gondola gerllaw y dyfroedd tawel, a thipyn yn fwy tyrfus ar y bws-dŵr – y *vaporetto*.

Un bore, a'r Canal Grande yn tonni gan gychod oedd yn pasio ôl a blaen i'w teithiau, yn fwyaf annisgwyl dyma bob cwch a llong yn arafu, ac yna'n aros yn yr unfan. Toc, dyma gwch hirfain, du yn ymddangos, trelis o aur ar ei ymylon, ac ar ei fwrdd arch dywyll yn drom o dan flodau. Cael ar ddeall mai hebrwng i'r fynwent yr oedden nhw, tuag ynys gyfagos lle mae eglwys San Giorgio Maggiore.

Rwy'n hen gyfarwydd ag arwain cynhebrwng o flaen hers; yn gyfarwydd hefyd â chladdedigaeth ddigerbyd pan ellid cludo'r corff o dŷ cyfagos ar elor yn unig. Ond roedd gweld hebrwng ar ddŵr yn Venezia yn brofiad gwir gofiadwy.

Ac eto, pan soniai hen emynwyr Cymru am angau, delwedd y dŵr a geid fynychaf yn eu cân: 'ar lan Iorddonen ddofn', 'yn y dyfroedd mawr a'r tonnau', 'a'm llygaid tu arall i'r dŵr', 'ar fôr tymhestlog', ac 'o'r tonnau'n iach i'r lan'.

MAI *16*

Oherwydd i alw pechaduriaid,
nid rhai cyfiawn, yr wyf i wedi dod.
(MATHEW 9:13)

DYWEDIR I MICHELANGELO ddod ar draws darn o farmor wedi'i droi o'r neilltu am i ryw gerfiwr fethu â gwneud dim ohono. Bellach, y maen gwrthodedig hwnnw yw'r bugail 'Dafydd', ac un o ryfeddodau mawr Fflorens.

Arfer y cerflunydd hwnnw fyddai chwilota am ei ddefnydd trwy chwareli gwynion Carrara. Un dydd, pwyntiodd at delpyn o farmor a oedd wedi llithro i lawr o'r llethrau a'i adael yn y man lle safodd ar drugaredd y tywydd. Er i'r awdurdodau geisio'i ddarbwyllo rhag cludo crugyn mor ddiolwg yr holl ffordd i Rufain, mynnodd Michelangelo gael ei faen yn llythrennol i'r wal, ac i Rufain yr aed ag ef.

Cyn bod y crefftwr yn bump ar hugain oed, roedd y garreg glapiog honno wedi ennyn syndod yn y Fatican, ac yno y mae'r 'Pietà' – Duwioldeb – hyd y dydd hwn. Cerflun ydyw o Grist wedi'r Groes, a Mair yn cynnal ei gorff ar draws ei gliniau.

Ar ôl syllu'n fudan ar yr orchest, ceisiais ei ddisgrifio fel hyn: '... y marmor cwyrfelyn mor llyfn nes ymddangos yn llaith, mynwes y Fadonna'n boeth gan drallod, a braich y Crist dros ei glin yn llipa gan farwolaeth.'

Trwy ryfedd wyrth, roedd Michelangelo wedi gweld y Crist a'i Fam ynghlo yn y telpyn di-siâp ar domen Carrara. Mwy rhyfedd, a mwy gwyrth oedd i'r Crist hwnnw dderbyn gwrthodedigion oddi ar domen dynoliaeth.

MAI *17*

... ond fe'i gwacaodd ei hun, gan gymryd ffurf caethwas
a dyfod ar wedd dynion.

(PHILIPIAID 2:7)

WRTH FENTRO i diroedd tramor, buan y gwelir fod lefelau
awdurdod yn amrywio o le i le. Bydd swyddog maes awyr
un wlad yn siriol, mewn gwlad arall yn surbwch. Os oedd
Romania'n ddiserch wrth i'r archwilwyr pistolog fynd trwy
ein pethau, roedd Bwlgaria'n waeth fyth, heb falio rhithyn
am ein cadw awr a hanner i groesi ffin nad oedd ond canllath
i ffwrdd.

Er cael croeso calon gan y Groegiaid, eto ar fater
biwrocratiaeth gallant hwythau fod yn gwbl ddigymrodedd.
Ar ôl rhoi ffurflen inni yn caniatáu dwyawr o ffilmio
uwchben y Plaka yn Athen, ar yr union benamser daeth
swyddog i'n gorchymyn i ymadael. Serch pledio arno am
ddim ond tri munud arall i ddweud gair am yr hen deml
gerllaw, bu'n rhaid pacio'r cyfan a mynd!

Y wers yw fod yn rhaid i'r sawl sy'n tybio'i fod yn *rhywun*
gartre, fodloni ar fod yn *neb* mewn gwlad estron. Gwers
gymharol debyg gafodd Iago ac Ioan gan y Meistr wedi
iddyn nhw chwennych lle blaenllaw 'yn y gogoniant': '...
pwy bynnag sydd am fod yn fawr yn eich plith, rhaid iddo
fod yn was i chwi, a phwy bynnag sydd am fod yn flaenaf yn
eich plith, rhaid iddo fod yn gaethwas i bawb' (Marc 10:43-
44).

MAI *18*

Nid wyf yn gweddïo ar i ti eu cymryd allan o'r byd,
ond ar i ti eu cadw'n ddiogel rhag yr Un drwg.
(IOAN 17:15)

YN 1918, sylwodd Gwilym Davies, Aberystwyth, ar swyddog o'r YMCA yn sir Benfro yn derbyn neges o Iwerddon mewn 'Morse', a rhoes hynny'r syniad iddo y gallai plant Cymru anfon Neges Ewyllys Da i'r byd mawr y tu allan. Ym Mehefin 1922, gyrrodd neges o Leafield ger Rhydychen; dim ond un gŵr a'i clywodd, a hynny o'r Tŵr Eiffel ym Mharis. Yn 1923, ni chafodd ateb o unman. Ond yn 1924, gydag adnoddau'r BBC, daeth ymateb o Sweden a gwlad Pwyl.

Yn y man, ymgymerodd Urdd Gobaith Cymru â'r dasg, ac erbyn hyn caiff y neges ei daenu dros gant a mwy o wledydd. Bob mis Mai, darperir neges ar wahanol thema, ond cystal â'r un oedd hwnnw am blentyn yr ochr yma i'r afon yn tybio'i fod yn gweld plentyn dieithr ymhell yr ochr draw iddi. Er cymaint y carai'r ddau gyfarfod, a chyfarch ei gilydd fel cyfeillion, mae'r afon yn rhy beryglus i'w mentro gan i'w dyfroedd berw gael eu difwyno gan ryfel a thrais.

Yr unig ateb fyddai codi pont – ei sylfaen 'o gariad a brawdgarwch', ei muriau 'o ddealltwriaeth ac ymddiriedaeth', a'i chanllawiau 'o ffydd a goddefgarwch'. Ac wele glo'r neges ar Fai 18fed y flwyddyn honno: 'Cofia na chodwyd pont erioed o un ochr yr afon yn unig. Awn ati ar unwaith. Cawn gwrdd ryw ddydd ar ganol y bont.'

'Fel y byddont oll yn un' oedd dyhead Crist yr Urdd yn Ioan 17:21.

MAI *19*

A minnau, os dyrchefir fi oddi ar y ddaear,
a dynnaf bawb ataf fy hun.
(IOAN 12:32)

YN NUMERI 21:8, am fod yr Israeliaid yn poenydio Moses
â'u grwgnach, cânt eu brathu gan seirff marwol, nes i'r
Arglwydd roi gorchymyn i'w harweinydd: 'Gwna i ti sarff
danllyd, a gosod ar drostan [polyn]: a phawb a frather, ac a
edrycho ar honno, fydd byw.' Wedyn, aeth Pedr Fardd ati i
gyfuno'r 'Hen' a'r 'Newydd':

> Ar y groes dyrchafwyd Iesu,
> Fel y sarff ar drostan hir;
> Ac fe dynn aneirif luoedd
> Ato'i Hun o fôr a thir.

'Mi a *dynnaf* bawb.' Tynnu, fel magned. Er nad oes neb
wedi iawn ddeall yr egni hwnnw, y mae'r magned ar waith
mewn teliffon a deinamo, mewn craen electro-magnetig a
radio. Gall magned dynnu ato; gall hefyd yrru oddi wrtho.
Pe gwneid cymysgedd o hoelion, boed y rheini o bres, o
gopr, o sinc neu o haearn, ni thyn y magned ond y rhai hynny
sydd o'r un natur ag ef ei hunan.

Wedi i ddyrnaid o hoelion dur, dyweder, fod o dan swae'r
magned, bydd y rheini wedyn yn cydio'n glwm wrth ei
gilydd, am fod y magned wedi gadael peth o'i natur ei hunan
yn eu defnydd. Wrth i Lyfr yr Actau sôn am yr 'Ysbryd' yn
meddiannu oedfa'r Pentecost, ceir y sylw hwn: 'a gras mawr
oedd arnynt hwy oll' (Actau 4:33). Rhin y Magned, wrth
dynnu pobl ato'i hunan, yw tynnu pawb arall at ei gilydd yn
ogystal. Gras yn mynd dros ben y llestri'n llythrennol!

MAI *20*

Yno hefyd y'm tywysai dy law, ac y'm daliai dy ddeheulaw.
(SALM 139:10)

GELLIR YSTYRIED 20 Mai 1927 yn un o ddyddiau hynotaf hanes. Dyna'r bore y rhoes Charles Lindbergh gynnig ar hedfan yr awyren *Spirit of St Louis* o Roosevelt Field, Efrog Newydd i Le Bourget gerllaw Paris, taith dros dair mil a hanner o filltiroedd o gefnfor dibardwn. Bu'n gwarchod y llyw am 33 awr a 30 munud, heb symud o'i gadair wiail nes glanio ar dir Ffrainc yn swp o flinder.

I angerddoli'r fenter, dim ond un peiriant oedd i'r awyren fach; gan hynny nid oedd ail gynnig i'w gael. Nid oedd na radio na system deliffon i gadw'r peilot ifanc mewn unrhyw gysylltiad â'r ddaear. Beth bynnag oedd arwriaeth Columbus gynt, o leiaf roedd gan hwnnw gwmpeini ar ei antur, ond roedd Lindbergh yn hollol ar ei ben ei hunan. At hynny wedyn, nid oedd ar boen bywyd i gysgu'r un hunell, ac yn ôl ei addefiad bu ymollwng mewn llesgedd agos â'i lethu sawl gwaith.

Sonia Lindbergh am dreialon eraill ar y daith honno: yr haul yn llethol boeth, y nos yn oer, a rhew yn magu ar yr adain, niwl yn ei ddrysu, a'r gwyntoedd yn ei ysgwyd. Ar ben pedair awr ar hugain o yrru, daeth nifer o ysbrydion cyfeillgar i gadw cwmni iddo, a'i gynghori – 'benign, vaporous presences', meddai ef.

Pan fu Lindbergh farw yn 1974, ar ei garreg fedd yn Hawaii fe naddwyd geiriau Salm 139:9: 'Pe cymerwn adenydd y wawr, a phe trigwn yn eithafoedd y môr...' gan adael i'r cof gyfleu gweddill y gosodiad.

MAI *21*

... yr ydwyf yn ewyllysio rhoddi i'r olaf hwn megis i tithau.
(MATHEW 20:14)

YN ÔL DAMEG Y WINLLAN, uchod, talodd y perchennog yr
un faint yn union i bob llafurwr; ceiniog (sef y 'denarius'
Rhufeinig) i'r sawl a ddaliodd 'bwys a gwres y dydd', a
cheiniog hefyd i'r rhai na weithiodd ond awr ar ddiwedd y
pnawn. Yn ddigon naturiol, aeth yn helynt ar unwaith ar
fater tegwch, ond roedd gan arglwydd y winllan ei ateb i
hynny: 'onid er ceiniog y cytunaist â mi?' Bargen felly oedd
hi'r diwrnod hwnnw, a dyna ben arni.

Sut bynnag am hynny, busnes helbulus fu arian erioed.
Wrth grwydro'r cyfandir, onid yw cofio gwerth pres mewn
gwahanol wledydd yn boendod? Mater arall wedyn yw
cofio'r enwau sydd arnyn nhw: Sbaen – pesetas; Ffrainc –
ffranc; yr Almaen – marc; Denmarc – kroner; yr Eidal – lire,
ac Iwgoslafia – dinar.

Yn ei lythyr cyntaf at Timotheus (6:10), myn Paul mai
'gwreiddyn pob drwg yw ariangarwch'. Er y gellir cwestiynu
a yw'n achos *pob* drwg, eto nid oedd gosodiad yr apostol
ymhell iawn ohoni, yn enwedig o weld rhaib cymdeithas a
llywodraethau'r ddaear.

Mae'n bosibl fod yr arfer wedi newid cryn dipyn erbyn
heddiw, ond pan ddôi ymwelydd heibio i'n cartref ni, gallai
wthio ceiniog, neu ddimai, i'n llaw yn blant; er ei bod
hithau'n rhan o'r farchnad bryd hynny, ni chofiaf neb yn
estyn ffyrling inni chwaith! Beth bynnag a gaem, byddem yn
cyrraedd at y cadw-mi-gei a gollwng y dernyn pres trwy'i
hollt. Roedd rhywbeth yn dda yn yr hen ddihareb a
ddysgwyd i ni: 'cadw dy afraid erbyn dy raid'.

MAI 22

A hwy yn y fan, gan adael y rhwydau, a'i canlynasant ef.
(MATHEW 4:20)

PWY BYNNAG oedd awdur yr epistol at yr Effesiaid, gwyddai sut i gydio yn nychymyg ei ddarllenwyr. A milwyr Rhufain yn crwydro'r wlad, galwodd ar Gristionogion Effesus i wisgo 'arfogaeth Duw', 'dwyfronneg cyfiawnder', 'tarian ffydd' i ddiffodi 'holl bicellau'r fall', 'helm iachawdwriaeth' a 'chleddyf yr Ysbryd' (Effesiaid 6:13-17). Yn Hebreaid 12:1, defnyddir term o fyd y Chwaraeon Olympaidd: 'rhedwn yr yrfa a osodwyd o'n blaen'.

Mae i bob oes, ac i bob ardal, ei hieithwedd hi'i hunan. Wrth goffáu ambell amaethwr, gellir yn debygol iawn glywed ei fod wedi 'cyrraedd pen talar, a'r cwysi'n sythion o'i ôl'. Pan awn, yn hogyn, i rodio'r gwyliau at Taid a Nain Pengongol, clywid sôn ar eu haelwyd am granc a llymrïaid, cimwch a gwichiaid. Roedden nhw'n eiriau dieithr i mi, o berfedd Eifionydd, ond pobl arfordir Pen Llŷn oedden nhw, wedi arfer ers cenedlaethau â hulio'r bwrdd â physgod y môr a'r hyn y gallent ei godi o'r tywod o dan eu traed, ac o'r heli ym mhyllau'r creigiau.

Ym Mathew 4:19, ceir enghraifft hyfryd o siarad iaith y trigolion pan welodd yr Iesu Andreas a Phedr yn trwsio'u rhwydau ar lan y môr: 'Dewch ar fy ôl i, ac fe'ch gwnaf yn *bysgotwyr dynion.*'

MAI *23*

A hyn yw'r bywyd tragwyddol;
iddynt dy adnabod di yr unig wir Dduw...
(IOAN 17:3)

'Ei 'nabod Ef yn iawn
Yw'r bywyd llawn o hedd'

meddai John Thomas, Rhaeadr. Er bod yr emynydd yn siŵr
o fod yn llygad ei le, mae'r gosodiad yn ddigon â llethu neb
– y dichon creadur ffaeledig o ddyn, y meidrolyn pitw
hwnnw *adnabod* yr Anfeidrol. A'i 'nabod Ef yn *iawn*!

Un peth yw bod wedi *gweld* y person arall, un peth yw
gwybod amdano, ond peth holl wahanol yw *adnabod* y
person hwnnw. Trwy drugaredd, y mae ambell un yn ein
bywyd y tybiwn ein bod yn ei adnabod yn wirioneddol dda;
gyda chyfaill felly, gallwn siarad yn hollol rydd, ymddiried
cyfrinach iddo, tynnu coes, chwerthin, a chrio (os daw i
hynny). Wnewch chi ddim crio, chwaith, yng nghwmni
pawb, ond gydag enaid agos, mae'r 'adnabod' cynnes hwnnw
ymron â bod yn gylch perffaith grwn.

'Ymron' a ddwedais i. Ymron – am ei bod yn bosibl i'r
cylch crwn hwnnw, hyd yn oed, gael ei dolcio. Ar rai adegau
(llwyr brin, diolch byth) gall y cyfaill tirionaf ymddwyn
fymryn yn od, a gwahanol i'r arfer, a'ch gadael i bendroni
tybed a oeddech chi wedi dweud, neu wneud, rhywbeth i'w
darfu. Er ei bod yn debygol mai camddeall diniwed o'r
ddeutu oedd yr achos, erys yn wirionedd terfynol nad yw
dyn yn ei adnabod ei *hunan* hanner yr amser, heb sôn am
adnabod person arall. Yn y pen draw, nid oes neb yn
adnabod neb drwodd a thro. Dyna pam yr aeth honiad John
Thomas â'm gwynt braidd: 'Ei 'nabod Ef yn iawn...'

MAI 24

O'r dyfnder y llefais arnat, O Arglwydd.
(SALM 130:1)

ROEDD HANNER DWSIN CYMYSG, dieithr i'w gilydd, yn teithio mewn adran gaeëdig o'r trên. Gyrrai'r gerbydres yn chwyrn a chlepiadau'r olwynion fel cyfeiliant cerddorfa. O rywle, daeth bachgen tua phedair oed i mewn atyn nhw gan faglu'n drwsgl ar draws coesau un o'r dynion. Cyn pen munud, aeth yn ôl i'r coridor gan wthio'r drws ynghau.

'Plentyn pwy oedd hwnna?' gofynnodd un gŵr. Ond ni chafwyd ateb. Toc, llithrodd y drws yn agored eto fyth, a rhuthrodd y bychan i mewn unwaith yn rhagor. Y tro hwnnw, cafodd gwrs o neidio i fyny ac i lawr ar ben y sedd cyn taflu bag un wraig o'i llaw, a llamu tua'r coridor ar wib arall.

'Plentyn pwy yw hwnna?' holodd y teithiwr, yn fwy blin ei lais erbyn hynny. Ond nid oedd neb am gynnig esboniad.

Yn sydyn, chwibanodd y trên yn uchel a nerthol, cyn plymio yn fwg ac yn dân i berfeddion twnnel hir, hir. O'r diwedd, pan ddaeth allan o'r tywyllwch i olau dydd, gwelwyd y pedeirblwydd yn sypyn dagreuol a'i ddwyfraich yn dynn am wddf ei fam.

'Y plentyn yw tad y dyn', medd yr hen ddoethineb. Oni welir ambell un yn lluchio'i gylchau yn llwyr ddireol gan beri swm o ddiflastod o'i gwmpas? Yna'n gwbl annisgwyl, caiff sgyrsion ei fywyd ei bwrw i afagddu faith, afagddu na welodd debyg iddi o'r blaen – yn salwch argyfyngus, neu ddamwain neu brofedigaeth deuluol. Fel rheol, bydd ysgytwad felly'n dangos plentyn pwy yw yntau hefyd.

MAI 25

Mi a ymdrechais ymdrech deg...
(2 TIMOTHEUS 4:7)

UN O ARDAL Y PISTYLL, rhwng Llithfaen a Nefyn, oedd W. O. Roberts, tyddynnwr syml a gwythïen o athrylith ynddo. Er mai pregethwr lleyg ydoedd, byddai galw cyson amdano o bulpudau eglwysi cryfion ar hyd a lled y gogledd, a hynny pan oedd cnwd helaeth o weinidogion eisoes yn eu llenwi.

Hynod yw'r modd y myn athrylith orlifo i'r genhedlaeth sy'n dilyn; felly'n union y digwyddodd yn hanes ei fab, Gwilym – 'Gwilym O.', fel y daeth Cymru i'w adnabod. Roedd gan Gwilym, fel ei dad o'i flaen, ei ffordd unigryw ei hunan o wneud a dweud pethau. Wedi bod yn weinidog yn Hanley ger Crewe, aeth yn ddarlithydd seicoleg feddygol ym mhrifysgol Portland, Oregon, cyn dychwelyd i Gymru â'r un genhadaeth.

Fel un enghraifft o'i arddull rywiog, wele'r sylw hwn ganddo wrth inni'n dau adael gŵyl bregethu ar Ynys Môn: 'Mi aeth y pregethwr yna yn *airborne* yn syth rwsut, on'do? A dyma finna wedi bod wrthi trwy f'oes ar y *runway* ... yn refio'r plên ôl owt; honno'n ei sgidadlo hi hyd bob man, myn diawch, a dim siâp ei bod hi'n mynd i godi byth! Wedyn, ei throi hi rownd i drio, a mynd â hi'n ôl i ben y *runway* am un cynnig arall. A'i throtlo hi, boi bach, nes bod yr injan yn wynias, a'r adenydd yn disgyn i ffwr' yn bisia' ... A'r cythral ydi nad ydw i ddim wedi codi eto!'

MAI 26

... canys y mae cwyn rhwng yr Arglwydd
a thrigolion y wlad...
(HOSEA 4:1)

Y MAE'N rhan o'n natur ni i gwyno. Ond yn agoriad pedwaredd bennod Hosea, clywir yr *Arglwydd* yn cwyno.

Nodir fod *gwirionedd* ar goll, a phan gollir uniondeb ac onestrwydd mewn cymdeithas, ni ellir dibynnu wedyn ar neb na dim. Nodir hefyd fod *trugaredd* ar goll, a phan gollir mwynder dyn at gyd-ddyn, daw alaeth y dryll a'r gyllell a'r bom i ddifetha dynoliaeth. Nodir ymhellach fod *gwybodaeth o Dduw* ar goll. Am nad yw Duw mwyach ar y rhaglen, ac am mai dyn a'i fateroliaeth sy'n rhedeg y ddaear, nid yw'n syndod o gwbl i wirionedd a thrugaredd fynd i'w difancoll. Cofier cân lem Gwenallt:

> Nid oes na diafol nac uffern dan loriau papur ein byd,
> Diffoddwyd canhwyllau'r nefoedd a thagwyd yr angylion i gyd.

Effaith hyn oll, medd Hosea, yw difrodi'r bobl yn ogystal â difrodi eu daear nhw. 'Am hynny, galara'r wlad, nycha'i holl drigolion; dygir ymaith anifeiliaid y maes, adar yr awyr hefyd a physgod y môr' (Hosea 4:3).

O glywed cymaint am lygredd ein cymdeithas gyfoes, am lygredd mewn dŵr a phridd ac awyr, am haint yn difa blodau ac adar ac anifeiliaid tir a môr, prin y byddai angen i Hosea newid sill o'r neges a gofnododd, namyn erfyn fel Gwenallt eto fyth:

> Down â haul o'r byd anweledig, down â'r gwanwyn o ddwylo Duw.

MAI 27

Canys efe a edwyn ein defnydd ni: cofia mai llwch ydym.
(SALM 103:14)

RHEDAIS FY NWYLO ar hyd to'r car, a sylwi fod haen o fanlwch melyngoch ar fy nghledrau. Yn ddiweddarach, clywais esboniad ar y radio'r diwrnod hwnnw fod stormydd llwch o'r Sahara wedi dod tua'r gogledd i ganlyn y gwynt, ac i'r cynnwys ddod i lawr yn y glaw dros ein hardal ni. Yn ystod Mawrth 2000, digwyddodd peth tebyg unwaith yn rhagor, ond mai llwch folcanig o Wlad yr Iâ oedd hwnnw. Onid yw'n rhyfedd sut y mae'r ddaear hon yn gwasgaru ei defnydd yn dunelli dros ei phellen hi'i hunan, a bod llwch Morocco a Gwlad yr Iâ ar dir Eifionydd bellach? Bu Pantycelyn yn ymrafael yn ddwys â'r mater hwnnw:

> Llwch wyf i, o'r llwch y deuthum,
>   Pryf yw 'mrawd, y ddaer yw 'mam;
> Eto, rwyf i'n mofyn teyrnas
>   Ddisigledig, bur, ddinam;
>   Pryf y ddaear –
> A ddaw hwnnw i mewn i'r nef?

O brofi uffern brwydrau Burma, clywodd milwr o Fynwy y gwynt yn sibrwd ym mrigau olewydd Gethsemane: 'Must such aching go to making dust?' Trwy oesoedd hanes, mae llwch y llawr wedi achosi sawl aflwydd dynol. Ac artaith ddwyfol ar ben hynny.

MAI *28*

... bydd daer mewn amser, allan o amser...
(2 TIMOTHEUS 4:2)

HEN WEDDI WYDDELIG

Cymerwch amser i weithio – dyna bris llwyddiant.

Cymerwch amser i feddwl – felly y dowch at ffynhonnell awdurdod.

Cymerwch amser i chwarae – dyna gyfrinach fythol ieuenctid.

Cymerwch amser i ddarllen – yno y ceir sylfaen gwybodaeth.

Cymerwch amser i fod yn gyfeillgar – felly y mae cerdded i ffordd hapusrwydd.

Cymerwch amser i freuddwydio – bydd yn dyrchafu'ch uchelgais.

Cymerwch amser i garu, a chael eich caru – hynny yw braint y duwiau.

Cymerwch amser i edrych o'ch cwmpas – mae'r diwrnod yn rhy fyr i fod yn hunanol.

Cymerwch amser i chwerthin – hyn yw cerddoriaeth yr enaid.

MAI 29

Pob cnawd sydd wellt,
a'i holl odidowgrwydd fel blodeuyn y maes.
(ESEIA 40:6)

PAN OEDD EHEDYDD IÂL yn hwsmon yn Rhydmarchogion, Llanelidan, gofynnodd ei feistres iddo ddweud gair o gysur wrth ei merch, Ruth, oedd yn ddifrifol wael. Yn ei Atgofion yn *Blodau Ial* [sic] (1898), sonia'r bardd iddo oedi o dan bren onnen, a gweddïo dros yr eneth glaf. Yno, daeth adnod i'w feddwl: 'Pob cnawd sydd wellt'. Yn y man, dringodd i lofft Ruth, wedi nyddu'r pennill:

> Er nad yw 'nghnawd ond gwellt,
> A'm hesgyrn ddim ond clai,
> Mi ganaf yn y mellt,
> Maddeuodd Duw fy mai.

Pan fu Ruth farw ysgrifennodd Ehedydd Iâl goffâd amdani i'r *Eurgrawn*, yn cynnwys ei bennill pedair llinell. Sbel ar ôl hynny, ym marchnad Rhuthun, cyfarfu â dau weinidog oedd wedi rhyfeddu at ei linellau, a chytunodd y tri gyfarfod ymhen wythnos gyda'u cynigion ar gwpledi a fyddai'n cloi'r pennill yn grwn. Wrth ail gwrdd, a chymharu'r cwpledi, ildiodd y ddau weinidog mewn sobrwydd o glywed y clo a luniodd Ehedydd Iâl i'w bennill:

> Mae Craig yr Oesoedd dan fy nhraed,
> A'r mellt yn diffodd yn y gwaed.

MAI *30*

... a chwi a dderbyniwch ddawn yr Ysbryd Glân.
(Actau 2:38)

Yng nghefn y tŷ, y mae coeden afalau surion. Y llynedd, daeth cnwd anarferol arni, a miloedd o ffrwythau celyd yn iwrwd drosti. Tua'r hydref, disgynnodd rhai cannoedd i borfa'r cae odani, ac am y rhan fwyaf o'r lleill, buont ar y canghennau nes i stormydd y gaeaf eu hysgwyd i'r llawr.

Er gwaetha'r tywydd a gafael y gaeaf y mae gweddillyn o gnwd y llynedd yn dal ar rai o'r canghennau. Bûm yn craffu arnyn nhw gynnau o ffenestr y llofft, a sylwi bod y goeden ei hunan yn hollol noethlwm, heb arni na blodyn na deilen; yn hollol noethlwm, ar wahân i ddau ddwsin o afalau'r llynedd sy'n mynnu dal gafael fel peli crebachlyd wedi gwystno ar y brigau.

Tybed a oes unrhyw beth a ddichon symud yr afalau bach cyndyn? Oes y mae, serch i'r hydref a'r gaeaf fethu. Rhowch fis arall, a bydd twf ifanc nerthol yn gwingo y tu mewn i'r pren, a bydd yr egni hwnnw'n siŵr bownd o wthio allan yr hen gynnyrch diwerth i bydru yn y gwelltiach. Ac yna, daw'r gwanwyn i'w lawn ogoniant.

Felly hefyd y daw'r ifanc i'w angerdd pan ddigwydd ei dymor. Fel yn Joel 2:28, 'A bydd ar ôl hynny, y tywalltaf fy ysbryd ar bob cnawd ... eich gwŷr ieuainc a welant weledigaethau...', felly hefyd y bu gyda phwerau'r Pentecost pan fwriodd yr Eglwys Fore'r hen sefydliad i grinwellt hanes.

MAI *31*

Ond y mae gyda thi faddeuant, fel y'th ofner.
(SALM 130:4)

WRTH GEISIO dirnad y gwahaniaeth rhwng Trugaredd a
Maddeuant, cofiais am wraig o Bowys (o deulu cyfreithwyr)
yn dangos King's Pardon i mi. Wedi i John Roberts gael ei
ddedfrydu i farwolaeth am ladrata defaid ar Ynys Môn,
apeliwyd ar ei ran am faddeuant. Cyn bo hir, daeth swyddog
i garchar Biwmares gyda neges o Lys y Brenin yn Llundain,
dyddiedig 31 Mai 1830, yn cynnwys sêl George IV, a
llofnodion Wellington, Farnborough a Robert Peel ... a'r
dyfarniad oedd bod y Brenin yn estyn Pardwn i'r troseddwr.

Gallwn ddyfalu llawenydd y carcharor o glywed am ei
waredigaeth gyfyng – ond, ar gynffon eitha'r King's Pardon,
roedd yr amod lem a ganlyn: 'on condition of his being
transported to Vandiemensland or New South Wales for and
during the term of his natural life.'

Er i'r Pardwn achub ei fywyd rhag y crocbren, eto i gyd
bu'n rhaid i'r truan dreulio gweddill ei oes fel adyn
condemniedig ym mhen draw'r byd. *Trugaredd* a gafodd y
John Roberts hwnnw, nid *Maddeuant*.

'Ond y mae gyda thi faddeuant', medd y Salmydd am ei
Arglwydd. Clywais J.W. Jones yn sobreiddio cynulleidfa â'r
siars hon: 'Peidiwch chi ag edliw pechodau i bobol, rhag ofn
bod y Brenin Mawr wedi'u maddau nhw.'

MEHEFIN *1*

Ac efe a ddymunodd ar Philip
ddyfod i fyny, ac eistedd gydag ef.
(ACTAU 8:31)

AR ANOGAETH YR YSBRYD, aeth Philip i'w daith ar ffordd unig rhwng Jerwsalem a Gasa (Actau 8:26-40). Yn y man, o weld gŵr tywyll ei groen yn eistedd mewn cerbyd yn darllen sgrôl o broffwydoliaeth Eseia, mentrodd ofyn a oedd yn deall y cynnwys.

Wrth gyfaddef y carai oleuni ar sawl brawddeg, dyma'r dyn du'n gwahodd Philip i ddod i fyny ato 'ac eistedd gydag ef'. Er bod gan yr estron hwnnw swydd bwysig fel canghellor y Frenhines Candace yn Ethiopia, eto roedd wedi gofalu gadael lle i'r Efengyl yn ei gerbyd.

Yn *Y Foel Faen*, sonia Tegla Davies am Syr Henry Jones yn cydymdeimlo â'r Athro Caird ar ôl profedigaeth chwerw. Ateb y proffeswr oedd hyn: 'I've always left a margin for these things.' Onid yw pob sgrifennwr wrth ei grefft yn gadael lle ar ymyl y ddalen ar gyfer cywiro gair neu ychwanegu nodyn? Os yw *margin* felly'n bwysig i grefft llenor, y mae'n angerddol bwysig yn y grefft o fyw.

Rhyw ddydd a ddaw, fe all helynt neu drafferth ddigwydd i chi. Ac i minnau. Er inni dueddu at ysgwyd pen ac wfftio at ddarogan mor ynfyd, eto peidied neb â bod yn rhy siŵr o'r hyn sydd heibio'r tro. Gall ddod mewn salwch, damwain, pendro meddwl, problem deuluol . . . pwy a ŵyr? Er mwyn popeth, dylid gadael mymryn o le ar ymyl dalen bywyd – jest rhag ofn.

MEHEFIN 2

*Gwae chwi, ysgrifenyddion a Phariseaid, ragrithwyr,
oherwydd yr ydych yn debyg i feddau wedi eu
gwyngalchu...*
(MATHEW 23:27)

ROEDD SŴN y glaw ar y to agos â chodi ofn ar ddyn. Yn
nhywyllwch y nos, teimlid bod y cafnau a'r pibellau'n
methu'n llythrennol â llowcio'r fath swm o ddŵr, a bod
popeth yn gorlifo dros bob man. Yna, pan arafodd pethau,
clywn sŵn dafnau'n tapio ar lawr y llofft, ond yn stopio'n
llwyr pan beidiodd y glaw.

Anghofiwyd storm yr haf. Sychodd y to a'r atig yn
greision. O sylwi fod cylch bach o felyn lle bu'r diferyn
hwnnw'n dafnio trwy'r nenfwd, cymysgais soseraid o
wyngalch, a'i baentio dros y tipyn cylch. A dyna bopeth yn
lân a theidi unwaith eto.

Ond nid felly o gwbl! Pan ddaeth y gaeaf a'i gawodydd a'i
leithder, yn wir dechreuodd y diferion ollwng o ddifri
bellach, a bu'n rhaid gosod dysglau hwnt ac yma i gynnwys
y llanastr. Onid oedd storm yr haf wedi canfod gwendid yn
y to, ac wedi'n rhybuddio'n deg ymlaen llaw?

Pan ddaeth gwanwyn arall, bu'n rhaid cael crefftwyr Harri
Bach i noethi'r to o'r tu allan, a selio'r gwendid â nerth bôn
braich. Nid yw llyfiaid o baent ar nenfwd llofft yn mynd i
setlo to sy'n gollwng.

Yno yr oedd ffynnon Jacob,
a chan fod Iesu wedi blino ar ôl ei daith
eisteddodd i lawr wrth y ffynnon.
(IOAN 4:6)

CAIFF AMBELL LE ei gofio am i rywun arbennig fyw yno: y Bala – Thomas Charles; Brynsiencyn – John Williams; Croesor – Bob Owen. Fel y rhoes y cerddor sylw i Gwm Rhondda, Crugybar a Phantyfedwen, felly y cyplir yr emynydd, yntau, wrth Dalyllychau, Pantycelyn a Chynwyl Elfed.

Heb fod ymhell o Gaergybi, wrth ddilyn Cynan yn 'anfon y Nico', cofiaf sefyll wrth *ardd Glandŵr*, oedi ar lan *Llyn Traffwll*, galw efo *Megan* (oedrannus erbyn hynny), a chael paned efo'r *ferch o'r Allwadd Wen* – do'n wir, a'r cyfan oll yn ystod un pnawn hyfryd o gofiadwy.

Gydag amser, cefais weithio ar y gerdd o gyfeiriad chwithig hollol: dilyn taith Paul trwy Facedonia yng ngogledd Groeg nes dod i ardal Amffipolis, a'm cael fy hunan ar lan afon Strwma rhwng torlannau o hesg eithriadol o dal. O'r fan honno, adeg Rhyfel 1914-18, yn sŵn sielio a bwledi, yr anfonodd Cynan y Nico ar neges i Fôn. Ni olyga hynny un dim oll i'r Groegiaid, ond i ni, fintai o Gymry'r 'pethe', roedd y bardd wedi rhoi math o anfarwoldeb i'r lle:

> Ydi, mae'r hen Strwma'n odiath
> Dan y lleuad ganol nos...

Er nad enwir y sawl a dyllodd y siafft honno yn Sichar, ond bod a wnelo Jacob â'r rhandir, eto i gyd am i un GŴR arbennig ddigwydd galw heibio iddi ar un pnawn poeth, cafodd Ffynnon Jacob ei hanfarwoli fyth ar ôl hynny.

MEHEFIN 4

O angau, pa le mae dy golyn?
(1 CORINTHIAID 15:55)

WEDI'R GWASANAETH angladdol yng nghapel Bethel (sydd wrth droed yr allt yn y Penrhyn) eisteddais yn fy nghar yn union o flaen yr hers. Aros yr oeddwn i'r ymgymerwr orffen trefnu symud yr arch o'r capel.

Roedd hi'n bnawn tawel – yn hollol dawel ar wahân i ddau hogyn bach siaradus oedd â'u pennau dros y wal gyferbyn â mi. Gyda'r chwilfrydedd doniol hwnnw sy'n perthyn i blant, roedd y bechgyn wedi dod i wylio'r symudiadau dwys hynny sy'n perthyn i gynhebrwng, ac yn trafod y mynd a'r dod wrth i'r galarwyr fynd i'r gwahanol gerbydau oedd wedi'u parcio ar hyd yr allt.

'Weli di'r car yna?' meddai un.

'Yr un glas yna?'

'Nage ... gweinidog Gorffwysfa sydd yn hwnnw. Weli di'r car yna sy reit tu ôl iddo fo? Car mawr du.'

'Hwnnw efo gwydra reit rownd, ia?'

'Ia,' atebodd ei bartner. 'Wel, hwnna ydi'r bòs, ysti.'

Ni waeth pa mor ifanc oedd y bychan hwnnw, roedd o wedi cael crap ar bethau. O'r holl draffig sy'n rhuthro mor dyrfus ar briffordd bywyd, yn hwyr neu'n hwyrach fe ddaw yna un car sy'n debygol o fod yn 'fòs' ar bawb ohonom ni.

Ond tybed a oes Bòs ar y 'bòs'?

Fe ddylai'r ddau fach oedd â'u pennau dros y wal fod tua deugain oed bellach. Ysgwn i beth yw eu barn am y 'bòs' erbyn heddiw?

MEHEFIN 5

*Yr amser hwnnw, medd yr Arglwydd, y byddaf Dduw i
holl deuluoedd Israel; a hwythau a fyddant bobl i mi.*
(JEREMEIA 31:1)

AR SUL 5 MEHEFIN 1955, pregethwn y bore yng nghapel y
Wesleaid yng Nghorwen. Am ddau y pnawn, traethwn yng
nghapel yr Hen Gorff yn Llandrillo. Pan ddychwelais adref
am de, nid oedd fy ngwraig yn gwbl ddiddig, felly tua phump
o'r gloch, danfonais hi i Ysbyty'r Babanod yn Llangollen.

Yna, gyrru'n ôl ar wib i bregethu am chwech yr hwyr yng
nghapel Gwyddelwern, a hynny ar destun digon beichus
(onid beichiog!) yn 1 Corinthiaid 1:27-28: 'Eithr Duw a
etholodd ffôl bethau'r byd...' – fy nghanfed pregeth, gyda
llaw.

Ychydig cyn wyth o'r gloch, pan oedd Moffatt, fy
nghyfaill labrador, a minnau'n llyncu math o swper ein dau,
daeth ein cymydog, Emyr, draw gyda'r neges fod mab i ni
wedi'i eni. A dyna'r hwyrnos y daeth Dylan i'r byd. (Efô
oedd yr ail – a'r olaf, o'n plant; y chwaer a'r brawd wedi eu
geni pan oeddem yn byw yn Ninmael ym mro Uwchaled, lle
buom am gyfnod o ddeng mlynedd hapus eithriadol.)

Os oedd gwaith magu ar un plentyn, golygai dau fwy fyth
o ofal. Ond beth am y fam honno a gollodd ei degfed plentyn
ar enedigaeth? Pan aeth cymydog draw ati i'w chysuro, a
dweud fod ganddi naw o blant eraill yn gefn, 'Diolch yn fawr
i chi,' oedd ateb y fam drallodus, 'ond doedd gen i ddim un
i'w sbario, cofiwch.'

MEHEFIN 6

... ni wyddost o ble y mae'n dod nac i ble y mae'n mynd.
(IOAN 3:8)

RAI BLYNYDDOEDD YN ÔL, mentrodd y Swyddfa Dywydd broffwydo'r hin fis ymlaen llaw. Yn ôl eu darogan hwy, byddai Mehefin yn fflamboeth heulog, ac o glywed addewid felly, mynnodd miloedd lawer y bydden nhw'n cymryd eu gwyliau bryd hynny. Fodd bynnag, pan ddaeth yr amser, bu dyddiau Mehefin yn eithriadol o wlyb, ac yn oer anghyffredin.

Un noson ar y teledu, galwyd ar Michael Fish i roi cyfrif am y camarwain ar ran y Swyddfa Dywydd. Pwyntiodd at fap y tu ôl iddo gan sôn am y 'mass of current' a ddaethai'n annisgwyl o rywle, gan fynnu mai'r gwynt oedd yn gyfrifol am ddifetha'r tywydd. Pan ofynnwyd iddo sut nad oedd gweithwyr y Swyddfa Dywydd, o bawb, wedi rhagweld llwybrau'r gwynt hwnnw, dyma amddiffyniad Michael Fish: 'The wind is a very mysterious force.'

Hen, hen ddirgelwch y gwynt! Os am fyw, rhaid i bobun anadlu'r dirgelwch hwnnw. Neu farw.

Pan oeddwn ar ganol pregethu yng ngwres *marquee* mewn gŵyl yng Nglantwymyn ger Machynlleth, llewygodd gwraig mewn sedd fymryn o'm blaen, a brysiodd nifer ati i'w hymgeleddu. Tewais innau â'm siarad i roi cyfle i'r cyfeillion weini arni. O'r tawelwch, clywais un ohonyn nhw'n dweud: 'Dowch â hi allan i'r gwynt.' Debyg iawn. 'Mysterious force' neu beidio, os am adfer y druanes, roedd yn hollbwysig ei symud o fyllni'r babell i afael y gwynt achubol hwnnw. Roedd Dafydd William, Llandeilo Fach, yn siŵr o fod o'i chwmpas hi: 'O! Arglwydd, dyro awel...'

MEHEFIN 7

Pa fodd y canwn gerdd yr Arglwydd mewn gwlad ddieithr?
(SALM 137:4)

CIPIWYD YR IDDEWON yn gaethion gan y gelyn, a'u gadael yn finteioedd pensyn wrth afonydd Babilon. Ar brydiau, dôi'r gorthrymydd atyn nhw am sgwrs, a phen draw'r ymgomio fyddai gofyn iddyn nhw ganu. Onid yw hynny wedi digwydd droeon i griw o Gymry mewn cwmni estron? 'Dowch o'na!' medd y dieithriaid. 'Beth am ganu "All through the night" a "Calon Lân"?'

Roedd rhywbeth tebyg ar fynd ym Mabilon bell. 'Rydych chi'r Iddewon yn enwog am ganu,' meddai'r gelyn wrthyn nhw. 'Canwch inni rai o ganeuon Seion!' Yna, daeth yr ateb llwythog: 'Sut y medrwn ganu cân yr Arglwydd mewn tir estron?'

Cytuno'n llwyr! Nid oes hwyl canu ar neb sydd yn nhir dieithr ei brofedigaeth. A daear estron felly yw tir profedigaeth bob amser. Onid dyna Fabilon? Gwlad ddieithr, pobl ddieithr, iaith ddieithr ac arferion dieithr. Yn wir, pwy a ddichon ganu (o bopeth) mewn lle o'r fath? Mor gynnil gywir y disgrifiodd un Cymro'i dristwch yntau:

> Mae 'nghalon i cyn drymed
>   Â'r march sy'n dringo'r rhiw;
> Wrth geisio bod yn llawen,
>   Ni allaf yn fy myw.

MEHEFIN *8*

Edrychais, ac wele, nid oedd dyn;
ac yr oedd holl adar y nefoedd wedi cilio.
(JEREMEIA 4:25)

CLYWIR BOB hyn a hyn am ambell flodyn sydd wedi diflannu
o'i gynefin, ac am löyn byw arbennig na welwyd mohono ers
tymhorau. Mae rhai adar, fel y fronfraith a'r gornchwiglen,
yn prinhau, ac echdoe soniodd rhywun nad oes cymaint o
adar to ag a fu.

Erbyn hyn, ym Mehefin cynta'r milflwydd newydd,
rwy'n magu mymryn o bryder personol; am y tro cyntaf
erioed yn fy hanes, nid wyf wedi clywed cân y gog yn yr
ardal. Rwyf wedi deffro sawl bore gyda'r wawr gynnar gan
daer wrando am ei chân o'r coedydd pell, ac wrth hel
meddyliau, rhyfeddu o'r newydd at fyfyrdod Williams Parry
ar glychau'r gog.

Yn ôl eu harfer, fe dyfodd clychau'r gog 'yn nwfn
ystlysau'r glog', ond eleni rwy'n ofni na ddaeth y gwcw ar ei
thro i goed Trefan.

Fel y gwcw, dau nodyn oedd i ymweliad blynyddol
Modryb Lusa'r Felin â'n cartre ni: hen hanes Llŷn, a hen
hiraeth amdano. Er ei bod hithau, fel y gwcw, wedi tewi,
mae'r cof amdani ar ffin y cysegredig.

Onid dyna un o chwithdodau mawr byw a bod?

Cyrraedd, ac yna ffarwelio,
Ffarwelio – Och! na pharhaent.

MEHEFIN 9

Oblegid ynddo ef yr ydym ni yn byw,
yn symud, ac yn bod...
(ACTAU 17:28)

WRTH DDRINGO tua'r acropolis yn Athen, fe ddown yn y
man at lecyn gwastad yr Areopagus – Bryn Ares, duw rhyfel.
Yno y traethodd Paul un o'i anerchiadau mawr, pan
gyfeiriodd at yr allor a welsai ac arni'r geiriau, I'R DUW NID
ADWAENIR. Erbyn heddiw, gellir darllen pregeth yr apostol
mewn Groeg ar dafell hirsgwar o bres sydd wedi'i sicrhau yn
ochr y graig (gweler Actau 17:22-34).

Wrth ddringo'n uwch eto, down at y Propyleia, sef y
fynedfa i'r acropolis lle saif teml fyd-enwog y Parthenon. Y
mae o'i chwmpas hi nifer o demlau llai, fel yr Erechtheion, a'r
colofnau Caryatides. Y lleiaf oll yw'r deml a godwyd i Niké,
duwies Buddugoliaeth. Gwedd ar ddyfeisgarwch (onid ar
gyfrwystra) y meddwl Groegaidd oedd mynnu mai duwies
ddi-adenydd oedd Niké; oherwydd hynny, ni allai'r
Fuddugoliaeth fyth hedfan allan o'r ddinas.

Ond pan adawodd Paul Athen, gofalodd fynd â
Buddugoliaeth arall i'w ganlyn. A draw yng Nghorinth, wedi
ffurfio cell o gredinwyr, fe'u sicrhaodd nad cynnyrch duwies
bitw fel Niké oedd ei ymffrost ef: 'Ond i Dduw y bo'r diolch,
yr hwn sy'n rhoi'r fuddugoliaeth i ni trwy ein Harglwydd
Iesu Grist' (1 Corinthiaid 15:57).

Os cyffyrddaf hyd yn oed â'i ddillad ef, fe gaf fy iacháu.
(MARC 5:28)

WRTH GERDDED stryd neu sefyllian o flaen ffenestr siop, ydych chi wedi sylwi eich bod chi am fynnu rhyw droedfedd gron o 'le gwag' o gwmpas eich corff chi'ch hunan? Os daw person dieithr yn nes atoch na hynny, byddwch yn teimlo'n lled anghysurus. Ar adeg felly, yr hyn a wnewch yn reddfol fydd symud gam neu ddau oddi wrtho er mwyn adfer y 'lle gwag' o'ch cylch.

Natur ambell un siaradus yw dynesu fodfedd neu ddwy yn rhy agos i'ch wyneb gan beri i chi deimlo'n anghyfforddus. 'Trosedd' (eithaf difeddwl) y bobl hyn yw tresbasu ar ffiniau'r 'lle gwag' a geisiwch o gwmpas eich person chi'ch hunan. Y rheol anysgrifenedig yw 'Dim cyffwrdd!'

Eto i gyd, y mae ochr arall i'r sefyllfa – sy'n hollol wrthwyneb i'r uchod. Bryd hynny (i gymhlethu pethau) rydym yn *dymuno* cyffwrdd, a *chael* ein cyffwrdd. Onid yw plentyn ar ôl cael braw a dolur yn rhedeg at ei fam er mwyn iddi'n llythrennol ei gyffwrdd a'i anwesu'n helaeth? A thrwy hynny mae'r braw yn cilio, a'r boen yn llarieiddio. Ond cyffyrddiad cyfarwydd mam yw hynny, nid neb dieithr.

Wrth dyfu'n hŷn, byddwn ninnau mor falch o weld hen ffrind nes awchu am ei gyffwrdd, ysgwyd ei law yn gynnes, a hyd yn oed cofleidio'i gorff ag anwes gref. Ond cyffwrdd â chyfaill yw hynny, nid ag estron.

Tueddir i wneud yr un peth gydag arwr. Nid anghofiaf fyth lawenydd crwtyn o Sais a fu mewn pantomeim yn Lerpwl yn gweld Tommy Steele, ac yn dweud wrthyf gyda balchder, 'I touched him!'

MEHEFIN *11*

Fy enaid, bendithia yr Arglwydd;
ac nac anghofia ei holl ddoniau ef…
(SALM 103:2)

AR BRYDIAU, gallwn gael plwc o alarnadu o achos y colledion a ddaeth i'n rhan. Am iddynt greu cryn ysictod, gallwn gofio'r colli yn amseryddol ddiogel: blwyddyn y cyni ariannol, mis y salwch, wythnos y brofedigaeth, diwrnod y ddamwain ac awr y torcalon.

Er mor drist yw siomedigaethau o'r fath, dylid cofio un peth gwaelodol bwysig: ei bod hi'n amhosibl i neb *golli* mewn unrhyw ffordd heb iddo rywbryd fod wedi *cael*. 'Nac anghofia ei holl ddoniau ef' oedd cyngor y Salmydd.

Daw emyn Dyfed i'm meddwl. Mae'n rhaid cydnabod y gallai'r bardd hwnnw fod yn eithafol o amleiriog wrth farddoni, gan orliwio ac ymhelaethu'n bur ddibwrpas. Enghraifft eithaf teg o hynny yw'r awdl fuddugol honno – 'Iesu o Nazareth' – yn Ffair y Byd, Chicago, 1893. Sut bynnag, fe allai Dyfed ganu mor gynnil â hyn:

> Er maint y daioni a roddi mor hael,
> Tu cefn i'th drugaredd mae digon i'w gael;
> Llawenydd yw cofio er cymaint a roed,
> Fod golud y nefoedd mor fawr ag erioed.

MEHEFIN *12*

A hwy oll a lanwyd â'r Ysbryd Glân...
(ACTAU 2:4)

DAW GŴYL Y SULGWYN â ni at hanes y Pentecost yn ail
bennod Llyfr yr Actau. Ystyr 'pentecost' yw 'hanner canfed'
– yn y cyswllt hwn, hanner can niwrnod ar ôl y Pasg. Gŵyl
o ddiolch am addewid y cynhaeaf oedd y Pentecost Iddewig,
pan fyddid yn cludo blaenffrwyth ysgub ŷd, yn ogystal ag
oen, i'r dathliad, fel arwydd o fendithion y meysydd.

Ar yr ŵyl y sonia'r Actau amdani, daeth rhyw ddylanwad
cyfrin dros yr oedfa; roedd pawb fel petaen nhw'n deall ei
gilydd serch bod tramorwyr o sawl gwlad ar dro yn
Jerwsalem dros yr ŵyl. Ceisiwyd disgrifio'r profiad dieithr
hwnnw 'megis gwynt nerthol yn rhuthro', a dweud bod
tafodau 'megis o dân' wedi eistedd ar bobun yn y cwrdd.

Diffiniad yr Eglwys Gristionogol o'r cyfan yw i'r oedfa
honno brofi 'tywalltiad o'r Ysbryd Glân'. A dyna ystyr y
Sulgwyn i ni byth er hynny. Yr union 'White Sunday'
hwnnw a geir yn y Saesneg, 'Whitsun', pan oedd yn arferiad
cynnar o fedyddio'r credinwyr mewn dillad gwynion ar yr
ŵyl. Yr adeg hon o'r flwyddyn, onid yw cawod flodau'r pren
afal a'r wyrth wen ym mherthi'r drain yn symbolau pellach
o'r Sulgwyn?

... arhoswch yn y ddinas
nes eich gwisgo chwi oddi uchod â nerth.
(LUC 24:49)

CARIO NERTH a wna'r byd – cario bom, cario dryll, cario torpedo ... *Gwisgo* nerth a wna'r Cristion, nes bod y grym yn rhan ohono, fel siwt. Ym myd siwtiau o bwys, ymddengys fod yna steil arbennig, ac i gael toriad o fath felly, rhaid anelu tua Llundain i drigfannau Austin Reed a Savile Row. Boed y *class* yno beth y bo, eto i gyd defnydd *daear* sydd yn siwt ddruta'r fetropolis. Ond am wisg y Cristion, defnydd *oddi uchod* sydd yn honno.

Pan oedd Dafydd yn wynebu Goliath (1 Samuel 17), pur denau oedd ei siawns. Roedd Goliath yn gawr o ddyn, helmed ar ei ben, arfwisg dros ei ysgwydd, a tharian a chleddyf yn ei ddwylo. Am Dafydd wedyn, safai o'i flaen, ei gorff yn noeth ar wahân i gerpyn am ei lwynau, heb ddim yn ei law ond ffon-dafl a charreg o nant y mynydd. Wrth i'r cawr regi'r bugail bach yn enw duwiau'r Philistiaid, ni allai Dafydd, druan, ond ateb yn ôl: 'Rwyf i'n dod atat ti yn enw Arglwydd y Lluoedd.' A dyna'r garreg yn llorio'r cawr, o bawb. Heb ddadl, gan Goliath yr oedd y *steil*, ond gan Dafydd yr oedd y *nerth*, ac fe gafodd hwnnw 'oddi uchod'.

'Mae o wedi dod drwyddi fel hogyn deunaw oed,' meddai'r llawfeddyg wrthyf ar ôl i Ifan Owen golli aelod o'i gorff. Hen werinwr syml oedd o, ond fe'i gwelais yn trechu Goliath o lawdriniaeth, er mai brethyn digon bras oedd dros ei war. Nid steil oedd ei gyfrinach, ond rhyw nerth rhyfeddaf 'oddi uchod'.

MEHEFIN *14*

Minnau, braidd na lithrodd fy nhraed:
prin na thripiodd fy ngherddediad.
(SALM 73:2)

CYDNABOD A WNA'R SALMYDD iddo fod o fewn dim i greu
llanastr yn ei hanes ei hunan. O feddwl, y mae pawb ohonom
o bryd i'w gilydd wedi bod ar ymylon enbydrwydd o'r fath;
y profiadau 'ond y dim' hynny a allasai fod yn drychinebus
– dim ond modfedd arall, dim ond eiliad arall, dim ond un
gair arall.

Roeddwn mewn tacsi ar ochr Rwsia i Wal Berlin, ac am ein
bod ar bwys y 'Checkpoint Charlie' enwog hwnnw, codais
fy nghamera ar gyfer llun hanesyddol. Y foment nesaf dyma
law fawr y gyrrwr yn lapio am yr 'instamatic' gyda siars
chwyrn, 'Nein!' Yn fy niniweidrwydd, roeddwn ar fin torri
rheol a allai fy mwrw ar fy mhen o flaen Cwrt y
Comiwnyddion. Jest iawn fu hi! – 'braidd na lithrodd fy
nhraed'.

Roedd gan y Salmydd ddyfnach mater na hynny, am
iddo'i ddal ei hunan ar fin llithro i afael y felltith a ddigwydd
wrth i ddyn genfigennu. Yn ei achos ef, cyfeddyf iddo
eiddigeddu'n ddistaw bach at lwyddiant yr annuwiol, o
bawb. Ond wrth ddilyn ei fyfyrdod trwy'r salm, gwybu
yntau am y llaw a'i hataliodd – a'r 'Nein!' hefyd, debygwn i.
O leiaf, mae'n anadlu'n rhydd ar y terfyn: 'Minnau, nesáu at
Dduw sydd dda i mi.' Eto, cael a chael oedd hi!

MEHEFIN *15*

... a llosgodd fflam holl goed y maes. Y mae'r anifeiliaid
gwylltion yn llefain arnat, oherwydd sychodd y nentydd
a difaodd tân borfeydd yr anialwch.
(JOEL 1:19-20)

BRAS GYFIEITHIAD yw'r isod o sylwadau a welais mewn llecyn gwledig ar Ynys Manaw.

Pam difetha harddwch cefn gwlad â sbwriel hyllig?
Ydych chi'n rhy ddiog a hunanol i'w gludo adre?
Os yw'ch ci chi yn ymlid defaid, eich bai chi, nid y ci, fydd hynny.
Caewch bob giât.
Gall eiliad ddiofal roi coedwig ar dân.
Golyga tanau golli coed, berygl i bobl a'u heiddo, a marwolaeth erchyll i fywyd gwyllt.
Cedwch at y llwybrau ar dir ffermydd.
Peidiwch byth â thynnu blodyn gerfydd ei wraidd.
Mae'r sawl a gâr gefn gwlad yn gadael blodau gwyllt i eraill eu mwynhau.

Efallai i ninnau yn ein tro fod yn euog o ddiofalwch fu'n achos trallod yng nghefn gwlad – neu barc mewn tref, o ran hynny. Mae difrodi fel hyn yn hen, hen felltith yn hanes dynoliaeth. Mor addas yw siars Robert Jones, Llanllyfni:

Ac ofned pob creadur
Yr Hwn sy'n dal y byd.

MEHEFIN *16*

Pwy bynnag sy'n sychedig, deued ataf fi ac yfed.
(IOAN 7:37)

YN 2 SAMUEL 23:15, ac Ioan 19:28, ceir dyhead gan ddau frenin o linach Jesse, a'r ddau'n berthnasau o Fethlehem Jwdea. Dafydd oedd un, Brenin Israel. Crist oedd y llall, Brenin yr Hollfyd. Roedd y naill yn ogof Adulam a gweision o'i gwmpas, a'r llall ar groes Calfaria heb neb ar ei gyfyl.

Eto, roedd y ddau'n dyheu am yr hanfodion. 'Pwy a'm dioda i?' oedd cwestiwn Dafydd. 'Y mae syched arnaf', oedd cri'r Iesu. Ar gyrion brwydr yr oedd Dafydd; yn ei chanol hi'r oedd y Crist. Wrth i frwydr boethi, boed dyn frenin ai peidio, fe'i tynnir er ei waethaf at yr anghenraid moel hwnnw – llymaid o ddŵr. Blysiai Dafydd am ddracht o Ffynnon Bethlehem: hen dynfa tua chartre'i febyd. Felly Cynan, yntau, yn filwr ym Macedonia:

> Does dim wna f'enaid blin yn iach
> Ond dŵr o Ffynnon Felin Bach.

Wrth erchwyn gwely John yn Ysbyty Bangor, erys dymuniad y claf yn fyw yn fy nghof: 'Mi faswn i'n falch o gael diod o ddŵr o Lyn Tecwyn.' Roedd syched John hefyd am ei dynnu tuag adre.

Gwelodd Thomas Wiliam, Bethesda'r Fro, fod dyhead 'y gŵr wrth Ffynnon Jacob' yn anfeidrol ddyfnach na'i syched corfforol ei hunan:

> Roedd syched arno yno
> Am gael eu hachub hwy...

Y syched sydd am dynnu pawb tuag adre.

MEHEFIN *17*

Edrychwch na ddirmygoch yr un o'r rhai bychain hyn...
(MATHEW 18:10)

MIN NOS HEULOG o haf oedd hi, a minnau wedi galw mewn tŷ ffarm ar gyfer bedyddio'r babi. Cefais f'arwain i barlwr glanwaith lle'r oedd lliain gwyn ar y bwrdd ynghyd â Beibl a chawg dŵr. Ar fy mhwys, ni allwn beidio â sylwi ar lamp bur hynod; roedd mantell gron o felwm brithfelyn amdani, a llinellau annelwig croes-ymgroes yn ymwáu trwyddi. Prun bynnag, ar hwyr mor heulog, ni byddai angen lamp o fath yn y byd.

Wedi gweinyddu'r sacrament, a chyflwyno'r baban yn ôl i'w fam, dyma fymryn teirblwydd yn cerdded yn syth i gyfeiriad y lamp, yn gwthio'r plwg i'r wal, a chan bwyntio'r belen olau ataf lawn hyd ei fraich, llefarodd un gair eglur: 'Drychwch!'

'Drychwch' yn wir! A'r bwlb yn ei goleuo, gwelwn mai glob oedd y lamp gyda phob cyfandir, pob ynys a chefnfor yn hyfryd lachar.

Dim ond un fraich fechan oedd yn dangos y glob yn y cartre croesawus hwnnw. Ond ddyddiau ar ôl hynny, dechreuais weld miloedd ar filoedd o freichiau bychain yn dal glob y ddaear o flaen llywiawdwyr y byd hwn, ac yn llefaru'r un gair – 'Drychwch!' Cystal â gofyn pa fath ddaear yw hon a roddir ar gyfer miliynau plant bach y byd – heb fwyd, heb ddillad, heb gysgod, ac o bob trueni, heb gariad. A ninnau oedolion, sy'n trin y bellen daear, wrthi yng ngyddfau'n gilydd gyda'n rocedi a'n bomiau a'n bwledi, heb anghofio budr-elw'r cyfan oll. 'Drychwch!'

MEHEFIN *18*

... i bregethu gollyngdod i'r caethion, a chaffaeliad golwg i'r
deillion, i ollwng y rhai ysig mewn rhydd-deb...
(LUC 4:18)

YM MHALESTINA'R ddeuddegfed ganrif, cafodd meysydd
sanctaidd y Cristionogion eu meddiannu gan y Saraseniaid
(neu'r Mahometaniaid, os mynnir). Rhoes hynny fod i
Ryfeloedd y Groes, sef y Crwsadau fu'n brwydro i adennill
y tiroedd a gollwyd.

Er mwyn ymgeleddu'r milwyr a'r pererinion, codwyd
math o ysbyty yn Jerwsalem, gyda thîm arbennig i weini ar y
trueiniaid. Yr enw a roed ar y trugarogion hynny oedd Urdd
Sant Ioan, a'i harwydd hi oedd y Groes.

Gydag amser, cafodd marchogion Urdd Sant Ioan eu
hymlid o Jerwsalem i Limassol yng Nghyprus, yna i Rhodes,
nes canfod lloches yn y diwedd ar ynys Malta. Yn 1565, pan
lwyddwyd i wrthsefyll ymosodiad gan y Tyrciaid,
penllywydd yr Urdd ar y pryd oedd y marchog Jean de la
Vallette. I ddathlu'r fuddugoliaeth honno, codwyd prifddinas
newydd (yn lle Medina) a'i galw wrth enw'r penmarchog –
Valletta. At hynny, mabwysiadwyd Croes yr Urdd fel
arwydd swyddogol Malta, ac felly y mae pethau hyd heddiw.

Pan sefydlwyd Urdd Sant Ioan ym Mhrydain yn 1888,
daeth graen newydd ar batrwm ysbytai, a rhoed trefn ar
weithgaredd y Groes Goch, gan hybu ymroddiad
Ambiwlans Sant Ioan yn lleol ac ar draws y byd. Os digwydd
damwain fechan – neu drychineb mawr – oni welwn y
cyfeillion hyn wrthi'n cludo'r anafus ac yn trwsio doluriau?
A'r hen Sant Ioan yn dal i estyn llaw i rwymo archollion ac i
weini'n dirion ar y gwan.

MEHEFIN *19*

... a chan ogwyddo ei ben, efe a roddes i fyny yr ysbryd.
(IOAN 19:30)

RYWBRYD YN Y PUMDEGAU, wedi oedfa yn Hirwaun, cefais aros ar aelwyd gŵr a fu ar un adeg yn rheolwr un o byllau glo'r de. Fel un o gefn gwlad Eifionydd, ac yn llwyr ddieithr i fyd y diwydiannau mawr, bûm yn holi llawer ar y cyfaill hwnnw. Toc, er imi ofni bod fy nghwestiwn braidd yn ynfyd, mentrais ofyn: 'Ydych chi'n arfer â mynd â'r caneri i lawr y pwll heddiw?' Er syndod imi, atebodd fod yr arfer yn para o hyd.

Wedi tanchwa o dan y ddaear, mae'n wir beryglus i'r coliar fynd yn ôl yno am y dichon fod nwyon yn aros yn y lefelau. Yr hyn sy'n dwysáu'r broblem yw nad oes i'r nwy nac arogl na lliw, a gall y gweithwyr anadlu'r nwy marwol heb wybod ei fod yno.

Felly, er mwyn diogelwch, byddai swyddog yn cerdded i lawr gan bwyll dan gynnal cawell o'i flaen a chaneri o'i fewn. Os cwympai'r aderyn oddi ar ei glwyd, gwyddid yn syth fod y nwy wedi llethu ei gyfansoddiad brau, a brysid yn ôl ar unwaith tua'r awyr iach ar ben y pwll – gan gofio, bid siŵr, i'r aderyn fynd yn aberth dros bawb. Mae rhywun o hyd yn talu'r pris, fel yn yr emyn hwnnw:

> 'R Hwn sy'n taenu'r nef fel llen,
> A ogwyddodd yno'i ben,
> > I wneud cymod dros bechod y byd.

MEHEFIN 20

A llanwyd y tŷ gan bersawr yr ennaint.
(IOAN 12:3)

GOFIWCH CHI'R arogleuon hynny oedd yn perthyn i hen aelwyd mebyd, i hen lyfr, i hen laethdy ac i hen neuadd? Wedyn y stabl honno lle clywid gwynt chwerw amonia'r ceffyl? A beth am Yves St Laurent y cariad cyntaf?

Pan oeddwn blentyn gartref awn yn unswydd i anadlu melystra cryf y llwyn rhosyn hwnnw oedd o flaen y tŷ. Hyd y gwn, ni bu iddo enw erioed namyn 'rhosyn hen ffasiwn'.

Erbyn heddiw, mae arbrofi dyfal ar gerdded ar gyfer y sioeau blodau poblogaidd trwy groes-beillio ac impio er mwyn cael rhosyn sy'n fwy o faint, a phetalau sy'n fwy lliwgar. Ond yn yr ymgais i 'berffeithio' ffurf y blodyn, tybir bellach fod y persawr fu'n perthyn iddo gynt wedi mynd ar goll yn rhywle. Yn wyneb chwithdod felly, hwn oedd cwestiwn y garddwr Edgar Allen: 'Can the perfume of the past be restored?'

'Clywch hwn mewn difri!' meddai hen wraig wrthyf yn ei gardd gefn ym Minffordd. Pan arogleuais y llwyn rhosyn, fe'm teimlwn fy hunan yn cael fy llithio'n ôl drigain mlynedd at yr hogyn bach hwnnw yn y Gwynfryn gynt – ('the perfume of the past', fel y cyfeiriodd Edgar Allen ato). O holi'r wraig am ei henw, 'Does gen i ddim un syniad,' atebodd. 'Rhosyn hen ffasiwn fydda i'n ei alw o!'

Yn bendant, does yna ddim Crist Modern i'w gael. Dim ond Crist Oesol, a'i berarogl heb bylu'r dim lleiaf.

MEHEFIN 21

Dydd i ddydd a draetha ymadrodd,
a nos i nos a ddengys wybodaeth.
(SALM 19:2)

HWN YW DIWRNOD hwya'r flwyddyn.

Gofiwch chi gyfnod y Nadolig pan oedd y gaea'n wyllt, y nos yn hir, a'r dydd byr mor dywyll? Ond yna, wedi i Ionawr ymddangos, a'r galon yn dyheu am 'amser gwell i ddyfod', erbyn diwedd y mis, roeddem yn sylwi gyda llonder fod y dydd yn graddol ymestyn. Nid llawer, mae'n wir, ond yr oedd arwyddion pendant fod y diwetydd, fel y bore, fymryn bach yn siriolach na chynt.

O dipyn i beth, daeth yr 'ymestyn' yn fwy amlwg, a hynny yn neupen y diwrnod – ei gyfnos a'i wawr. Gan bwyll, fe giliodd moelni'r gaeaf, daeth y goleuni â chynhesrwydd yn ei sgil, gyda briallu ar glawdd a dail mewn coedlan. Fel rhan o ramant y tymor, clywyd canu adar a brefiadau ŵyn bach, ac i angerddoli'r flwyddyn, daeth Mehefin â'i feysydd yn siglo o dan weiriau, gyda gwres llethol dros bopeth. 'O, na byddai'n haf o hyd!'

Ond na! Wele ddiwrnod fel heddiw'n cyhoeddi y bydd pethau'n newid yn y man. O hyn ymlaen, bydd hyd a goleuni pob dydd yn mynd yn llai ac yn llai. Aiff y nos yn hwy, a'r diwrnod yn fyrrach. Onid dyna'r stori erioed?

Trig gyda mi, fy Nuw, mae'r dydd yn ffoi,
Cysgodau'r hwyr o'm hamgylch sy'n crynhoi...

... dros brynhawn yr erys wylofain,
ac erbyn y bore y bydd gorfoledd.
(SALM 30:5)

EISTEDDAI'R SWYDDOG yn ystafell y prifathro gan ddyfynnu o lythyr diweddara'r Cyngor. Trafod trafferth bur ddyrys yr oedden nhw rhwng disgybl a'r athrawes Ffrangeg, a cheisio canfod ffordd i gadw'r mater o afaelion yr heddlu a'r llys. 'Mae'r hen achos yma'n mynd ymlaen ers pythefnos a mwy bellach,' cwynai'r swyddog. 'Pryd y cawn ni ddiwedd ar yr helynt, dywed?'

Fel ateb, dyma'r prifathro'n pwyntio at gerdyn oedd mewn ffrâm ar ei ddesg, ac arno'r pedwar gair, *This too will pass.* 'Mae'n syndod y cysur sydd ar hwnna!' meddai. 'Ar ambell adeg yn yr ysgol yma, mi fydda i'n teimlo 'mod i'n mynd o dan y don. Ond wrth ddod yn ôl at y ddesg, mi fydd y tipyn cerdyn yma'n mynnu yr aiff *hyn* heibio hefyd. Ac yn codi 'nghalon i bob tro, cofia!'

Pwysodd yn ôl yn ei gadair. 'Dim ond un drwg sydd ar y cerdyn bach,' ychwanegodd, a direidi'n llond ei lygaid. 'Mae o'n mynnu hefyd fod yna ochor arall i bethau. Pan fydd pob dim yn gyrru ymlaen yn hyfryd yn yr ysgol yma, a phawb yn cael tymor hapus, braf – y trwbwl ydi yr aiff hwnnw *hefyd* heibio!'

'A, wel!' ymatebodd y swyddog dan godi'i freichiau fel Ffrancwr. '*C'est la vie*, mae'n debyg!'

Mi a adwaen dy weithredoedd di,
nad ydwyt nac oer na brwd…
(DATGUDDIAD 3:15)

PUR GONDEMNIOL yw'r Ysbryd ar gyflwr eglwys Laodicea yn llyfr y Datguddiad 3:14-22: 'Ond gan mai claear ydwyt, heb fod nac yn boeth nac yn oer, fe'th boeraf allan o'm genau.' Os dyna'r cyfieithiad Cymraeg diweddaraf, fel hyn y dywed yr hen un: 'Felly, am dy fod yn glaear, ac nid yn oer nac yn frwd, mi a'th chwydaf di allan o'm genau.'

Am nad yw 'chwydu' gyda'r mwyaf dymunol o eiriau, mae sawl cyfieithiad wedi'i larieiddio fymryn, e.e. y Saesneg: 'spew thee' a 'spit out'. A'r Gymraeg: 'poeri'. Eto, y ferf Ladin yw 'evomere', lle clywir adlais pendant o 'vomit'. Sy'n dod â ni yn ôl at y 'chwydu' aflednais.

Fe all dyn *beidio* â phoeri, ond mae'n *orfod* arno gyfogi. A'r rheswm pam oedd Laodicea'n cael ei chwydu allan oedd ei bod yn glaear; doedd hi nac oer na phoeth. Nid yw'r corff yn cymryd yn hawdd at unpeth claear. Dŵr oer – iawn. Dŵr poeth – iawn. Ond mae dŵr, neu de, claear yn tueddu at godi cyfog.

Meddai'r Ysbryd wrth Laodicea: '. . . mi a fynnwn pe bait oer neu frwd' (ad. 15) – y naill neu'r llall.

Gallai Iesu Grist ddeall mileindra Herod, ond sut oedd delio â 'ffrind' claear fel Jwdas? Felly'n hollol yr oedd pethau yn Laodicea. Ac am ei bod yn ferfaidd gyfoglyd, aeth yn surni ym mynwes yr Ysbryd, a bu'n rhaid ei chwydu allan.

MEHEFIN 24

Ac wedi iddo ei chael,
efe a'i dyd hi ar ei ysgwyddau ei hun yn llawen.
(LUC 15:5)

YM MYD NATUR, un o'r pethau mwyaf anhrugarog o filain y gwn i amdanyn nhw yw drain. Y blodyn hyfrytaf oll gen i yw'r rhosyn gwyllt a welir ym mherthi canol haf. Ond am ddraenen y rhosyn hwnnw, dyna'r fileiniaf sy'n bod.

Ar dro, byddwn yn gweld dafad yn llusgo clwm o ddrain i'w chanlyn, a'r rheini wedi brathu i'w gwlân heb arwydd eu bod am ollwng gafael fyth. Yn anterth yr haf, a'r drain wedi plannu i gorff yr anifail at y gwaed, yn y man daw'r cynrhon i fagu yno gan lidio'r cnawd yn resynus a gadael y ddafad, druan, i ysu a nychu yn y gwres.

'Rydw i wedi tynnu'r hen ddafad honno o'r drain,' meddai'r llanc wrth ei dad.

'Da iawn ti,' atebodd ei dad. 'Ond gwrando! Wnest ti dynnu'r drain o'r ddafad?'

Yn ardal Llithfaen yng ngwlad Llŷn, wrth gornelu ambell ddafad grwydr ar fin clogwyn, gŵyr y bugail fod perygl iddi lamu rhagddo dros yr ymyl. O'r herwydd, caiff yr anifail lonydd ganddo nes iddi gyrraedd at y Clwt Llwgu, sef silff o graig na all y ddafad ddringo allan ohono.

Wedi iddi bori pob blewyn hyd at lwgu, dyna'r pryd y gall y bugail fentro ati a'i chodi ar ei ysgwydd yn swp o wendid.

MEHEFIN 25

Ger afonydd Babilon yr oeddem yn eistedd ac yn wylo
wrth inni gofio am Seion.
(SALM 137:1)

SYLWER AR Y TAIR BERF: eistedd, wylo, cofio.

EISTEDD: Ar awr profedigaeth, dyna'r union beth sy'n digwydd, y tristwch sydyn wedi gyrru pawb i'w gwman, ac i eistedd mewn cegin a pharlwr.

WYLO: Bydd yr ymollwng hwnnw'n siŵr o ddigwydd yn ystod y chwitho. Er i Salm 42 fynd dros ben llestri braidd wrth fynnu, 'fy nagrau oedd fwyd imi ddydd a nos', eto mae i ddagrau fendithion iachusol iawn.

COFIO: Onid yw'r cof yn aflonydd lawn am yr un a gollwyd? Bydd teulu a chymdogion wrthi am ddyddiau'n cofio sawl dweud a sawl gwneud yn hanes yr un a fu farw.

Mae'n rhesymol na ddylid goreistedd na gorwylo, ond gellir maddau'r gorgofio. Mae'r cof yn rym sy'n dod i lawr gydag afon y blynyddoedd. Mae'n llifo trwy'r teulu a'i berthnasau, trwy'r ardal a'i chymeriadau, a thrwy'r genedl a'i chyflawniadau. Yn nydd profedigaeth, caiff y cof ei angerddoli'n bur wefreiddiol, a chydag amser, bydd wedi mynd yn rhan o fyw a bod y teulu a'r trigolion, cyn llifo'n un dirgelwch i'r genhedlaeth nesaf.

> Dywedai henwr llwyd o'r gornel:
> 'Gan fy nhad y clywais chwedel;
> Gan ei dad y clywodd yntau,
> Ar ei ôl, mi gofiais innau.'

MEHEFIN *26*

Wele Oen Duw,
yr hwn sydd yn tynnu ymaith bechodau'r byd.
(IOAN 1:29)

ATHRO YN ysgol Rhiwddolion oedd Gutyn Arfon, ac efô
oedd awdur y dôn 'Llef', sydd mor wybyddus i filoedd ar
emyn David Charles, 'O! Iesu mawr, rho d'anian bur...'
(Clywais hen frawd o Ddolwyddelan yn tystio y byddai
Gutyn Arfon yn hoff o ddal ar nodyn y gair 'mawr'. Sy'n
f'atgoffa am ryw ddiwinydd a ddywedodd fod ein duw ni'n
rhy fach.)

Mewn oedfa gymundeb yn Rhiwddolion, ymlwybrai'r
gweinidog o sedd i sedd gyda'r llestr gwin. Trwy fymryn o
anhap, collodd ddiferyn o'r gwin ar wisg un wraig, a
thynnodd hithau ei hances i sugno'r defnyn. Ac meddai'r
pregethwr: 'Peidiwch â chynhyrfu dim. *Codi* staen ydi
amcan hwn.'

Am galondid o'r un cyfeiriad y canodd Robert ap Gwilym
Ddu:

> Er cwyno lawer canwaith – a gweled
> Twyll y galon ddiffaith,
> Ni fyn Duw o fewn y daith
> Droi neb i dir anobaith.

MEHEFIN *27*

Rhaid cadw'r tân i losgi ar yr allor, nid yw i ddiffodd.
(LEFITICUS 6:12)

YN RHAN OLAF EI OES, symudodd Robert ap Gwilym Ddu o'r Betws Fawr i fyw yn y Mynachdy Bach, sydd rai milltiroedd i ffwrdd ar gyrion ucha'r Lôn Goed.

Ers pen bore cynnar, roedd buarth y Betws wedi bod yn ferw o brysurdeb, a chymdogion yn helpu gyda'r mudo. Bellach, roedd y wagen fawr a'r troliau'n llwythog gan ddodrefn a chelfi, ynghyd â'r petheuach hynny sy'n perthyn i lofft a chegin. Gwingai'r ceffylau rhwng y llorpiau tra safai'r gweision yn barod ar gyfer y daith ... ond nid oedd olwg o'r penteulu yn unman.

Toc, daeth sŵn troed o gyfeiriad y ffermdy gwag, a Bardd y Betws yn dod allan am y tro olaf dan gludo crochan ac edefyn ysgafn o fwg yn codi ohono.

'Trwy'r blynyddoedd y bûm i'n byw yn fama,' meddai wrth ei gymdogion yn yr iard, 'dydi'r tân ar aelwyd y Betws erioed wedi cael diffodd. A chaiff o ddim diffodd heddiw chwaith. Yn y crochan yma mae gen i bedair mawnen yn mudlosgi, ac erbyn heno mi fydd tân y Betws yn dal i gynnau – ar aelwyd Mynachdy Bach.'

I gyfeiriad aelwyd debyg yr âi erfyniad J.T. Job yntau:

> Na ddiffodded
> Arni byth mo'r dwyfol dân.

MEHEFIN *28*

… ehedant fel eryrod…
(ESEIA 40:31)

NID 'ADERYN' sydd yng nghymhariaeth Eseia, ond 'eryr', sef brenin yr adar, a hwnnw'n hedfan yn llythrennol uwch eu pennau i gyd. Tystia ambell beilot awyren iddo ganfod eryr yn ehedeg yn yr entrychion, ddeng mil o droedfeddi uwchlaw'r ddaear.

Nodwedd arall sy'n gwneud yr eryr yn unigryw yw'r nwyd gartrefu sydd ynddo. Wedi i'r gaeaf flingo'r perthi o'u dail, bydd nythod haf yr adar bach i'w gweld yn amlwg ym moelni'r brigau, ac ni bydd yn hir cyn i'r ddrycin eu rhwygo'n garpiau. Pan ddaw gwanwyn arall, bydd yr adar yn nythu eto, ac mewn man gwahanol bryd hynny.

Am yr eryr, fodd bynnag, yr un un nyth fydd ganddo ef haf a gaeaf, a bydd yn gwarchod hwnnw gydol ei oes. Mae'n wir yr aiff yntau ati i nythu, ond adeiladu ar ben yr hen gartref a wna yn ddieithriad. (Ar bwys Llyn Erie yn America, dyfelir bod y nyth eryr sydd yno'n pwyso dwy dunnell, a'i fod bellach dros hanner cant oed!) Nid crud yw'r nyth iddo ef, ond castell.

Felly, lle bynnag y gwelir eryr ar adain, gellir bod yn siŵr mai pen draw pob siwrnai fydd ei gartref. Am bobl o fath felly y sonia Eseia: 'ehedant fel eryrod'. Pobl sy'n bownd o ffeindio'u ffordd adre.

Hwn [Apolos] oedd wedi dechrau
dysgu iddo ffordd yr Arglwydd...
(ACTAU 18:25)

WRTH GASGLU defnydd at y llyfr hwn o fis i fis, rwy'n synnu fyth ar synnu at ddwy gynneddf sydd ynom. Cofio yw un. Bob bore yr af i'm cell i bendroni, byddaf yn chwipio'r cof i bob cyfeiriad – yn prowla mewn dyddiaduron, llythyrau, pregethau, llyfrau, hen sgyrsiau radio a theledu, ynghyd â dwsinau o bapurau a sgrifennais yng nghwrs y blynyddoedd. Trwy bethau felly, bydd math o aileni'n digwydd i'r cof, a dry'n gymorth ar gyfer ffurfio un o'r 'pytiau' nesaf, a'i osod ar glawr.

Ond y mae ynom gynneddf sy'n groes i gofio, sef anghofio. Dyna pryd y teimlwch fod mwy o rywbeth i'w ddweud, ond na allwch dros eich crogi gael gafael arno; am ryw reswm, mae wedi suddo i'r gwaelodion isaf sy'n bod. Wedi'i lân anghofio.

Ydyn nhw wedi gwneud ffordd newydd yn eich ardal chi – wedi torri'r corneli troellog hynny, a chodi ffordd-osgoi lydan, syth? A'r cwestiwn mawr yw hwn: erbyn heddiw, ydych chi'n cofio sut un oedd yr *hen* ffordd gynt? Yn bersonol, ni wn i am unpeth sy'n haws ei anghofio na hen ffordd neu hen lwybr. Gyda chreu'r rhai newydd, mae'r hen fel petaen nhw'n toddi allan o gof dyn.

'Sefwch ar y ffyrdd, ac edrychwch, a gofynnwch am yr hen lwybrau' oedd anogaeth Jeremeia (6:16). Roedd y proffwyd yn gofyn peth anodd iawn iawn. Unwaith y bydd tramwy'n digwydd ar ffyrdd newydd, y mae ymron yn amhosibl cofio sut rai oedd yr hen lwybrau gynt.

MEHEFIN *30*

… rhodiwch fel plant y goleuni…
(Effesiaid 5:8)

ER BOD canu'r grwpiau modern yn llawer mwy tyrfus na'r hyn a geid gynt, mae'n rhaid derbyn fod swm helaeth o ddawn yn y perfformio cyfoes. Ystyrier dawn yr harmoni a'r cydsymud lleisiol, heb sôn am fedr y cerddorion i drafod gitâr a drwm, a sawl offeryn cymhleth a berthyn i'r grŵp. Mae'n llawn bryd cydnabod ymroddiad cerddorol yr ieuenctid hyn.

Ar ben hynny wedyn, mae neges ambell gân yn haeddu ystyriaeth (fel yr oedd 'Help' y Beatles gynt, a 'Walk Tall' Val Doonican, dyweder). Sbel yn ôl, clywais un perfformiwr yn crygleisio'i fyfyrdod, a'i gyngor oedd hyn: *all you sinners … all you lovers – put your lights on*. Mae'r syniad o 'gynnau'r golau' mor wreiddiol ag ydyw o resymol: peth peryglus ddifrifol i bawb ar y ffordd yw gyrru'n ffrom a dall trwy dywyllwch.

Yna, pan dry'r canwr at y plant, sylwaf nad *put your lights on* yw'r cyngor iddyn nhw, ond LEAVE *your lights on*: cystal â derbyn bod diniweidrwydd bywyd plentyn eisoes yn oleuni gwarchodol o'i gwmpas. A'r erfyniad yn y gân yw i'r ifanc beidio byth â diffodd y golau hwnnw ar daith bywyd. 'Chwi yw goleuni y byd', fel petai.

GORFFENNAF *1*

Hwn ydoedd y gwir Oleuni, yr hwn sydd yn goleuo pob
dyn ar y sydd yn dyfod i'r byd.
(IOAN 1:9)

UN PNAWN HEULOG, aeth athrawes yr ysgol â'i dosbarth i gael golwg ar eglwys y plwyf. Wedi cyrraedd y fynwent, bu'n eu dysgu am enwogion yr ardal oedd wedi eu claddu yno. Cyfeiriodd wedyn at bensaernïaeth yr eglwys, gan ddangos y gwahaniaeth rhwng ffenestr bigfain ac un hanner crwn.

Wedi dod i mewn i'r eglwys, soniodd am bwysigrwydd y bedyddfaen yn un pen, a'r allor yn y pen arall. Ond o blith holl ryfeddodau'r cysegr, yr hyn a gyfareddai'r plant oedd y ffenestri lliw, a phan eglurodd yr athrawes mai ffigurau o saint oedd yng ngwydrau'r ffenestri, roedd un dirgelwch mawr yn eu poeni: pam na allent weld y saint pan oedden nhw'r tu allan i'r eglwys? Esboniodd yr athrawes fod yn rhaid cael goleuni'r haul i dywynnu trwy'r gwydrau cyn medru gweld y saint o'r tu mewn.

Bythefnos ar ôl hynny yng nghapel y pentre, a'r plant newydd adrodd eu hadnodau, gofynnodd y pregethwr sut ddyn oedd sant. O'r distawrwydd, daeth llais bach: 'Dyn a golau'n dod trwyddo fo.'

GORFFENNAF 2

Canys Mab y Dyn a ddaeth
i geisio ac i gadw yr hyn a gollasid.
(LUC 19:10)

BACHGEN WYTHMLWYDD oeddwn i'r pryd hynny, yn pwyso ar bont afon Dwyfor ym mhentre Llanystumdwy. Wrth syllu ar lif diog canol haf, daliodd fy llygaid ar ddisgleirdeb rhyfedd yn y dŵr islaw. Roedd y fflach mor llachar nes imi ei lleoli'n fanwl rhwng un garreg fawr a phedair o rai llai. Dan gofio hynny, cerddais dros wegil y bont i lawr at yr afon, a rhydio fy ffordd trwy'r dŵr nes cyrraedd at yr union lecyn. Torchais fy llewys ac ymestyn rhwng y cerrig at y 'fflach'. Modrwy arian!

Mae'r fodrwy o'm blaen fel yr ysgrifennaf amdani heddiw, a deng mlynedd a thrigain wedi pasio bellach. Modrwy Almaenig yw hi; dail derw ar ddwy ochr iddi, ei chanol yn cynnwys y Groes Haearn gyda thrilliw y wlad honno mewn enamel coch, gwyn a du.

Rwyf wedi dyfalu ganwaith pwy a wisgodd y fodrwy honno, a pham yr aeth hi ar goll. Ai ymwelydd estron oedd piau hi? Adeg y Rhyfel Mawr cyntaf, bu carcharorion o'r Almaen ym Mhlas Bryncir, ddwy filltir i fyny'r afon. A fu hi ar fys un o'r rheini? Ni chefais erioed ias o ateb. Wrth edrych ar ei harddwch heddiw, gwn fod stori lawn y tu ôl iddi yn rhywle. Ond nid yw am rannu un sill o gyfrinach ei cholli.

Er mai damwain oedd canfod y fodrwy yn afon Dwyfor, dyry'r Efengyl siars i ni chwilio o fwriad:

> Cais y colledig, cod y syrthiedig,
> Iesu trugarog sydd gryf i iacháu.

GORFFENNAF 3

Llawenhaed y cenhedloedd, a byddant hyfryd...
(SALM 67:4)

YN Y DYDDIAU hyn o Orffennaf, bydd minteioedd o bellteroedd byd wedi tyrru i Langollen, a'r dref ar lan afon Dyfrdwy yn siglo gan faneri, y maes yn lliwgar gan flodau, y corau'n llachar yn eu gwisgoedd cenedlaethol, a'r strydoedd yn llawen gan ddawnsio a chwedleua. Mae cwpled T. Gwynn Jones yn nodi'n deg gywair yr ŵyl hon:

> Byd gwyn fydd byd a gano,
> Gwaraidd fydd ei gerddi fo.

Mewn cyfnod pan welir torfeydd milain yn tarfu ar gemau, a'r chwaraewyr, hwythau, yn camymddwyn, mae'r gair 'gwaraidd' yng nghyswllt Llangollen fel awel iach mewn myllni, a ffynnon oer mewn crastir. Mae'n anodd credu fod hanner can mlynedd a mwy wedi pasio er pan fu cymeriadau rhadlon fel Bob Tai'r Felin a John Thomas, Maes-y-fedw, yn lleisio yno. Gwaraidd, yn wir.

Pan oedd ffyrnigrwydd yr Asyriaid yn arswyd trwy'r tir, roedd gan y proffwyd neges i lonni ysbryd pobl Seion (Eseia 30:29): 'Ond i chwi fe fydd cân, fel ar noson o ŵyl sanctaidd; a bydd eich calon yn llawen, fel llawenydd rhai'n dawnsio i sŵn ffliwt...'

GORFFENNAF 4

... llawn yw y ddaear o'th gyfoeth.
(Salm 104:24)

Fel cemegydd ifanc yn ymhél â chynnyrch y meysydd olew, aeth Robert Chesebrough ar sgawt tua ffynhonnau newydd Pennsylvania. Yno, sylwodd fod y gweithwyr mewn trafferth gyson gyda'r pympiau; roedd yn ymddangos fod diferion coll o'r olew yn magu'n drwch o gŵyr meddal am echelydd y pwmp. Er bod y dynion yn eu gwaith yn crafu'r cwyr i ffwrdd oddi ar y ffyn-piston, eto os digwyddai briw neu losg, am yr union gŵyr hwnnw y byddai pawb yn rhuthro er mwyn lleddfu'r doluriau.

Roedd sylwi ar hynny'n ddigon i gyffroi chwilfrydedd Chesebrough. Aeth â thuniaid o'r olew gwerog i'w labordy, a chyn hir, wedi sawl arbraw â'r petroleum poblogaidd, roedd wedi darganfod balm a allai esmwytháu croen a lliniaru archollion. Er bod canrif a mwy wedi mynd heibio, mae'r *vaseline* rhinweddol hwnnw yn dal i ireiddio doluriau dros y byd yn gyfan.

Mor fynych y cenfydd dyn fod y rhyfeddodau mawr wrth ei draed! Pan ofynnais i Owen Griffith, meddyg 'y ddafad wyllt', beth oedd cyfrinach ei drwyth, ei ateb oedd bod y llysieuyn 'yn dy ardd di, fachgan!' Onid llwydni cartrefol a welodd Alexander Fleming, yntau, wrth ddarganfod *penicillin*? A phrin y gallai unpeth fod yn fwy 'cartrefol' na chyfarwyddyd yr Iesu: '... canys wele, teyrnas Dduw, o'ch *mewn* chwi y mae' (Luc 17:21).

GORFFENNAF 5

Paid â gadael i'th ffynhonnau orlifo i'r ffordd,
na'th ffrydiau dŵr i'r stryd.
(DIARHEBION 5:16)

SYLW O WLAD BOETH yw'r uchod, lle na ddylid gwastraffu dafn o ddŵr. Ond yng Nghymru, mae'n pistylloedd ni'n tasgu dyfroedd yn ddiatal ddydd a nos.

> Difyr chwedlau fil adroddwyd
> Tra bu'r dŵr yn llenwi'r stên.

Daw'r cwpled yna â'r atgof amdanom yn ysgol y pentre'n canu 'Pant y Pistyll' lle disgrifid miri'r gymdogaeth wrth ddod ynghyd i gludo dŵr. Yn niffyg pistyll, ceid ffynnon ar gwr y gors, ac felly y daethom yn gyfarwydd â 'siwrnai ddŵr' fel ymadrodd.

Felly y daw i'm cof y pwmp cadarn oedd ym mhentre Llanystumdwy a rhywun neu'i gilydd gydol y dydd yn llenwi dysglau neu bwcedi. Fel yr holi a fu am hynt hen Ffowntan maes Caernarfon, tybed yn wir i ble'r aeth pwmp Llanystumdwy, yntau? Ni wn yr ateb. Ond er i'r pwmp ddiflannu, mae'r dŵr oedd odano yn nwfn y ddaear yn siŵr o fod yn ffynhonni o hyd, fel y canodd Cynan:

> Holl ffynhonellau'r bryn fel distyll
> Eigion dihysbydd yn y pistyll.
> A digon oedd, er llifo cŷd,
> I lenwi holl biseri'r byd.

Nid oes ond un peth sy'n waeth na haf gwlyb – a haf sych yw hwnnw. Onid ar dymor felly yr oedd Iesu'n gwahodd? 'Pwy bynnag sy'n sychedig, deued ataf fi ac yfed' (Ioan 7:37).

GORFFENNAF 6

... i edrych ar brydferthwch yr Arglwydd,
ac i ymofyn yn ei deml.
(SALM 27:4)

SAIF PENTRE MAIORI ar fin y môr rhwng Napoli a Salerno, a'i dai lliwgar fel nythod gwenoliaid ar silffoedd y graig. Er ei bod yn fore gwresog, cymylodd yr awyr yn ffrom, a dyna storm o genlli bras yn dymchwel allan o'r düwch. Nid oedd dim amdani ond rhedeg tua'r eglwys oedd gyferbyn â ni, a'i henw yn ei thalcen: Basilica Santa Trophimenae.

Yna'n dawel, dawel, cerddodd mintai i mewn i'r cysegr gan eistedd mewn dwyster o flaen yr allor, ac aml un yn sychu dagrau. O holi'r offeiriad, dyma ddeall fod gwasanaeth angladd Maria Straboni ar gychwyn, ond bod pob croeso i ni aros yn y cwrdd.

Roedd yn amlwg fod dwy storm wedi taro'r pentre bach: y farwolaeth a yrrodd y teulu Straboni tua'r basilica, a'r genlli a'n gyrrodd ninnau i'r un un eglwys.

Ar y cychwyn, yr unig oleuni yn nhywyllwch y storm oedd canhwyllau egwan yr allor. Ond ar adeg ddethol yng nghwrs defod y claddu, dyma ddegau o fylbiau trydan yn ffrydio golau trwy'r adeilad i gyd gydag effaith oedd braidd yn arallfydol. Ond tua therfyn y gwasanaeth, cododd un brawd yng nghanol y cynulliad gan estyn ei law allan hyd braich. Ar hynny, ymatebodd gŵr arall iddo gan ysgwyd y llaw honno'n gynnes. Dyfelais innau mai hen berthnasau oedden nhw heb daro ar ei gilydd ers amser hir, ond nid felly o gwbl. Cyn pen munud arall, roedd yr holl gynulliad ar ei draed, a phawb yn ysgwyd llaw gyda brwdfrydedd. Ni wn ddigon am arfer Catholig addolwyr Maiori, ond roedd rhywbeth gwir hyfryd yn yr answesu cyfeillgar hwnnw.

GORFFENNAF 7

Byddaf fel gwlith i Israel...
(HOSEA 14:5)

MAE TEITHIWR yn gwlychu mwy wrth gerdded trwy'r glaw
o dan gysgod coed nag y byddai yn y maes agored. Nid bod
y dŵr yn wlypach ar do'r goedwig, ond bod mwy ohono'n
ymhél ar y dail a'r brigau. Yna, gyda chwa'r awelon a
phwysau'r dŵr, gollyngir y cynnwys am ben y cerddwr – nid
fesul dafn unigol, ond yn dalpiau o ddŵr, sosereidiau ohono.

Ar un adeg, bûm yn dirgel gredu fod gwlith yn fwy gwlyb
na glaw, nes sylweddoli nad ansawdd y dŵr sy'n pennu maint
y drochfa, ond y swm. Pan yw'n bwrw glaw, mae'r dafnau'n
disgyn â gormod o nerth i fagu diferion crynion ar y borfa;
o'r herwydd mae swm y dŵr yn llai.

Ond pan yw'n gwlitho, mae'r awyr yn berffaith dawel, a'r
dafnau o'r herwydd yn aros yn beli trymion ar bob llafn o
laswelltyn. Wrth gerdded ar borfa felly, mae'r esgidiau'n
chwalu trwy filoedd o ddefnynnau o ddŵr, a hynny o gam i
gam nes bod swm dirfawr o leithder yn llifo dros y lledrau,
a'u socian yn sypiau.

Pa ryfedd i'r hen saint sôn am 'oedfa wlithog'!

GORFFENNAF *8*

Cofiwch y pethau gynt, ymhell yn ôl...
(ESEIA 46:9)

MAE'N OFID CALON gen i weld Muhammad Ali erbyn heddiw, yn enwedig o'i gofio'n barablwr di-daw, ac yn ystwyth fel chwip. Bu'n bencampwr byd am flynyddoedd, heb olwg y dôi neb i'w lorio fyth bythoedd. Ond daeth y Gelyn Amser ar ei bac, a'i lethu'n ddidrugaredd.

'Dos â fi i rwla am newid!' plediodd Catrin bymthengmlwydd wedi wythnos drom o arholiadau haf yr ysgol. Heb ymdroi dim oll, i'r modur â ni, a chyn pen teirawr, roeddem ar gopa'r Wyddfa fawr. Gan fod niwl yn dechrau gordoi'r trum, dyma droi yn syth ar ein sodlau ac i lawr dros y llethrau tua gwaelodion Llanberis. Deng milltir ddi-stop! Er ein bod heb na bwyd na diod, yr hyn *oedd* gennym oedd cyflawnder digwestiwn o egni corfforol. Pe gofynnid i mi ddringo'r Wyddfa heddiw, fedrwn i ddim *ystyried* y fath fenter. Hynny, am na allaf gymryd yr egni corfforol hwnnw'n ganiataol fyth mwy.

Beth, wedyn, am gyswllt plentyn â'i rieni? Heddiw yn aeddfedrwydd fy mlynyddoedd, mae yna sawl cwestiwn teuluol-bersonol y carwn ei ofyn i Nhad a'm Mam. Ond y mae'n rhy hwyr, a'r ddau wedi mynd ers deugain mlynedd a mwy. A'r atebion i'w canlyn.

Yn Deuteronomium 6:7, cyngor ynglŷn â'i orchmynion sydd gan yr Arglwydd, a hynny i rieni: 'Yr wyt i'w hadrodd i'th blant, ac i sôn amdanynt pan fyddi'n eistedd yn dy dŷ ac yn cerdded ar y ffordd, a phan fyddi'n mynd i gysgu ac yn codi.' Y drwg bryd hynny, fel arfer, yw bod y plant yn rhy brysur i wrando – nac i falio!

GORFFENNAF 9

... trwy amynedd rhedwn yr yrfa a osodwyd o'n blaen ni...
(HEBREAID 12:1)

YNG NGOGLEDD GROEG mae Olympus, mynydd ucha'r wlad, ac yno, yn nhyb yr hen fyd, y trigai Sews, tad y duwiau. O barch i'r duw, fe drefnwyd ymryson athletaidd i lawr yn y de, a galw'r llecyn wrth yr enw Olympia. Ar y cychwyn, ni châi merched gystadlu, na'r caethion chwaith; y rhai breintiedig oedd gwrywod, a'u gwaed, fel eu buchedd, yn Roegaidd ddihalog.

Wrth i'r Chwaraeon Olympaidd ymenwogi, trefnwyd ymryson tebyg ar yr Isthmus, sef y gwegil tir hwnnw rhwng dau fôr yng Nghorinth. Yn y man, daeth y Chwaraeon Isthmiaidd yr un mor enwog yn hanes y Groegiaid. Pan oedd yr Apostol Paul ar ei daith yn y parthau hynny, mae'n rhaid ei fod yn gwbl gyfarwydd â gwylio'r athletwyr yn cystadlu. O ddarllen ei lythyr at yr eglwys gynnar yng Nghorinth, mae'r gyfeiriadaeth yn amlwg iawn:

'Oni wyddoch am y rhai sy'n rhedeg mewn ras, eu bod i gyd yn rhedeg, ond mai un sy'n derbyn y wobr? Fel hwythau, rhedwch i ennill. Y mae pob mabolgampwr yn arfer hunanreolaeth ym mhopeth; y maent hwy, yn wir, yn gwneud hynny er mwyn ennill torch lygradwy, ond y mae gennym ni un anllygradwy. Yr wyf i, gan hynny, yn rhedeg fel un sydd â'r nod yn sicr o'i flaen. Yr wyf yn cwffio, nid fel un sy'n curo'r awyr â'i ddyrnau.'
(1 Corinthiaid 9:24-26)

GORFFENNAF *10*

Canys mewn llawenydd yr ewch allan...
a holl goed y maes a gurant ddwylo.
(ESEIA 55:12)

STIWARD AR STAD GWYNFRYN yn Eifionydd oedd John Maughan, gŵr o Northumberland. O 1819 i 1828 bu wrthi'n agor ffordd newydd o gyffiniau Afon-wen trwy gorstir cefn gwlad nes cyrraedd ymylon Brynengan a Mynydd Cenin. Cafodd y ffordd honno – cryn bum milltir o hyd, a deuddeg llath ar draws – ei phlannu o'r ddeutu â channoedd o goed ifanc: masarn, ffawydd, ynn, deri ac ambell gelynnen. Wrth i'r planhigion dewychu yng nghwrs amser, daethpwyd i'w hadnabod fel y 'Lôn Goed', sy'n aros hyd heddiw.

Yr hyn sy'n hynod yw fod cynifer o feirdd gwlad medrus yn byw yn ei chwmpasoedd nes i'r ardalwyr ddod i'w hadnabod fel 'Beirdd y Lôn Goed', gan nodi rhai fel Siôn Wyn o Chwilog a Dewi Wyn o'r Gaerwen.

Erbyn heddiw, ceir cryn ganu ar waith y rhai a ganlyn: Robert ap Gwilym Ddu o'r Betws Fawr, 'Mae'r gwaed a redodd ar y groes...' ar y dôn 'Deemster'; Pedr Fardd, Brynengan, 'Cyn llunio'r byd, cyn lledu'r nefoedd wen...' – 'Navarre'; Nicander, Bryn March, 'Molwch Arglwydd nef y nefoedd, Holl dylwythau daear las...' – 'Regent Square'; Richard Jones, Coed Cae Du, 'I Ti, O Dduw, y gweddai parch, Gwna popeth arch dy orsedd...' – 'Tregeiriog'; Eben Fardd o ochrau Llangybi, 'O fy Iesu bendigedig, unig gwmni f'enaid gwan...' – 'Dim ond Iesu'. A chan gofio cyswllt Eifion Wyn, yntau, â'r fro, 'Efengyl Tangnefedd, O! rhed dros y byd...' – 'Joanna'.

Beth am egwyl wrth biano'r aelwyd neu harmoniwm y seiat, a chynnal Cymanfa'r Lôn Goed?

GORFFENNAF *11*

... oherwydd ni wyddost beth a ddigwydd mewn diwrnod.
(DIARHEBION 27:1)

TREFLAN YNG ngogledd Sbaen yw Roncesvalles. O fyfyrio
am yr ardal honno, nyddodd Iorwerth Peate gerdd o dan y
teitl 'Ronsyfál', cerdd sy'n tynnu at wraidd eithaf byw a bod.
Wedi holl rwysg brenhinoedd ac arfogion y canrifoedd,
mae'n gofyn i'r 'mynyddoedd llwyd' beth sy'n aros o'r holl
gyffroadau a fu. A daw'r ateb:

> Niwloedd a nos, y sêr a'r wawr,
> Yn Ronsyfál y rhain sy fawr.

Roedd hi wedi hanner nos, a minnau'n cerdded tuag adre
o dŷ trallod lle bu cyfeilles ifanc farw'n sydyn. A'm hysbryd
yn ddwys gan ofid, pwysais ar lidiart Meysydd Llydain, ac
yn y distawrwydd gallwn glywed y gwartheg yn cnoi cil yng
ngolau'r lleuad. O sylwi arnyn nhw'n gorwedd ar y borfa, yn
fyw ac yn gynnes, a meddwl am yr anwylaf o wragedd
newydd farw i lawr y ffordd, dyfynnais gwpled yn hyglyw
wrthynt – dwy linell oedd yn gwegian gan ystyr:

> Clyw-wn y da'n anadlu'n drwm,
> O! fywyd, bychan yw dy rod.

Dal ati i anadlu'n drwm a wnaeth y gwartheg, ond wrth
droi tua'r tŷ, diolchais o newydd i Iorwerth Peate am fynegi
gwirionedd mor galed mewn ffordd mor brydferth.

GORFFENNAF *12*

... ac ar fy nghân y clodforaf ef.
(SALM 28:7)

ER MAI BONHEDDWR swil a nerfus oedd R. Williams Parry, Bardd yr Haf, o dan blygion ei ddwyster yr oedd yna fwrlwm cyson o ddireidi. Ar ddiwedd un o'i ddarlithiau i'w ddosbarth yn y coleg, cofiaf fyfyriwr yn gofyn i'r athro mwyn a allai gynnig rheol bendant pa bryd y dylid dyblu'r 'r' yn y Gymraeg.

Syllodd Williams Parry am eiliadau hirion trwy'r ffenestr cyn cynnig yr ateb anhygoel hwn: 'If in doubt, leave it out!' Ac aeth allan trwy'r drws dan wenu'n llydan.

Yn ogystal â'u campau gydag awdl ac englyn, byddai'n hawdd gan feirdd amlwg ei gyfnod ef nyddu emynau'n ogystal – ac enwi rhai fel T. Gwynn Jones ac Eifion Wyn. Ond am R. Williams Parry, ni byddai ef fyth yn deintio porfa'r emynwyr. Eto i gyd, mewn cilfach yn *Llyfr Emynau y Methodistiaid Calfinaidd a Wesleaidd* (tybed a fedrwch ddod o hyd iddo?) ceir yr un pennill celfydd hwn o waith Bardd yr Haf:

> O! fythol-ffyddlon Dduw,
> Ffynhonnell pob daioni,
> Cynhaliwr pob peth byw,
> Ac Arglwydd llawn haelioni;
> Rho iechyd gwiw i'm cnawd,
> I'm henaid llwm nid llai,
> Pa beth sydd well na ffawd?
> Cael calon heb un bai.

Gadewch iddi; pam yr ydych yn ei phoeni?
Gweithred brydferth a wnaeth hi i mi.
(MARC 14:6)

EDRYDD UN CHWEDL fod Iesu Grist a'i ddisgyblion wedi
mynd i orffwys dan gysgod coeden ar awr canol dydd, ac i gi
blinedig ddod atyn nhw. Er i'r disgyblion geisio'i yrru i
ffwrdd, mynnu gogordroi o'u cwmpas a wnâi'r hen gi.

'Edrych tenau ydi o,' meddai un o'r disgyblion yn
ddirmygus.

'Mae'n amlwg nad oes neb wedi cribo'r creadur yma ers
misoedd,' ychwanegodd un arall.

'A beth am ei grwper o?' sylwodd y trydydd. 'Mae o'n
gywilydd i'w weld. On'd ydi o'n gaglau celyd o'i feingefn i'w
gynffon!'

Ac meddai Iesu Grist, 'Ddynion, ydych chi wedi sylwi
mor wyn ydi'i ddannedd o?'

Digwyddodd peth cymharol debyg ym Methania pan
dywalltodd rhyw wraig botelaid o bersawr drud ar ben yr
Iesu. Bwriodd rhai yn syth i ddilorni'r ferch druan, a'i
chondemnio am wastraffu'r ffasiwn arian. (Yn wir, mewn un
adroddiad, caiff ei galw'n 'bechadures'.)

Yn union fel y gwelodd y gorau yn yr hen gi hwnnw,
mae'r Iesu hefyd yn gweld urddas yng nghymeriad y wraig
hon ym Methania.

... nid ymgudd dim oddi wrth ei wres ef.
(SALM 19:6)

PAN OEDDWN yn cyflwyno *Dechrau Canu, Dechrau Canmol* yn nyddiau'r cyfaill Tregelles Williams, byddwn yn cael sawl braint hwnt ac yma.

Nid anghofiaf y profiad hwnnw ar nos o haf yn y Capel Mawr yn Nhal-y-sarn pan oedd gennym rihyrsal gyda'r cantorion. Cofiaf fod honno'n noson niwlog iawn, a'r capel, oherwydd y caddug, yn eithaf tywyll.

Nos drannoeth, sut bynnag, roedd yr awyr yn anarferol o glir, a haul yr hwyr yn danbaid olau dros Ddyffryn Nantlle. Dechreuwyd ar y recordio terfynol gyda phopeth yn mynd rhagddo'n ardderchog o hwylus. Ond ar hanner y ffordd trwodd, dyma hi'n stop ar y cyfan.

Dechreuais betruso tybed a oeddwn i wedi camgyflwyno un eitem yn ddiarwybod. Tynnais fy meicroffon o'i afael a phicio draw at Pete, y dyn camera agosaf ataf. Wedi fy sicrhau nad oedd unrhyw fai arnaf i, aeth Pete ati i'm hatgoffa fel yr oedd y noson cynt yn llwydaidd o dan niwl. 'Ond,' eglurodd, 'heno mae'r awyr yn hollol glir, a'r haul yn wirioneddol gry. Ac yn y munudau yma, mae o wedi dechrau tywynnu'n llachar trwy waelodion y ffenestri, ac yn taflu cysgodion trwm dros y gynulleidfa – cysgodion nad oedden nhw ddim yma neithiwr. Felly, does dim fedrwn ni'i wneud ond aros i'r haul fachlud.'

'Ond beth am lampau cryfion y BBC?' holais innau. 'Fedar y rheini ddim setlo'r broblem?'

A dyma'i ateb yn ei iaith ei hun:

'I'm afraid the Almighty has more power than the BBC!'

GORFFENNAF *15*

Ac efe a ordeiniodd ddeuddeg, fel y byddent gydag ef...
(MARC 3:14)

NID YW NATUR yn or-hoff o gorneli. Y mae rhyw egwyddor yn y cread sydd am fynnu llyfnhau popeth miniog. Nid erys creigiau'r clogwyn yn finllym yn hir na bydd rhew'r gaeafau'n eu mwydo. Caiff cerrig garwaf glan y môr, a photeli llymaf y traeth eu graddol gorddi'n grynion. Nid yw na bwyell na chŷn na chyllell yn cadw'u hawch yn fythol. Tuedd pob llafn yw troi'n llyfn.

Y mae fel petai'r crwn yn hanfod pob creu. Crwn yw coeden y maes, crwn yw coes blodyn a chrwn yw asgwrn corff. Crwn yw'r ddaear ei hunan. Onid ar gylchdro y gwibia planedau'r gofod? Sylwer fel y cawellwyd y ddau air 'tro' ac 'olwyn' yn y dweud, 'troad y rhod'. Mewn cylch, nid gwiw i un o'r edyn (*spokes*) amrywio'r mymryn lleiaf yn ei hyd, onidê bydd yn amhosibl i'r olwyn droi'n drlw, os troi o gwbl.

Ordeiniodd yr Iesu 'gylch' felly o ddeuddeg disgybl 'fel y byddent gydag ef'. Eto, roedd rhai ohonyn nhw am fwy o sylw na'r lleill, rhai am fod 'y mwyaf yn y deyrnas', a rhai am droi allan o'r gymdeithas ddethol. Nid oes ddadl na chafodd gras y nefoedd drafferth ddirfawr i dorri'r corneli ym mywyd y disgyblion er mwyn i'r Cylch droi'n driw.

Eto i gyd, ar un adeg, cafodd y deuddeg brith hynny y deyrnged hyfryta'n fyw gan eu meistr: 'A chwychwi yw'r rhai a arosasoch gyda mi yn fy mhrofedigaethau' (Luc 22:28).

... lle yr amlhaodd y pechod, y rhagor amlhaodd gras...
(RHUFEINIAID 5:20)

YN LOLFA'R Hotel Alfa yn Athen yr oeddem, yn disgwyl y bws twristiaid i'n cludo i'r maes awyr erbyn pedwar o'r gloch y bore. Yn sydyn, cefais bwniad ysgafn ar f'ysgwydd, a merch ifanc yn gofyn mewn Saesneg toredig am dân ar ei sigarét! Bu hynny'n fodd i ni ddechrau ar sgwrs.

Roedd hi a'i ffrind (o wlad Belg) wedi bod yn gwersylla am wythnos yng ngwlad Groeg. Eglurodd iddyn nhw gychwyn o'r gogledd, yn Thesalonica, ac wrth ffawd-heglu oddi yno yn drwm o dan eu paciau, daeth gyrrwr heibio a'u codi'n llwythog i'w gerbyd. Fel y digwyddai, roedd eu cymwynaswr ar ei siwrnai at gyfeillion yn Athen, a chafodd y ddwy eu cario yr holl ffordd yno, dros ddau can milltir o daith.

Am ei bod yn tywyllu erbyn cyrraedd i Athen, mynnodd y gyrrwr ei bod hi'n rhy hwyr i'r genethod godi eu pabell yr adeg honno o'r nos. A'r hyn a wnaeth oedd talu dros y ddwy i aros yng ngwesty ffrind iddo. Am fod y merched yn lled amheus bellach o gymhellion y dyn dieithr, gofynnwyd iddo pam yr âi i'r fath drafferth yn eu cylch.

Roedd ganddo ateb parod. Un tro, eglurodd, pan oedd ef yn heglu ar ffyrdd Ffrainc, arhosodd modurwr dieithr i'w godi, a bu gofal hwnnw amdano mor anhygoel o garedig nes iddo addunedu y gwnâi yntau gymwynas debyg os dôi cyfle felly fyth i'w ran. 'A dyna pam yr ydw i mor falch o fedru'ch helpu chi'ch dwy heno,' meddai.

Y cysur yw fod llawer mwy o dda yn y byd nag sydd o ddrwg.

GORFFENNAF *17*

Pa beth yr aethoch allan i'r anialwch i edrych amdano?
(Mathew 11:7)

Y TRO NESAF y gwelwch chi weithwyr wrthi'n ceibio o dan balmant stryd, sylwch sut y bydd y cerddwyr yn stopio er mwyn edrych i lawr i'r twll! Er nad yw o fater i neb, mae'n rhaid i bawb ohonom gael golwg ar yr hyn sy'n digwydd. Yr enw ar y 'busnesa' hwnnw yw chwilfrydedd – elfen wirioneddol gref ym mhob dyn byw.

Fel rheol, nid yw'r chwilfrydig yn bwriadu cymryd rhan o gwbl yn y cyffro; y mae yno'n unig er mwyn gweld beth sy'n digwydd. Wrth i'r dyn syrcas symud yn fentrus ar y rhaff uchel, bydd y chwilfrydig yno i weld pa un ai llwyddo ynteu llithro fydd ei hanes.

'Beth yr aethoch allan i'w weld?' holodd Iesu fintai o'r fath oedd am gael golwg ar Ioan Fedyddiwr. Roedden nhw wedi clywed fod yna ddyn od iawn yn byw yn yr anialwch, ac am ei fod yn gwisgo'n od, yn bwyta'n od ac yn pregethu'n od, roedd yn rhaid mynd draw i gael cip arno.

Yna, safodd Iesu ar eu llwybr gan egluro iddyn nhw eu bod wedi gweld a chlywed un o broffwydi mwyaf eu hoes. Ond heb ei adnabod. (Fel y gath honno a aeth o un fwriad i Lundain i weld y Frenhines, a'r cyfan a welodd hi oedd llygoden o dan gadair.) Ategodd Studdert Kennedy hynny â chyhuddiad fel hyn: 'Pan gerddodd Iesu Grist y Strand yn Llundain yn nillad nafi, wnaeth neb ei adnabod O.' Mae chwilfrydedd wedi pasio'r Brenin sawl canwaith heb ei weld.

GORFFENNAF *18*

Efe a orwedd dan goedydd cysgodfawr,
mewn lloches o gyrs a siglennydd.
(JOB 40:21)

GANED FRANCESCO PETRARCA yn Arezzo ger Fflorens, ac fe'i hystyrir yn herald y Dadeni Dysg yn yr Eidal. A'i fryd ar yr offeiriadaeth, ar ŵyl y Groglith yn Avignon daliodd ei lygaid ar un Laura de Sade, a syrthiodd mewn cariad llethol â hi yn y fan a'r lle. Er iddo nyddu rhai cannoedd o benillion serch iddi – ar fesur ei soned 'Betrarcaidd', wrth gwrs – priodi dyn arall a wnaeth Laura. Ac ni fu Petrarca fyth yr un fath wedi hynny.

Cafodd gyrsiau ffyrnig o grwydro, ond eto roedd ei ysbryd yn awyddu am lonyddwch. Ef piau'r sylw: 'Mae dinasoedd yn elynion, ond mae coedydd yn gyfeillion.'

Wrth gofio Petrarca, mae Eifion Wyn yn mynnu ymrithio o'm blaen, heb imi fod yn gorddychmygu, gobeithio. Onid ystyrid ef yn herald ym myd barddoni? A phan ganai soned brin, ar y patrwm Petrarcaidd y'i lluniai fel rheol. Bu yntau a'i fryd ar y Weinidogaeth, ond newidiodd ei fwriad – er nad o ymserchu ym 'Men' y bu achos hynny. Casbeth ganddo oedd seremonïaeth a phwyllgorau; trwy groen ei ddannedd y mentrodd cyn belled ag Aberystwyth i dderbyn gradd MA er anrhydedd y Brifysgol.

Fel Petrarca, at dorlannau'r 'dyfroedd tawel' y carai encilio, lle'r oedd y 'coedydd yn gyfeillion'. Yn y delyneg 'Cysegr y Coed' (yn yr hydref), ceir Eifion Wyn yn bwrw'i gwestiwn:

> Oni weli fod y prennau'n
> Cynnau gan ogoniant Duw?

GORFFENNAF *19*

Duw sydd noddfa a nerth i ni,
cymorth hawdd ei gael mewn cyfyngder.
(SALM 46:1)

19 GORFFENNAF 1984 oedd y dyddiad. Bore Iau poeth, a'r haul cynnar yn darogan rhagor o wres. Roedd y drysau a'r ffenestri eisoes yn llydan agored, a ninnau'n sipian te yn nhawelwch y wlad. Am bum munud i wyth, rhoddwyd taw swta ar ein mân siarad: o gyfeiriad cae Ynys Heli am y clawdd â ni, dyma ymgorddi a chrensian trwm fel pe bai trên yn chwyrnellu trwy'r rhostir. Yr eiliad nesaf cerddodd cryndod rhyfedd o dan ein traed gan siglo'r tŷ nes i un celficyn ddisgyn o'i silff dan dincial ar hyd y llawr.

Daeargryn! (O ran chwilfrydedd, bûm yn ailosod y teclyn hwnnw yn ei le ac yn ceisio creu daeargryn breifat odano, ond fe'i cefais yn gyndyn i symud modfedd o'i le.) Yn dilyn hyn oll, dechreuodd y teliffon ganu gyda chyfeillion yn holi a oeddem 'yn iawn'; a dyna fu testun sgwrs pawb dros weddill yr wythnos honno.

O'i chymharu â daeargrynfâu cryfion y dwyrain, a ddichon chwalu trefi'n garneddau mewn pum eiliad, nid oedd hon brin gwerth sôn amdani, dim ond ei bod yn arswyd i bobl fel ni oedd yn hollol ddieithr i ysgytwad o'r fath.

Ond ar ôl y bore hwnnw y canfûm ystyr newydd i Salm 46: 'Duw sydd noddfa...' Gŵr oedd y Salmydd hwnnw a wyddai'n iawn am y cryndodau gwir ddinistriol a fyddai'n siglo'r ardal o bryd i'w gilydd. Eto, yn nannedd bygythiad felly, mentrodd fynegi ei hyder: 'Am hynny nid ofnwn pe symudai y ddaear, a phe treiglid y mynyddoedd i ganol y môr...' Cryn hyder, ddywedwn i.

GORFFENNAF *20*

*Yno yr oedd ffynnon Jacob, a chan fod Iesu wedi blino ar ôl
ei daith eisteddodd i lawr wrth y ffynnon.*
(IOAN 4:6)

WEITHIAU GALL rhybuddion ysgrifenedig daro'n bur
ddoniol. Ar yr acropolis yn Athen (o bob man) gwelais yr
arwydd bras, WET PAIN. Ar gefn drws llofft ein gwesty ym
Mharis, yr oedd nodiad yn cyfarwyddo sut i ymateb pe
digwyddai tân: 'Close the door and do not lose your
temper...' (enghraifft deg o gamgyfieithu priod-ddull, bid
siŵr).

Ar wahân i lithriadau o'r fath, fe ysgrifennwyd llawer
doethineb yn ogystal, fel a welir y tu ôl i bulpud hwnt ac
yma: 'Sancteiddrwydd a weddai i'th dŷ...'; 'Gwylia ar dy
droed pan fyddych yn mynd i dŷ Dduw.' Yng nghapeli'r
traethau, gellir taro ar yr anogaeth, 'Cofiwch y morwyr.'

Down ar draws amrywiaeth mewn cartrefi hefyd. Sawl
sampler celfydd a frodiwyd o'r adnod, 'Duw Cariad Yw', a'i
hongian mewn llofft a pharlwr? Uwchben y lle tân mae
gennym ni anrheg o Israel a'r gair SHALOM wedi'i naddu
mewn pren olewydd, sy'n dymuno daioni iechyd a heddwch
i'r aelwyd, ac i'r ymwelydd a ddaw heibio.

Mae'r teithiwr wedi cerdded milltiroedd poethion o
Ysbyty Ifan tua'r Migneint, gyda haul y pnawn yn ormes, a
ffrydiau'r mynydd grug yn hesb ers wythnosau. O'r diwedd,
daw at ben ffordd, un yn arwain at Benmachno, a'r llall tua'r
Bala, neu Ffestiniog. Ond yno, o'i flaen, y mae Ffynnon
Eidda, ac yn eglur ar y llechfaen, gwêl y geiriau: YF A BYDD
DDIOLCHGAR. Yn 2 Brenhinoedd 18:31, ceir yr anogaeth hon:
'... ac yfed pawb ddwfr ei ffynnon ei hun...'

GORFFENNAF *21*

*Y mae'r cenhedloedd yn terfysgu a'r teyrnasoedd yn
gwegian; pan gwyd ef ei lais, todda'r ddaear.*
(SALM 46:6)

YN Y CYFNOD a fu, bûm yn ymhél mymryn â byd meicroffon
– a'r teledu hefyd. Wrth edrych yn ôl, rwy'n rhyfeddu mor
rhwydd yr agorid drysau i'r sawl oedd â meicroffon yn ei
law.

A'r meicroffon yn fy llaw y dringais risiau cwt signal y Fali
ym Môn, a thrwy garedigrwydd William y cefais ollwng lifar
y signal er mwyn i'r 'Irish Mail' chwyrnellu tua Chaergybi.

Yn sgil y camera teledu y cawsom fynediad i gastell yr
honnir ei fod y graenusaf yn Ewrop, sef Castletown, Ynys
Manaw. Tra buom yn ffilmio, cefais fraint gan y gofalwr o
weindio'r cloc enfawr sydd yn nhŵr y castell, a gyda chlamp
o garn-tro.

Ar ôl profiadau o'r fath, bûm yn ceisio dirnad beth sydd y
tu ôl i fymryn o ymhyfrydu fel hyn. Mae'n debyg mai gwefr
rhyw fath o awdurdod ysbeidiol yw craidd y peth: fy mod i
(fawr!) wedi gollwng yr 'Irish Mail' i'w thaith, a'm bod i wedi
rhoi ychydig oriau o hwb i gloc mawr Castletown. Eto, peth
pitw oedd y tipyn 'awdurdod' hwnnw.

Yn Salm 46, down at y rhai sy'n tra-awdurdodi ar y ddaear
hon, nes iddynt hwythau yn eu tro gwrdd â'r Awdurdod
Mawr ei hunan.

Yn hwyr neu'n hwyrach, fe ddaw'r Awdurdod hwnnw i
sobri ymffrost pawb ohonom ninnau, gan ddryllio'r bwa,
torri'r waywffon a llosgi'n cerbydau â thân.

GORFFENNAF 22

Canys fel y mae y nefoedd yn uwch na'r ddaear,
felly uwch yw fy ffyrdd i na'ch ffyrdd chwi,
a'm meddyliau i na'ch meddyliau chwi.
(ESEIA 55:9)

YN EI FYNYDDOEDD a'i goed a'i gaeau, roedd yn hynod debyg i Gymru, ar wahân i'r pâr bustych gwynion hynny oedd yn tynnu'r wagen wair hyd faes y cynhaeaf. Ar y pnawn poethlosg hwnnw o Orffennaf, cofiaf holi ynof fy hunan pam fod tomen uchel o flociau coed gyferbyn â phob tŷ, ac ymhen misoedd wedyn gwelais ar y teledu fod Iwgoslafia'n cael ei siâr o eira.

Wrth ymadael, roeddem ym maes awyr Pula. Wfft i'r lle! Roedd swyddogion milwrol yn ymwáu o'n cwmpas, yn craffu'n hir ar bob pasbort ac yn chwilota trwy fagiau. Toc, cawsom ein tywys trwy ddrws gwydr a glowyd ar ein holau. Oedd yno goffi? Na! Un twrist yn gofyn a gâi fynd yn ôl trwy'r drws i'r caffi. Na! Anelais innau gamera trwy'r ffenestr am lun o'r maes awyr . . . pwniad nerfus gan gyd-deithiwr (diolch byth) am nad oedd hawl i ddefnyddio camera yno. Ias negyddol yn awyr y lle, ac awdurdodaeth anghysurus yn gwasgu ar bawb.

Cyn bo hir, wedi cyrraedd yr awyren fe'n codwyd yn uwch ac yn uwch . . . minnau'n edrych i lawr ar Pula am y tro olaf, a'r lle'n mynd yn llai ac yn llai nes diflannu'n llwyr o'r golwg. Tynnais fy nodlyfr allan a sgrifennu: mor amhwysig yw popeth daear wrth esgyn.

GORFFENNAF 23

Dygwch feichiau eich gilydd…
(GALATIAID 6:2)

WRTH FYW ar y ddaear hon, daw rhai pethau i'n rhan y mae'n ddyletswydd arnom eu cyflawni, fel ymddwyn yn weddus, parchu'r hen, talu dyledion, a bod yn onest. Ond y mae'r Efengyl yn ein gyrru dros derfynau byd dyletswydd i feysydd caredigrwydd, cymwynasau a ffafrau. 'Ac os bydd rhywun yn dy orfodi i'w ddanfon am un filltir, dos gydag ef ddwy,' medd yr Iesu ym Mathew 5:41.

Yn nyddiau'r Ymerodraeth Rufeinig, roedd hawl gan swyddog ym myddin y Lleng alw ar ddyn i gludo'i bwn am un filltir, ac ni feiddiai hwnnw'i nacáu. Ond ar ôl cerdded at y garreg filltir gyntaf, gallai'r cludydd ddadlwytho'i bac a cherdded ymlaen yn ysgafn-ysgwydd. Ni allai neb ddweud gair yn erbyn hynny; yn ôl rheolau Rhufain, wrth gludo'r baich fel y gwnaeth, roedd y dinesydd wedi cyflawni'i ddyletswydd i'r eithaf.

Ond meddai'r Meistr: 'A phwy bynnag a'th gymhello un filltir, dos gydag ef ddwy.' Y cyfan a gyflawnwyd ar y filltir gyntaf oedd dyletswydd. Am yr ail filltir – dyna pryd mae dyn yn gwneud ffafr â'r teithiwr, trwy droi dyletswydd yn gymwynas. A'r ffafr honno sy'n cario'r baich mewn gwirionedd.

GORFFENNAF *24*

Y mae haearn yn hogi haearn,
ac y mae dyn yn hogi meddwl ei gyfaill.
(DIARHEBION 27:17)

WRTHI'N TACLUSO'I beiriant ar ôl bod yn twtian y lawnt yr oedd fy nghyfaill pan ofynnodd am fenthyg erfyn i grafu'r manwellt gwyrdd oedd wedi'i chwipio'n swp o gwmpas y llafn. Estynnais iddo hen driwel a gefais ar ôl fy nhad, ac a gafodd yntau gan ei daid. Er bod ei blaen wedi gwisgo allan o fod, a chanrif o driwelu graean a sment wedi treulio un ochr iddi, eto i gyd roedd ei metel yn dal i dincian.

Syllodd fy nghyfaill yn ystyrgar ar yr hen driwel dreuliedig, ac meddai toc: 'Wrth eu gwaith y mae arfau'n torri, yntê?' Sylw praff, a ddylai fod ymysg ein diarhebion fel cenedl.

Cofiais wedyn am Defi Lloyd yr Hengaer yn ledio emyn Elfed, a'i bwyslais wrth ei adrodd yn ategu'r gosodiad uchod:

Mae gweithwyr gorau'r ne'
Yn marw *yn eu gwaith*...

Os yw'n wir dweud mai 'wrth eu gwaith y mae arfau'n torri', onid yw hi'r un mor wir mai wrth eu gwaith y mae arfau'n *gloywi* hefyd?

GORFFENNAF 25

Ond efe a archollwyd am ein camweddau ni...
(ESEIA 53:5)

ROEDD AMBELL un wedi amau nad oedd y gweinidog yn ei hwyliau arferol, ond ni wyddai neb beth oedd o'i le. Y ffaith oedd ei fod mewn pryder ers rhai misoedd am fod ei fab wedi rhyw fynd ar gyfeiliorn.

Un bore, aeth y gweinidog ar y trên i Lundain, ac wedi diwrnod a noson o gerdded hofelau a heolydd, gwelodd ei fab ar gornel stryd yn gwerthu matsys fel cardotyn.

Pan ddaeth y gweinidog adre'n ôl, mentrodd un o'i gyfeillion agos ofyn ym mhle y bu'n cadw cwrdd pregethu.

'Fûm i ddim mewn cwrdd o gwbl,' atebodd. 'Ond mi fûm i'n pregethu hefyd – pregethu'n ddistaw.' Yna, o sylwi ar y dryswch yn wyneb ei gyfaill, sibrydodd yn ei glust, 'Helynt y plant!'

Gwyddai Un arall beth oedd baich pryder, ar Galfaria. A phe gofynnid pam yr aeth yno o gwbl, mae'n bosibl mai tebyg fyddai ei ateb yntau: 'Helynt y plant!'

> Ac yn dy ochain dwys a'th ddrylliog lef
> Yn galw'r afradloniaid tua thref.

Yn y dydd hwnnw bydd pump o ddinasoedd
yr Aifft yn siarad iaith Canaan...
(ESEIA 19:18)

MATER DYRYS yw cyfieithu. Rai blynyddoedd yn ôl,
anfonodd W. Rhys Nicholas ei drosiad Saesneg o 'Eifionydd'
Williams Parry ataf. Wele'r agoriad:

> Far from the sight of Progress
>   Which leaves our country marred,
> We find 'twixt sea and mountain
>   A place that is not scarred,
> Except where ploughmen at their toil
> Have ripped sweet Springtime from the soil.

A'r pennill olaf:

> What joy I find on reaching
>   This quiet haven now,
> From my industrial valley
>   And the sad world I know,
> To tread its peace right to the end
> Alone, or with a dearest friend.

Er i'm cyfaill o emynydd mewn llythyr ataf f'anrhydeddu â'i
drosiad, pleser i minnau yw rhannu'r fraint â'r sawl sy'n
darllen hyn o lyfr. Fel y tad afradlon hwnnw: 'A rhannodd
yntau ei eiddo rhyngddynt' (Luc 15:12).

GORFFENNAF *27*

Ond ysbryd yr Arglwydd a giliodd oddi wrth Saul...
(1 SAMUEL 16:14)

TYBIAF FOD o leiaf dair ffactor ar waith mewn oedfa bregethu.

Yn gyntaf, dibynna llawer ar y pregethwr ei hunan: ar ei iechyd, ei dymer, ei neges, ei hwyl a'i ymroddiad. Yn ogystal â hynny, dibynna tipyn ar y gynulleidfa: sut hwyl sydd ar honno, sut y bydd yn gwrando a sut y mae'n ymateb. Ond yn bennaf o ddigon, mae'n dibynnu ar yr Ysbryd. A fyn ef i'r fendith ddod i lawr? A fyn ef rewi'r gweithrediadau?

Soniodd Tegla Davies wrthyf amdano ef a'i gyfaill yn pregethu mewn gŵyl. Am ryw reswm teimlai fod pethau'n bur galed arno wrth iddo geisio traethu. 'Ni ddoi – ac ni ddaeth arddeliad imi o unrhyw gyfeiriad,' meddai. 'A fedrwn i wneud dim ar adeg felly ond ildio.'

Disgrifiodd wedyn sut y dilynodd ei ffrind dawnus i'r pulpud. Yn wir, ymddangosai fod oedfa yr un mor galed yn ei aros yntau hefyd.

'Eto, dygnu arni wnaeth fy nghyfaill,' meddai Tegla. 'Bu wrthi'n chwifio'i freichiau, yn bloeddio, yn trio codi hwyl, a'i thiwnio hi. Nid oedd ots beth a wnâi, ddoi pethau ddim o gwbwl. Serch hynny i gyd, doedd y cennad ddim am ildio, a bu wrthi'n bytheirio am dri chwarter awr. A'r cyfan yn ofer.'

Roedd dedfryd derfynol Tegla yn ysigol: 'Y drwg oedd bod fy nghyfaill yn gwrthod yn lân â chymryd ei gweir!'

Tyrd, rho gerydd im, neu gariad,
'R un a fynnych Di dy Hun...

... y mae efe yn galw ei ddefaid ei hun erbyn eu henw,
ac yn eu harwain hwy allan.
(IOAN 10:3)

PNAWN EIRIASBOETH o Orffennaf oedd hi, a ninnau ar ein
taith tua dinas Varna ym Mwlgaria. Wrth oedi mewn llecyn
gwledig, ymddangosodd gŵr dros ymyl bryncyn ar ein
pwys, ei wyneb a'i freichiau'n drwm felyn gan haul. Wrth
iddo gerdded gan bwyll ar hyd y llwybr troellog, cyn pen
dim fe'i dilynwyd gan ddafad ... yna dafad arall ac un arall
wedyn. Erbyn y diwedd, roedd rhes hir o ddefaid yn ei
ganlyn yn ufudd bwyllog, a heb un cyffro yn y byd.

Gyrru defaid y byddwn ni. *Arwain* defaid yw dull
Bwlgaria. Dyna'r unig dro yn fy mywyd imi weld â'm llygaid
fy hun y bugail dwyreiniol wrth ei waith. Hwnnw hefyd
oedd y pnawn y deliais ar lawn ystyr geiriau'r Bugail Da:

'... ac yn eu harwain hwy allan. Ac wedi iddo yrru allan ei
ddefaid ei hun, y mae efe yn myned o'u blaen hwy: a'r defaid
sydd yn ei ganlyn ef, oblegid y maent yn adnabod ei lais ef.'

Ganrifoedd cyn Iesu, roedd Eseia wedi gweithio ar yr un
ddelwedd:

> Fel bugail y portha efe ei braidd;
> â'i fraich y casgl ei ŵyn, ac a'u
> dwg yn ei fynwes,
> ac a goledda y mamogiaid.
> (Eseia 40:11)

Dyma fi yn eich anfon allan fel defaid i blith bleiddiaid...
(MATHEW 10:16)

AR UN WEDD, gellir dadlau mai byd y blaidd yw'r byd hwn. Mae'n ffaith ddiymwad fod ganddo libart sy'n anferthol dros wyneb y ddaear; fe'i ceir yn Alaska, Canada, America, Asia a Dwyrain Ewrop. O bob creadur pedwartroed sy'n bod, tybir mai'r blaidd yw'r heliwr mwyaf effeithiol. Rhaid cydnabod fod anifeiliaid cryfach a chyflymach nag ef, ond y blaidd yw'r dinistriwr mwyaf, a'i gyfrwystra, medd rhai, yn 'oruwchnaturiol'.

Roedd elfen o ofnadwyaeth yn rhybudd y Crist: ei fod yn gollwng ei ddisgyblion i fyd a allai eu rhwygo'n llyfrïau, a hynny am eu bod fel defaid yng nghanol bleiddiaid. Nid oes gan y ddafad nerth y blaidd na'i gyfrwystra. Mae gan yr antelop gorn i drywanu, a'r ceffyl garnau i gicio, ond am y ddafad, does ganddi hi, druan, na chorn na charn gwerth sôn amdanyn nhw.

Beth, felly, a all hi ei wneud yn erbyn y blaidd? Erys hyn yn fymryn o gysur: fod yna un anifail y mae ar y blaidd, hyd yn oed, ei ofn. A'r anifail hwnnw yw dyn. Nid oes ar y blaidd ofn y ddafad, ond y mae arno ofn ei bugail hi.

Dyna pam y dylai'r ddafad (fel yr Eglwys) beidio â chrwydro'n rhy bell oddi wrth ei Bugail.

GORFFENNAF *30*

... canys ni thramwyasoch y ffordd hon o'r blaen.
(JOSUA 3:4)

DYFALAI PERCHENNOG y llain yn ochrau Llanberis na fyddai llawer o fusnes ar ei faes parcio'r diwrnod hwnnw. O hir brofiad, gwyddai'n dda am gastiau'r tywydd; sylwai fod yr haul a fu'n tywynnu'n rhy lachar ben bore eisoes yn pylu, a'r caddug yn dechrau gordoi Eryri fawr.

Toc, fe'i cyfarchwyd gan deithiwr oedd yn anelu at lwybr y mynydd; esgidiau trymion am ei draed a phecyn nobl wedi'i strapio dros ei ysgwyddau.

'Sawl milltir sydd o'r fan yma i gopa'r Wyddfa?' gofynnodd.

'Pedair a hanner, o leia,' atebodd y brodor. 'Ond faswn i ddim yn ei mentro hi heddiw. Mi ddaw'r niwl i lawr cyn canol dydd.'

'Twt! Mae gen i fap – un eithriadol o fanwl hefyd,' meddai'r teithiwr gan ei dynnu allan o boced ei anorac. Agorodd ei blygion er mwyn pwyntio at leoliad llwybrau, llethrau a llynnoedd. 'Hwn ydi'r map diweddara un,' ychwanegodd gyda balchder. 'Mae pob eitem bosib yn hwn.'

'Ar wahân i'r niwl,' meddai'r Cymro.

GORFFENNAF *31*

Dechrau efengyl Iesu Grist, Fab Duw...
(MARC 1:1)

GOSODIAD CHWITHIG yw hwnnw i'r Iesu gael ei eni yn y flwyddyn 4 Cyn Crist. Os gwir hynny, digwyddodd Oed Crist 2000 ym 1996.

Bernir mai'r rhai cyntaf i weithio allan batrwm Amser oedd yr Eifftiaid. Eu llinyn mesur hwy oedd afon Nîl yn llifo'n gyson a chynhyrchiol trwy'r tymhorau; canfuwyd yn y man fod y tymhorau hynny'n cyfateb, fwy neu lai, i'r 'flwyddyn' sydd ar ein calendr ni heddiw.

Yng nghwrs yr oesoedd, rhoes mathemategwyr ac astronomyddion eu llinyn mesur ar Amser ... rhai fel Euclid, Archimedes, Pythagoras, Aristoteles, ac ymlaen at lewion fel Roger Bacon, Copernicus, a Galileo, gan gofio y bu swm helaeth o groesdynnu.

Efallai mai Iwl Cesar a hawliodd y llawryf. Onid enwyd Gorffennaf (July) ar ei ôl, 'Julius'? Awst, wedyn, ar ôl Augustus. (A'r *septem, octo, novem, decem* – saith, wyth, naw, deg – yn atgof mai deng mis oedd mewn blwyddyn ar un adeg.)

Wedi holl sbloet y Milflwyddiant, cofier mai'r Crist piau'r dathliad hwnnw. 'Myfi yw Alffa ac Omega,' meddai'r Ysbryd (Datguddiad 1:8), 'y dechrau a'r diwedd.' Hynny yw: 'Roeddwn i yma o'ch blaen chi i gyd, ac mi fydda i yma ar eich olau chi, bawb.'

AWST *1*

Y cyfiawn a fydd ofalus am fywyd ei anifail...
(DIARHEBION 12:10)

GWEDDI'R CEFFYL. Pwy bynnag yw'r awdur, roedd ganddo'r galon diriona'n fyw.

I ti, fy Meistr, yr offrymaf fy ngweddi:

Portha fi, dyfria fi, gofala amdanaf, a phan ddaw fy niwrnod gwaith i ben, rho gysgod i mi mewn gwely glân, sych, a stôl ddigon llydan imi orwedd yn gysurus ynddi.

Paid â phlycio'r awenau, a phaid â'm chwipio ar y rhiw.

Paid fyth â'm taro, na'm curo pan fyddaf yn methu â gwybod beth a geisi, ond rho gyfle i mi dy ddeall. Astudia fi os byddaf yn methu ymateb i'th gais; edrych a oes rhywbeth o'i le ar fy harnais neu ar fy ngharnau.

Paid â chlymu fy mhen mewn camystum, na dwyn oddi arnaf fy mhrif amddiffyn trwy dorri fy nghynffon. Ni allaf ddweud wrthyt pan fydd syched arnaf, felly rho imi ddŵr oer, glân, yn aml. Dyro imi bob cysgod posibl rhag haul poeth. A thaena wrthban drosof, nid wrth imi weithio, ond pan fyddaf yn sefyll mewn oerni.

Ac yn olaf, fy Meistr, pan dderfydd fy nerth, paid â'm troi allan i newynu, na'm gwerthu i berchennog creulon.

Paid â'm hystyried yn amharchus os gofynnaf hyn yn enw'r Hwn a aned mewn stabl, AMEN.

AWST 2

Gwyn eu byd y rhai trugarog...
(Mathew 5:7)

FE'I GWELAF ETO ar bnawn cynhaeaf melys ar gae Tŷ Lôn; mae'n sefyll yno rhwng llorpiau'r drol; mae'n ysgwyd ei ben ac yn chwipio'i gynffon wrth i bryfed y gwres ddod i'w boeni. Cerdda'r gwybed ei gorff dan gosi'n haid o gylch ei lygaid mawr, ac ambell un yn ei bigo nes peri cryndod yn ei gyhyrau.

Cofiaf gael fy nghludo trwy strydoedd Pisa gan Innocenti yn ei gerbyd trap. (Trefnwyd hynny'n unswydd ar gyfer darlunio'r siwrnai a wnaeth O.M. Edwards, ganrif o'm blaen.) Pan ddaeth yn amser i'r trap aros er mwyn i'r camera anelu'n agos at yr hen gerbyd dwy olwyn, daeth ei berchennog i lawr o'i sedd i anwesu'i geffyl, Bonizio. Yna, aeth ati'n ofalus i daenu gorchudd cynnes dros gorff ei anifail rhag iddo oeri wrth sefyll yn ias fain diwedd Ebrill.

'Yn gymaint â'i wneuthur ohonoch i un o'r rhai hyn fy mrodyr lleiaf, i mi y gwnaethoch' (Mathew 25:40).

AWST *3*

Dyro drachefn i mi orfoledd dy iachawdwriaeth...
(SALM 51:12)

OS DAETH 'seiat' o'r Saesneg *society*, blagurodd 'cyfeillach' o'r gair 'cyfaill', a'i gwna'n llawer mwy cynhesol. O'r herwydd, gellir cyfeillachu â sawl peth – llyfrau, er enghraifft. Mae cannoedd ohonyn nhw ar y silffoedd, fel rhes o hen gyfeillion oes; a'r siawns yw y bydd yn rhaid ailddarllen rhai ohonyn nhw, a hynny'n llythrennol er mwyn profi'r hen gyfeillach unwaith yn rhagor.

Gellir cyfeillachu hefyd â phlant natur. Os yw rhai yn sgwrsio â'u blodau mewn tŷ gwydr, addefaf fy mod innau bob Ionawr yn croesawu'r eirlysiau yn llafar pan ddôn nhw trwy'r pridd wrth y drws cefn.

Ond nid yw hynny i'w gymharu â'r gyfeillach gyda chŵn. Mae ynof wendid anfeddyginiaethol tuag at gi. (Gyda llaw, mae'r galar o golli ci yn gwanu'n wahanol i bob galar arall y gwn i amdano.) Erbyn hyn, daeth Pedro i'r olyniaeth, a'n dysgu sut i warchod ci ritrifar cartrefol, fel petai.

Yn ei dro, caiff pob un ohonom ei orlethu gan brysurdeb byw a bod, gan drafferthion, gan ddihidrwydd neu gan henaint, nes peri i'r cyfeillachu gynt farweiddio'n arw. Beth bynnag oedd hanes ei grwydro ar y pryd, fe brofodd Pantycelyn wacter 'anial garw', a phenderfynodd drefnu aduniad personol â'i Arglwydd:

> I gael profi'r *hen* gymdeithas
> Gynt fu rhyngof a Thydi.

AWST *4*

... dy holl donnau a'th lifeiriant a aethant drosof fi...
(SALM 42:7)

LED CAE o'n cartref ni y mae ffermdy Ynys Heli. Yno y bu tad Eifion Wyn yn byw, ac er nad oedd awdur telynegion y 'Misoedd' yn hoff o grwydro i bellteroedd, byddai'n tynnu'n aml i Ros-lan gan alw yng nghartre'i hynafiaid. Oedai wedyn i bysgota ar lan afon Dwyfor ger Melin Rhydybenllig.

Pan ddaethom ni i fyw ar bwys Ynys Heli, ein cymdogion oedd Richard Williams a'i briod. O bob alaeth, bu farw gwraig Richard yn enbyd o sydyn, ac i geisio lliniaru peth ar ei ddolur, byddwn yn picio ato am sgwrs ar draws y cae.

Un bore, roedd Richard yn ymrafael â gwedd newydd a gafodd ar ei brofedigaeth: 'Sôn am garedigrwydd!' meddai wrthyf. 'Mae'r cymdogion yma y tu hwnt o ffeind. A fedra i yn fy myw ddallt pam, fachgan. Wyddwn i 'rioed o'r blaen fod gen i gymaint o ffrindia. A dwn i ddim be i feddwl ynghylch eu holl gymwynasa nhw. Mi faswn i'n gwbod be i neud efo 'ngelynion. Ond am y ffrindia 'ma ... a deud y gwir wrthat ti, maen nhw mor ffeind nes eu bod nhw wedi fy llorio i'n lân.'

Petai Eifion Wyn ar gael yn y 'dyddiau dwys' hynny, tybed a fyddai wedi dyfynnu o'r gerdd a luniodd i diriondeb 'Gobaith'? Sôn yr oedd y bardd fod Gobaith mor brysur yn codi calon teulu'r ddaear hon fel na faliai ddim oll am Nefoedd iddo'i hunan:

> Ni ddaw ymhellach na phorth y Nef –
> Gweini'n y byd yw ei nefoedd ef.

AWST 5

CWCH AGORED, saith llath o hyd, llai na dwylath o led. Nid oedd arno na pheiriant na hwyl, am fod Chay Blyth a John Ridgway wedi penderfynu'i *rwyfo* yr holl ffordd o America i Brydain. Ar ôl deufis hir o gael eu hyrddio gan stormydd ac oerni a gwlybaniaeth, roedd y ddau ar ben eu tennyn – eu bwyd ar ddarfod, eu dŵr wedi'i lygru gan heli, a'u cyrff, o ganlyniad, yn gwanhau'n beryglus, heb neb na dim o'u cwmpas ond môr a thonnau diderfyn a didrugaredd. Ar nos Wener, 5 Awst 1966, dyma brofiad John Ridgway:

'Yn sydyn, penderfynais weddïo. Fûm i erioed yn mynychu eglwys yn gyson, ac yn fy marn i, rhywbeth hwylus i dynnu dyn o'i argyfwng oedd gweddi ... Y noson honno, adroddais fy ngweddïau am hydoedd dan wasgu fy mysedd chwyddedig yn sythion yn ôl y patrwm a ddysgwyd i mi'n blentyn ... ac fe deimlais gymundeb â Duw nad oeddwn erioed wedi'i brofi o'r blaen.

'Ar ôl gorffen, gwthiais fy mhen allan o dan y tarpwlin ac edrych i fyny tua'r cymylau. O'r foment honno, roeddwn yn bendant ein bod ni'n cael ein gwarchod, ac y dôi llong atom ni gydag ymborth cyn i'r mymryn oedd yn weddill ddarfod.'

Pan welwyd hwy gan y tancer *Haustellum*, cawsant stôr o fwyd a diod, ac ar ben tair wythnos arall, daeth y cwch bach i dir yn Inishmore, Iwerddon, wedi rhwyfo tair mil a hanner o filltiroedd. Dyfarniad y ddau oedd i'w rhyfyg eu gwneud yn gallach a gwyleiddiach dynion.

... ni chyfyd cenedl gleddyf yn erbyn cenedl,
ac ni ddysgant ryfel mwyach.
(ESEIA 2:4)

MAE'R BRIFWYL wedi bod yn fodd i gyfoethogi diwylliant y Cymry sawl tro. Ystyrier awdlau fel 'Ymadawiad Arthur' T. Gwynn Jones, 'Yr Haf' R. Williams Parry, 'Cynhaeaf' Dic Jones, heb anghofio rhyddiaith *Cyn Oeri'r Gwaed* Islwyn Ffowc Elis. Er mor fentrus yw dechrau enwi fel hyn, mae'n anodd peidio â nodi'r ŵyl yng Nghaernarfon yn 1921 pan enillodd Cynan y goron am ei bryddest 'Mab y Bwthyn' – a Dyfed yn Archdderwydd, gyda llaw.

Gellir dadlau i honno gydio yn nychymyg y genedl fel na wnaeth yr un bryddest arall na chynt na chwedyn. Â'i ddawn eithriadol o lithrig, disgrifia Cynan drallodion llanc o'r wlad yng nghwrs y Rhyfel Mawr Cyntaf, gan nyddu llinellau mor rhwydd ag anadlu. Am i helbulon 'Mab y Bwthyn' fod yn brofiad i filoedd, bu dysgu ac adrodd brwd ar fyfyrion fel a ganlyn:

> O wynfa goll! O wynfa goll!
> Ai dim ond breuddwyd oeddit oll? ...

> Gan Dduw na chawn i heddiw'r hedd
> A brofai'r 'hogyn gyrru'r wedd'!

Ond y mae'r 'hogyn' hwnnw'n ein cysuro ninnau â'r emyn:

> Ffordd newydd wnaed gan Iesu Grist
> I basio heibio uffern drist.

... craig fy nghadernid, a'm noddfa, sydd yn Nuw.
(Salm 62:7)

Ac eithrio 1914 ac 1940 (o achos rhyfel), ar ôl Eisteddfod Merthyr Tudful yn 1881 mae'r Eisteddfod Genedlaethol wedi'i chynnal yn flynyddol hyd heddiw. Yn 1937, cytunodd Cymdeithas yr Eisteddfod Genedlaethol a Gorsedd Beirdd Ynys Prydain i greu Cyngor a fyddai'n asio'r ddau sefydliad. Yn 1952, pennwyd ar Lys fel corff llywodraethol i'r cyfan. Y flwyddyn honno hefyd, mynnwyd mai iaith swyddogol yr ŵyl fyddai'r Gymraeg yn unig.

A chryn gan mil a hanner yn ymweld â'r ŵyl, ar wahân i'r cystadlu a'r cyngherddau a ddigwydd yn y pafiliwn, bydd tyrru cyson o gwmpas stondinau'r maes sy'n noddi sawl math o gwmnïau masnach a sefydliadau amrywiol y genedl. Ar ben hynny oll, trefnir pebyll ar gyfer celfyddydau gwahanol, heb anghofio llwyfan y beirdd a'r darlithwyr, a theatr i'r actorion.

A'r pafiliwn dan sang ei bum mil ffyddlon pan ddigwydd coroni a chadeirio buddugwyr, bydd y derwydd yn canu 'Gweddi'r Orsedd' fesul llinell, a'r gorseddogion, ynghyd â'r dyrfa, yn eilio'r gân ar fiwsig W.S. Gwynn Williams, Llangollen:

> Dyro, Dduw, dy nawdd, ac yn nawdd, nerth,
> ac yn nerth deall, ac yn neall, gwybod,
> ac yng ngwybod, gwybod y cyfiawn,
> ac yng ngwybod y cyfiawn, ei garu,
> ac o garu, caru pob hanfod,
> ac ym mhob hanfod, caru Duw,
> Duw a phob daioni.

AWST *8*

A Moses a esgynnodd o rosydd Moab, i fynydd Nebo...
(DEUTERONOMIUM 34:1)

ROEDD CYFFRO arbennig o gwmpas pryddest fuddugol Eisteddfod Genedlaethol Bangor 1943, am mai un o fyfyrwyr y Coleg ar y Bryn cyfagos a enillodd y goron, sef Dafydd Owen, Dinbych. Y beirniaid oedd Wil Ifan, G.J. Williams – a W.J. Gruffydd, ond ni chyrhaeddodd ei feirniadaeth ef mewn pryd i'w chynnwys gyda'r *Cyfansoddiadau.*

Y testun a ddewisodd Dafydd oedd 'Rhosydd Moab', a daethom ni fel cyd-fyfyrwyr yn bur gyfarwydd â phryddest ein cyfaill, gan ddyfynnu'n lled helaeth o'i waith yn y cyfnod hwnnw:

> Mae yna heno eto,
>   Er mynd o'r haul i lawr,
> Yn palu wrtho'i hunan
>   Yn y distawrwydd mawr.

Myfyrdod gŵr ifanc yn marw yw'r bryddest, un a gurodd yn ofer wrth ddrws serch. Mae yma adlais amlwg o guro a wneir gan un arall – y 'Rhi', yr 'Arglwydd': 'Wele, yr wyf yn sefyll wrth y drws ac yn curo.' Camp y bardd yw peri inni ystyried *pwy* sy'n dioddef os nad agorir y drws.

> Uwch y lleng nad agorodd
>   Os wylodd Rhi,
> Pa ryfedd. Un cau a dorrodd
>   Fy nghalon i.

Y gân fydd gennych
megis y noswaith y sancteiddier uchel ŵyl...
(ESEIA 30:29)

Trawsfynydd, tros ei feini – trafaeliaist
†Trwy foelydd Eryri;
Troedio wnest ei rhedyn hi,
Hunaist ymhell ohoni.

DYFYNIAD, WRTH GWRS, o un o englynion coffa R. Williams
Parry i Hedd Wyn. Yn dilyn hynny, mae Harri Edwards,
cyfaill Eifion Wyn, yn cyfeirio at yr englyn uchod fel a
ganlyn: 'Efallai mai arnaf fi y mae'r bai, ond methaf yn lân â
dirwyn dim synnwyr allan ohono.'

Byddai Thomas Parry, cefnder y prifardd, yn hoff o sylwi
sut y mae'r esgyll yn cyfleu llesgedd yn englyn Robert ap
Gwilym Ddu:

Mae 'mlinion, hwyrion oriau,
A'm nos hir yn ymnesáu.

Daeth y Brifwyl, hithau, â sawl trawiad celfydd, fel 'Y
Gorwel', gan Dewi Emrys:

Hen derfyn nad yw'n darfod.

I gloi'r diwrnod, wele gysur gan Ioan Madog:

Pob cur a dolur drwy'r daith – a wellheir
Yn llaw'r meddyg perffaith;
Gwaed y groes a gwyd y graith
Na welir moni eilwaith.

---

† 'Trwy' nid 'Ar' a geir ar dud. 247 o'r gyfrol *Eifion Wyn* (Peredur Williams,
1980).

AWST *10*

… canys y mae efe yn peri i'w haul godi ar y drwg a'r da...
(Mathew 5:45)

Y CAR yn ffrwtian cyn stopio ar fin y ffordd. Moto-beic-a-seidcar melyn yn arafu o'm blaen. Y swyddog yn tywallt galwyn o betrol i'r car, a'm cael yn aelod o'r AA. Teg yw cydnabod imi dderbyn llawer o gymorth gan y gymdeithas foduro honno, yn fapiau, yn llyfrau ac yn sawl cyfarwyddyd pwysig.

Mor werthfawr yw arwyddion yr AA sy'n pwyntio at ffordd *arall*, am fod llifogydd wedi cau'r un arferol. Yr un mor werthfawr yw'r arwyddion a geir o gylch eisteddfod neu sioe, yn dynodi cyfeiriad y fynedfa, meysydd parcio a phethau tynghedol o'r fath.

Wrth ganmol yr aelodau ffyddlon sy'n gwario i gadw'r AA ar fynd, y gwir yw fod carfan helaeth o bobl (y rhan fwyaf ohonom, bid siŵr) heb fod yn perthyn i'r gymdeithas o gwbl, nac yn cyfrannu dimai goch tuag ati. Yr hyn sy'n ffaith, fodd bynnag, yw bod y bobl hynny *hefyd* yn elwa ar arwyddion a chyfarwyddyd yr AA.

Byd cymysg felly yw hwn, ac ni waeth heb â sych-resynu at anwastadrwydd ei gloriannau. Mae peth tebyg wedi digwydd yn gyson i Eglwys Crist, gyda'r bobl fwyaf annisgwyl yn troi heibio i geisio'i gwasanaeth. A rhyw wenu'n ddi-edliw a wna'r Bendithiwr Mawr bob tro: 'Deuwch ataf fi, *bawb*...'

AWST *11*

... gwnei i derfyn bore a hwyr lawenychu.
(Salm 65:8)

Nid oes a wnelo'r Eisteddfod Genedlaethol ddim oll â'r peth
fel y cyfryw, dim ond y bydd yn digwydd yn flynyddol o
gwmpas diwedd wythnos y Brifwyl.

Wedi dyddiau o wylio prysurdebau'r ŵyl, a hynny gan
amlaf yn wyneb haul a llygad goleuni, yn eu tro daw eitemau
ola'r dydd trwy wydrau'r camera. Ar ôl diwrnod claer o
edrych ar firi'r pafiliwn a'r pebyll – yn y fan hyn, cwmni o
ffrindiau'n gorweddion ar y glaswellt, yn y fan draw, mintai
o brotestwyr yn lleisio safiad dros (neu yn erbyn) rhyw
egwyddor losg – rywbryd rhwng saith ac wyth y nos,
amheuir bod awgrym o lesgáu yng ngoleuni'r diwrnod. Er
nad yw ond Awst y flwyddyn, y ffaith yw ei bod yn dechrau
tywyllu. Ac yn wir, cyn pen awr arall, bydd llenni'r nos yn
ymdaenu dros yr ardal. A phan ddêl Medi, bydd y dyddiau
hir yn eglur dynnu atyn', wedi hen flino, fel y disgrifiodd
Eifion Wyn fis ei serch:

> Pan fo'r cnau'n melynu'r cyll,
> Pan fo'n hwyr gan ddyddiau nosi...

Neu weddi hwyrol Elfed:

> Cyn i'r caddug gau amdanom,
> Taena d'adain dyner drosom –
> Gyda Thi tawelwch sydd;
> Yn dy gariad mae ymgeledd,
> Yn dy fynwes mae tangnefedd,
> Wedi holl flinderau'r dydd.

AWST *12*

... yn gwerthu'r hyn oll a fedd, ac yn prynu'r maes hwnnw.
(MATHEW 13:44)

PA RYFEDD i Catrin Menna ennill ar adrodd bum gwaith yn
y Genedlaethol, a'i thad, Evie Lloyd, wedi rhoi oes dda i'r
'pethe'! Bu'n dilyn eisteddfodau, bach a mawr, o'i febyd, gan
frwydro'n lew am ysgol Gymraeg yn ardal Gorseinon, a
llafurio'n ddiarbed dros y Brifwyl yn Nyffryn Lliw, ac
Abertawe ar ôl hynny.

Wedi diwrnod trafferthus ynglŷn â'i fasnach ar draws
ardaloedd Gwynedd, daeth i dreulio noson ar ein haelwyd ni.
Pan gyfeiriais at ei flinder o'i weld yn ymollwng yn swp i'r
gadair, ei ymateb oedd dyfynnu Morgan Rhys: ' "Colofnau'r
tŷ ddatodir", bachan!' Ac felly y gwasgarai Evie ei berlau ar
bwys y tân, fel y sylw treiddgar hwnnw: 'When you're green,
you grow, when you're ripe you rot!'

Ar un ymweliad, daeth ag anrheg o record i'm gwraig a
minnau, oedd yn cynnwys cân a hoffem yn wirioneddol.
'Wel, Evie bach,' meddwn, 'i be'r oeddet ti'n gwario d'arian
ar record *hir* – er mwyn *un* gân fach?' Roedd ganddo ateb
parod:

'Gofi di bregeth M.P. Morgan, boi? Am y dyn hwnnw
oedd wedi deall fod trysor yn y cae yn rhywle ... a'r hyn a
wnaeth e oedd *prynu'r maes i gyd.* Hidia befo'r caneuon eraill
ar y record – mae'ch cân fach chi'ch dau arni yn rhywle.
"Prynwch y maes", meddai M.P. Morgan!'

AWST *13*

... oni chaiff dyn ei eni o'r newydd ni all weld teyrnas Dduw.
(IOAN 3:3)

BU AMSER yr oedd gan bob tref a phentref eu Cymdeithas Ddiwylliadol. Mewn cyfarfodydd o'r fath, ceid trin a thrafod ar y pethau a fyddai'n dyrchafu'r trigolion trwy lyfrau ac addysg, cerddoriaeth a chrefft; pob rhyw faes a allai ehangu meddwl y cynulliad, a'i ddiwyllio. Ond beth yw diwylliant?

Cofiaf Syr Ifor Williams yn egluro mai calon y gair yw 'gwyllt'. Disgrifiodd ardd oedd wedi'i hesgeuluso mor eithafol fel mai prin y gellid cerdded i mewn iddi, nes i weithiwr fwrw ati i lifio'r canghennau a chrymanu'r drain, palu'r pridd a chribinio'r lle yn lân. Yna, hau a phlannu o'r newydd nes i'r llecyn droi'n baradwys o brydferthwch. A'r hyn a wnaed yn syml, meddai'r Athro, oedd tynnu'r gwyllt allan o'r ardd. Sef, ei 'di-wylltio'. A dyna ystyr 'diwylliant' lle bynnag y'i ceir.

Pan dynnir y 'gwyllt' allan o ddyn, daw yn greadur 'diwylliedig'. Serch hynny oll, gall gwreiddiau'r hen wyllt fod yn bur ddwfn ynom fel dynoliaeth. Yn wir, y mae'r gwyllt hwnnw ynom yn gynnar iawn, iawn yn ein hoes. Pwysai un fam ar ei bachgen i ymddiheuro am iddo daro'i frawd llai. 'Does arna i ddim isio gneud,' protestiodd y bachgen. 'Mi fasa'n well gen i 'i hitio fo.'

Siŵr iawn! Roedd ateb y bychan yn hollol onest, ac yn llwyr naturiol. Nid oes un ddadl nad yw'r hen wyllt yn enbydus o ddwfn yn ein defnydd.

Tybed nad dyna oedd neges Iesu Grist i Nicodemus? Sef, bod yn rhaid chwynnu'r ardd yn lân o'i chwr, a'i phlannu i gyd o'r cychwyn unwaith yn rhagor.

AWST *14*

Dewch chwi eich hunain o'r neilltu i le unig
a gorffwyswch am dipyn.
(MARC 6:31)

MAE CYMRYD saib ar y siwrnai yn beth bywydol bwysig, ond nid yw'r meddwl am dderbyn hynny fel rheol. Tipyn o chwipiwr yw'r meddwl, ac yn ei brysurdeb chwil, bydd yn cystwyo'r corff ymlaen, costied a gostio. Ond y mae'r corff yn gallach peth, ac er gwaetha'r chwipio arno, yn hwyr neu'n hwyrach bydd yn mynnu'i fod yn cael gorffwys. O ran hynny, onid yw'n hawlio'i oriau hamdden bob dydd yr ydym yn byw? A thrwy ryfedd wyrth, fe all barlysu'r holl gyfansoddiad. Enw mwy cymedrol ar gyflwr diymadferth o'r fath yw 'cysgu'. A chysgu am gryn wyth awr bob nos – sef traean o'r diwrnod. Ystyrier hyn: am bob tair blynedd o'n hoes, rydym wedi treulio un flwyddyn gyfan yn cysgu!

Ar wahân i orffwys cwsg, y mae'n bwysig ein bod yn dysgu ymlonyddu ar ambell awr effro'n ogystal. Er bod rhuthro o le i le, a thrio bod ym mhob man ac ym mhob dim, yn ysfa ym mhawb ohonom, dylem ddal ar y fendith o arafu, a chredu mewn aros, hwnt ac yma.

Roedd y tramp W.H. Davies wedi sylwi ar y gyfaredd oedd o gwmpas y defaid a'r gwartheg wrth iddyn nhw oedi'n dawel ar y borfa heb wneud un dim oll ond sefyll a hir synnu. Felly y gwawriodd y gwir arno:

> What is this life if, full of care,
> We have no time to stand and stare.

*… yn yr ail fis … y rhwygwyd holl ffynhonnau y dyfnder
mawr, a ffenestri'r nefoedd a agorwyd. A'r glaw fu ar y
ddaear ddeugain niwrnod a deugain nos … Ac yn y seithfed
mis … y gorffwysodd yr arch ar fynyddoedd Ararat.*
(GENESIS, penodau 7 ac 8)

MYNYDD YN NWYRAIN gwlad Twrci yw Ararat, dros 16,000
o droedfeddi o uchder, ac yn ffinio ar Rwsia ac Iran. Mae'r
drydedd ran ohono'n gyson o dan eira, gyda'r canllath tua'i
gopa'n dalp solet o rew. Erbyn heddiw, myn archaeolegwyr
fod ar y mynydd olion llong, a'r awgrym yw mai honno yw
Arch Noa'r Beibl.

Yn y ganrif gyntaf OC, tystiai Josephus fod llong ar fynydd
Ararat. Ddeuddeg canrif ar ei ôl, eiliai Marco Polo, yntau,
hynny. Mewn ymgyrch gan y Tyrciaid yn haf poeth 1833, fe
welwyd blaen llong yn amlwg trwy'r rhew trwchus. Yn
ddiweddarach o dipyn, gwelodd awyrennwr o Rwsia 'long o
gryn faint' ar ysgwydd ddeheuol y mynydd. Ac yn 1955,
sylwodd dringwr o Ffrainc ar dridarn trwchus yn sownd
mewn rhew solet ar gopa Ararat.

Beth, ynteu, am y Dilyw ac Arch Noa? Dyma fenthyg
dyfarniad Llwyd o'r Bryn wrth gloriannu Diwygiad 1904:
'Do, bu rhywbeth.'

AWST *16*

Os yr Arglwydd nid adeilada y tŷ,
ofer y llafuria ei adeiladwyr wrtho...
(SALM 127:1)

DYDD MERCHER, 16 Awst 1950, am 11 y bore yng nghapel Ponterwyd, priodwyd Doris (Eisteddfa Fach) a minnau – hanner canrif yn ôl bellach. Gwnaethom ein cartref cyntaf yn Efrydfa, Dinmael (sef tŷ'r gweinidog), a Glanrafon dros y gefnen yn rhan o'r ofalaeth.

Wedi rhialtwch y neithior yng nghaffi Owens Aberystwyth, gyrrwyd tua'r gogledd am Gaergybi. Am hanner awr wedi tri y bore, hwylio ar y llong *Hibernia* tua Dun Laoghaire, ac aros rhai dyddiau yn ardal Greystones. Bryd hynny, roedd nwyddau'n brin iawn ym Mhrydain o achos cyfnod y dogni yn ystod yr Ail Ryfel Byd. Yn Iwerddon, fodd bynnag, roedd digonedd o bopeth.

Cofiaf inni dreulio diwrnod yn Nulyn, ac ar ben heol O'Connell, dyma ddringo Colofn Nelson. Codwyd y golofn enfawr honno yn 1806 yn nydd nerth yr Ymerodraeth, bid siŵr. Ond daeth tro ar fyd, pan ffrwydrwyd Nelson a'i biler yn ysgyrion i'r ddaear, fel y canodd Pedr Fardd mewn cyswllt arall:

> Yr holl freniniaethau a dreulir
> A'r ddelw falurir i lawr.

Wedi dathlu'n Priodas Aur eleni, braf oedd sylweddoli fod rhywbeth yn nefnydd teulu nad oes dreulio na malurio arno.

AWST *17*

Os yw'n bosibl, ac os yw'n dibynnu arnoch chwi,
daliwch mewn heddwch â phob dyn.
(RHUFEINIAID 12:18)

YM MATHEW 10:16, mae Iesu'n esbonio i'w ddisgyblion sut y dylent genhadu drosto ar hyd a lled y wlad. Ei siars oedd, nid iddyn nhw fod yn rheibus fel cigfran, nac yn grafangus fel eryr, nac yn drywanol fel cudyll, ond 'yn ddiniwed fel colomennod'.

Symbol o heddwch trwy'r byd yw'r golomen. Ers canrifoedd, mae'r Crynwyr wedi bod yn deyrngar i heddychiaeth felly. Yn nyddiau'r erlid, bu plas Dolobran ym Maldwyn yn noddfa i'r mudiad gwych hwnnw, a phregethodd George Fox yno ar un adeg. Yn wir, bu pendefig y plas, Charles Lloyd (sylfaenydd Banc Lloyd) yng ngharchar y Trallwng o achos ei gred. Yn nhŷ cwrdd bychan y Crynwyr ar dir y stad, gwelais yr anogaeth a ganlyn ar y mur: I MUST HAVE NO HATRED IN MY HEART.

Yn ogystal â bod yn symbol o heddwch, mae'r golomen hefyd yn arwydd o obaith. Pan foddwyd y byd yn y Dilyw, y cwestiwn tynghedol yn Arch Noa oedd tybed a welai'r llong harbwr fyth mwy. Yna, wedi i Noa ollwng colomen i hedfan dros y dyfroedd, o'r diwedd ceir adroddiad fel hyn: 'Pan ddychwelodd y golomen ato gyda'r hwyr, yr oedd yn ei phig ddeilen olewydd newydd ei thynnu; a deallodd Noa fod y dyfroedd wedi treio oddi ar y ddaear' (Genesis 8:11). O hynny ymlaen, gwyddai fod gobaith wedi gwawrio, fod blaenau'r coed eisoes yn y golwg, ac y byddai'n cyrraedd tir yn y man.

Felly hefyd ym mhob dilyw, y dylai'r Eglwys, fel y golomen, fod yn warant o heddwch ac o obaith i druan fyd.

AWST *18*

Na ddiffoddwch yr Ysbryd.
(1 Thessaloniaid 5:19)

Safai David Lyn a Trefor Selway ar lan llyn Genefa, y naill fel John Calfin, a'r llall, William Farel; y ddau wedi eu gwisgo yn nillad duon, botymog yr unfed ganrif ar bymtheg.

Wrth i'r camera droi, ac i'r ddau ddechrau sgwrs yr act honno, dyma ruthr trên yn torri ar eu traws. Wedi ailgychwyn mewn tawelwch newydd, toc daeth grwnian peiriant-torri-gwellt o'r tu cefn inni. Ar ôl disgwyl maith am ddistawrwydd, rhoed trydydd cynnig ar yr actio. Popeth yn dda y tro hwn – nes i awyren jet daranu uwch ein pennau ar gyfer glanio draw. Bu'n bnawn gwir drafferthus i'r ddau actor. Nid nad oedden nhw'n gwybod eu crefft yn drwyadl, ond bod dadwrdd peiriannau'n hoes ni yn elfen gwbl anghydnaws â chyfnod tawel Calfin a Farel.

Mewn cyswllt llwyr wahanol, cofiaf i fintai gymysg ohonom sefyll yn edmygus wrth ffermdy Pantycelyn gan 'edrych dros y bryniau pell'. Yn yr unigedd gwych hwnnw, deliais ar sŵn gwynt cyson yn gyrru trwy'r ceunant odanom. Dechreuodd hynny f'atgoffa mor fynych y cyfeiriai Williams at y 'gwynt' yn ei emynau: '... gwyntoedd oer y gogledd draw'; 'y mae'r gwynt yn troi i'r deau...'; 'Rwyf yn caru'r gwynt sy'n hedeg/Dros fy Nghanaan hyfryd wiw...'

Yna, heb na rhybudd na rheswm, dyma gyfaill at f'ysgwydd, ac yn dweud: 'Mae hi'n Ffair Gricieth dydd Llun, Robin.'

Taflu india-roc ar fwrdd Cymun!

... yn debyg i berchen tŷ sydd yn dwyn allan o'i drysorfa
bethau newydd a hen.
(MATHEW 13:52)

MAE AMBELL LECYN mewn bro sy'n gwbl ddisathr: ambell gornel o goedwig nas tramwyir, ambell lwybr nas cerddir gan neb, ac ambell lidiart blinedig nas agorir fyth. Mae'n bosibl fod hyn yn wir hefyd am lyfr emynau pob enwad a chred, lle ceir llecyn nad yw na phregethwr na chynulleidfa'n mynd ar ei gyfyl.

Cyfieithiad graenus yw hwnnw gan T. Gwynn Jones o emyn Ffransis o Assisi, 'Popeth a wnaeth ein Duw a'n Rhi...', ond ni chlywais erioed ganu arno. Nac ychwaith ganu aralliad Gwilym Hiraethog, 'Engyl nef o gylch yr orsedd a'th folant Di...'

Tybed beth yw'r rheswm? Gall fod yn naws cyfnod gwahanol pan nad yw emynau fel hyn yn apelio mwyach. Gall hefyd fod tôn led grafaglog yn digwydd bod uwchben y ddalen, a bod hynny wedi tagu'r emyn fel y dichon drain a mieri lwyr guddio ffynnon yn y goedwig. Wele halio o'r drysni y pennill dieithr hwn gan Bantycelyn:

> Nid oes ond f'Arglwydd mawr ei ddawn
>   A leinw f'enaid bach yn llawn;
> Ni allwn ddal dim mwy pe cawn:
>   Mae Ef yn ddigon mawr;
> A digon, digon, digon yw
> Dy hyfryd bresenoldeb gwiw;
> Yn angau ceidw hyn fi'n fyw,
>   A bodlon wyf yn awr.

AWST 20

Aeth Moses i fyny o rosydd Moab i Fynydd Nebo,
i ben Pisga gyferbyn â Jericho.
(DEUTERONOMIUM 34:1)

DAETH I'M MEDDWL yr argraff sy'n aros wrth enwi man a lle mewn emynau. Nid oes cymaint o ddarllen ar yr Ysgrythur ag a fu, ac ni fynychir oedfaon mor aml â chynt. O'r herwydd, bydd y gyfeiriadaeth Feiblaidd isod beth yn fwy niwlog i ni nag ydoedd i'n hynafiaid.

'Yn *Eden* cofiaf hynny byth...'; 'Er dod o hyd i *Mara*...'; 'Gosod babell yng ngwlad *Gosen*...'; 'Y gŵr wrth *ffynnon Jacob*...'; 'Yng nghrastiroedd *Dyffryn Baca*...'; 'Ar lan *Iorddonen* ddofn...'; 'O fryniau *Caersalem* ceir gweled...'; 'Bugail *Israel* sydd ofalus...'; 'Pan fo *Sinai* i gyd yn mygu...'; 'Ar ddyrys daith i'r *Ganaan* fry...'; 'Yn *Salem* fry partô fy lle...'; '... o'r *Olewydd* tua'r nef...'; 'O deued pob Cristion i *Fethlem*...'; 'Mewn priodas gynt yng *Nghana*...'; 'Babel gwympa ar ei chryfed...'; 'I *Galfaria* trof fy wyneb...'; 'Trig yn *Seion*, aros yno...'; 'I gopa bryn *Nebo* mi awn...'; 'Preswylwyr yr *Aifft* ac *Ethiopia*...'; '... yn *Gethsemane* ardd...'; 'I strydoedd *Effrata* i ganu clod...'

Beth am godi trywydd y rhain mewn llyfrau emynau? Ac yna, dal ar y cyswllt Beiblaidd?

AWST 21

Yr Iesu a wylodd.
(IOAN 11:35)

Rhywrai'n hebrwng rhywun, rywle,
Dyna'r angladd yn y dref.

ROEDD CRWYS yn bur agos ati. Fel Parry-Williams, yntau,
pan soniodd am angladd yn araf symud i lawr y stryd, a'r gŵr
hwnnw ar y pafing yn tynnu'i getyn o'i geg ac yn diosg ei het
fel arwydd o barch. Wedi holi pwy a gleddid, cafodd yr ateb:

'Hwn-a-hwn, a fu farw nos Iau o strôc.'
'Ho!'... Gwisgodd ei het, ac ymlaen â'i smôc.

Ac felly'n union y mae hi, yntê? Wrth siawns-gipio arno
ym mhrysurdeb y dref, gall angladd fod yn beth amhersonol
ac oer a phell. Pwy, tybed, oedd y fintai alarus oedd yn pasio
trwodd? Digon fydd yr ateb swta: '*Rhywrai*'n hebrwng
rhywun, rywle...' Ac wedi iddyn nhw fynd, gellir ailwisgo'r
het, aildanio'r cetyn, a dal ymlaen â'n gofalon bach ein
hunain fel pe na bai un dim oll wedi digwydd.

Ond unwaith y daw'r galar hwnnw i'n cylch personol ni,
bydd y *rhywrai* yn troi'n deulu, y *rhywun* yn anwylyn, a'r
rhywle yn llain mewn mynwent.

'Codwch eich calon,' meddwn wrth fam drallodus mewn
ystafell aros yn yr ysbyty. 'Mi fydd Megan allan o'r theatr
cyn pen awr. Maen nhw'n trin pendics yn fa'ma fesul degau
bob wythnos!'

'Ydyn, mi wn i,' atebodd yn ddreng. 'Ond mae o'n
wahanol pan ydach chi'n *perthyn*, on'd ydi?'

AWST 22

Ac felly y bu i bawb ddod yn ddiogel i dir.
(ACTAU 27:44)

TUA'R FLWYDDYN 1845, fe gynlluniodd Isambard Brunel y
llong haearn *Great Britain*, a oedd bryd hynny'n gyflawniad
synfawr. Treuliodd y llong oes brysur yn cario glo ar draws
y cefnfor, yn cludo milwyr i'r Crimea ac India, heb sôn am
ymfudwyr i Awstralia bell. Er iddi brofi enbydrwydd
tymhestloedd, yn ogystal â'i chreithio gan dân, ei thynged
drist erbyn y diwedd oedd bod wrth angor ger Ynysoedd
Falkland, a'i defnyddio i storio gwlân.

Yn 1970, trefnwyd i 'waredu' y *Great Britain* a'i nofio gan
bwyll mawr ar bontŵn arbennig ar gyfer ei hymgeleddu ym
mhorthladd Bryste. Cwbl ofer fuasai disgwyl i'r hen griw
ddod yn ôl gyda hi; ofer fuasai disgwyl i'r ymfudwyr gynt
ymddangos eto ar y cei ym Mryste, yn fwy na'r milwyr a fu
yn y Crimea. Y cyfan a achubwyd oedd y llong yn unig.

Pan oedd drycin yr Ewraculon wrthi'n rhwygo'r llong yr
oedd Paul arni, bwriad y capten oedd rhaffu'r llestr odano.
Hollol fel arall oedd neges yr Apostol: '... ni bydd dim colli
bywyd yn eich plith chwi, dim ond colli'r llong' (Actau
27:22). Wrth i ninnau heddiw geisio rhaffu llestr enwadaeth
rhag ymddatod, neges yr Efengyl yw y dichon y llong
chwalu'n ddrylliau, ond bod modd cael y criw i'r hafan bob
gafael.

AWST 23

... ac a'i gollyngasant i waered dros y mur mewn basged.
(Actau 9:25)

Mae'r Beibl yn cynnwys sawl hanesyn am bobl yn cael dihangfa o'r mannau rhyfeddaf, fel y tri llanc yn y ffwrn dân, Daniel yn ffau'r llewod a Phedr mewn carchar.

Cyffro felly sydd yn hanes Saul o Darsus. Roedd hwnnw'n anelu tua Damascus yn llawn atgasedd i erlid dilynwyr Crist, ond ar gyrion y ddinas gaerog honno, fe'i bwriwyd yn llythrennol i'r ddaear, a phan godwyd ef ar ei draed, roedd yr erlidiwr yn genhadwr, a Saul yn Paul. Am na fynnai'r Iddewon ddyn yn troi yn ei garn, penderfynwyd amgylchu'r ddinas a gwarchod y pyrth i ddwyn y chwit-chwat hwnnw i'r ddalfa.

Y broblem i Paul, felly, oedd dianc o'u gafael. Ond sut? Ym Marc 2:1-13, am na ellid dod â chlaf at y meddyg am fod yr Iesu mewn tŷ oedd yn orlawn, yr hyn a wnaed oedd plicio'r to i ffwrdd, a gollwng y truan i lawr trwy'r bwlch hwnnw!

Yn helynt Paul, trefnwyd i'w hebrwng yng nghysgod nos i dŷ cyfaill oedd â'i gartref ym mur allanol y gaer, lle'r oedd ffenestr uchel. Y cynllun ar ôl hynny oedd i Paul guddio mewn basged, yna clymu honno wrth raff, a'i gollwng i'r ddaear fesul modfedd heb unrhyw sŵn ar wahân i ebwch hen gamel yn cysgu islaw, ac udo jacal mewn perllan.

Mewn hen fyd digon anodd, diolch am fam a thad, athro a gweinidog, meddyg a chymydog – y dwylo ffeind hynny a fu'n cynnal y rhaff i'n gollwng yn ddiogel i'n taith.

AWST *24*

… fy nhangnefedd yr ydwyf yn ei roddi i chwi…
(IOAN 14:27)

NID YW ARIAN erioed wedi prynu dim byd mawr. Er ei bod yn ddigon rhwydd sgrifennu gosodiad ysgubol fel yna, eto rwyf am fynnu glynu wrtho. Nid oes ddadl mai *prynu* manionach y byd hwn ydym, ond mai *cael* y pethau mawr a wnawn.

Ni all neb ohonom dalu am na chariad na chyfeillgarwch na chroeso; y cyfan y gellir ei wneud ynglŷn â bendithion felly yw derbyn â diolch brwd.

Awn i siop a rhestr yn ein llaw. Yn y man, down yn llwythog at y cownter, ac allan â ni wedyn wedi talu'n deidi am yr holl nwyddau. Ond beth am restr fel hon gan Bantycelyn?

'Rho oleuni': beth bynnag am fil Manweb, beth fuasai cost goleuni'r bydysawd mawr? '… rho ddoethineb': beth tybed yw pris dawn anfeidrol felly? 'Rho dangnefedd fo'n parhau': byrhoedlog fu tangnefedd eneidiau, a hefyd gwledydd, erioed, ond faint, ynteu, a gyst 'tangnefedd fo'n parhau'? 'Rho lawenydd heb ddim diwedd': onid dod i ben a wna pob miri, heb ddim ar ôl ond conffeti'r parti dan draed? 'Rho faddeuant am bob bai': gallwn ni faddau ambell gamwedd pitw, efallai, ond gall rhyw drosedd ysu fel malltod am oes gyfan.

Y ffaith yw nad oedd Williams yn bwriadu talu o gwbl am ei restr gostus ef. Gwyddai nad prynu sy'n digwydd ym Marchnad Gras. *Cael* y doniau hynny a wnawn bob gafael. Nid bargeinio sydd ar fynd bryd hynny. Ond derbyn syml. Os syml hefyd…

AWST 25

... y llifeiriaint a ddyrchafasant eu tonnau.
(SALM 93:3)

AR UN ADEG, bu J.W. Jones yn weinidog yn Seion, Cricieth, capel ar yr allt ddau canllath o lan y môr. Isod, ceir brithgof am ran o bregeth ganddo.

Pan ddaw ymwelwyr i Gricieth, cyn pen dim mi fydd cannoedd ohonyn nhw'n gorweddian ar y traeth i lawr yn fan'na. A dyna lle byddan nhw, wedi dŵad â phob math o geriach i'w canlyn ... gwlâu rybar, bocsys picnic a chadeiria clwt. A'r plant wedyn efo'u peli a'u poteli lemonêd a'u fflagia papur.

Ond rhoswch chi nes daw hi'n ddiwadd pnawn. Radag honno, mi fydd pawb ohonyn nhw'n codi'n un haid ar gyfar mynd am ginio i'r hotels ... a dyna lan y môr yn wag unwaith eto. Ond sôn am olwg fydd ar y lle ar eu hola nhw – papura picnic a phacedi gweigion a rwbal dros y traeth i gyd.

Be fydd Cyngor Cricieth yn ei neud ar adag felly? Anfon gweithiwr i godi'r llanast efo'i fys a'i fawd? O, na! Mae'r Cyngor yn gwbod y bydd yr hen fôr yna'n dŵad i mewn yn ystod y nos – ac erbyn y bora mi fydd y tonna wedi golchi'r traeth yn lân, a nialwch y fisitors wedi'i hel yn daclus i'r naill ochor.

Mae'n sbwrial ninna hefyd ar wasgar dros fyd ac eglwys. Be wnawn ni efo'n llanast, deudwch? Bobol, gweddïwch am y llanw!

Ar sail ffydd yn ei enw ef y cyfnerthwyd y dyn yma…
(ACTAU 3:16)

MAE'N WIR i'r truan tlawd gael ei eni'n gloff. Patrwm ei fywyd ar hyd y blynyddoedd oedd cael ei gludo ar fat gan ffrindiau a'i osod wrth Borth y Deml i dreulio'r dydd yn begera. O dipyn i beth, aeth y cardota'n ail natur iddo; bron na theimlai fod ganddo gyfiawn hawl i elusen, ac yn niflastod ei fegera, roedd wedi dechrau anghofio diolch am drugaredd dwylo caredig. (Gofynnwyd i un tramp a gafodd ef gynnig job gan neb erioed. 'Do, un waith,' atebodd. 'Ond ar wahân i hynny, rydw i wedi cael pawb yn ddigon ffeind.')

Wrth i Pedr ac Ioan gyrraedd y Deml ar gyfer gwasanaeth y pnawn, sylwodd Pedr mor isel yn ei gwman y plygai'r cloff; clywodd ef yn murmur ei gân-fegian heb un waith godi'i lygaid at neb. Safodd Pedr yn union uwchben y cardotyn a dweud wrtho, '*Edrych* arnom ni' (Actau 3:4, gyda'r pwyslais i gyd, debygwn i, ar y gair 'Edrych'). 'Os medri di fegio wrth i bobol fynd a dod, y peth lleia fedri di'i wneud, siawns, ydi *edrych* arnyn nhw. Rŵan, does gen i ddim arian nac aur i'w roi i ti, ond beth am iti drio codi? Codi o ganol y matiau a'r ceiniogau yna! Yn enw Iesu o Nasareth, tria godi mymryn uwchlaw dy hunandosturi.'

Ac fe wnaeth! Mae ambell sgegfa ysbrydol yn gadael ar ei hôl lawer iawn mwy na chardod.

AWST 27

Y mae amser i bob peth...
(Pregethwr 3:1)

Ni waeth i ble y troir yn Llyfr y Pregethwr, y mae i bob pennod ei chyfaredd. Yn dilyn, wele hanner dwsin o adnodau ar ffurf math o ddameg, debygwn i. Er darllen y paragraff ganwaith, mae'r gwrthdaro sydd ynddo'n dal i gyffroi'r meddwl: doethineb ac ynfydrwydd, y bach a'r mawr, y cryf a'r gwan, y tlawd a'r cyfoethog, cof ac angof, y tawel a'r tyrfus, y drwg a'r da – cywasgiad cwbl ryfeddol.

'Dyma hefyd y ddoethineb a welais dan yr haul, ac yr oedd yn hynod yn fy ngolwg: yr oedd dinas fechan, ac ychydig o ddynion ynddi; ymosododd brenin nerthol arni a'i hamgylchynu ac adeiladu gwarchae cryf yn ei herbyn. Yr oedd ynddi ddyn tlawd a doeth, ac fe waredodd ef y ddinas trwy ei ddoethineb; eto ni chofiodd neb am y dyn tlawd hwnnw. Ond yr wyf yn dweud bod doethineb yn well na chryfder, er i ddoethineb y dyn tlawd gael ei dirmygu ac i'w weithredoedd fod yn ddi-sôn-amdanynt.

Y mae geiriau tawel y doethion yn well na bloedd llywodraethwr ymysg ffyliaid. Y mae doethineb yn well nag arfau rhyfel, ond y mae un pechadur yn difetha llawer o ddaioni' (Llyfr y Pregethwr 9:13-17).

AWST *28*

Y llais yw llais Jacob; a'r dwylo, dwylo Esau ydynt.
(GENESIS 27:22)

ROEDD JACOB ar fai mawr yn twyllo Isaac, ei dad, ac Esau, ei frawd, ac o ganlyniad i'w dwyll, bu'n rhaid iddo ffoi tua Mesopotamia bell i geisio lloches yng nghartre'i ewythr, Laban.

Wedi diwrnod llafurus yng ngwres yr anialwch, a'r haul bellach yn machlud, chwiliodd Jacob am lecyn lle gallai orffwys o dan y sêr. Gorweddodd ar lain o dywod, a charreg gynnes yn obennydd iddo, a chyn pen dim yr oedd yn cysgu'n drwm. Yn oriau'r nos, breuddwydiodd am ysgol yn esgyn tua'r nefoedd, ac 'angylion Duw yn dringo ac yn disgyn ar hyd-ddi' (Genesis 28:10-22).

Nid cydio palmant wrth y bargod yw unig gamp ysgol. Gall hefyd gydio'r ddaear wrth y nef. Nid byd wedi'i luchio'n ddall i wagle i droi'n ddiystyr fel pellen yw'r ddaear hon, ond un y gellir ei gysylltu â Byd Arall. Os cododd Marconi negesau telegraff o bellteroedd anweledig yn 1900, roedd Jacob, ganrifoedd o'i flaen, wedi codi signal o nefoedd y Crëwr: 'Myfi yw Arglwydd Dduw Abraham dy dad, a Duw Isaac...'

Yng nghwrs yr oesoedd, mae'r 'Tyner Lais' o'r Byd Arall wedi galw felly ar sawl enaid tra hynod: yn cymell David Livingstone tuag Affrica, y Tad Damien tua Molokai, Albert Schweitzer i Lambarene, a Gladys Aylward i China. Hyd heddiw, mae'r engyl yn dal i fynd a dod ar hyd yr ysgol.

A'r garreg yma, yr hon a osodais yn golofn,
a fydd yn dŷ Dduw...
(Genesis 28:22)

Yn gynnar, gynnar yn y bore, ymsythodd Jacob o'i gwsg. Os bu'r nos yn oedfa gyffrous iddo, roedd oedfa'r bore, hithau, ar fin cychwyn, ac meddai, 'Y mae'n sicr fod yr Arglwydd yn y lle hwn, ac ni wyddwn i.' Daeth ias o arswyd drosto, ac ychwanegodd, 'Mor ofnadwy yw'r lle hwn!'

Symudodd ei garreg-obennydd oddi ar ei gorwedd, ei chodi hi'n syth ar ei cholyn, a diferu dafnau o ennaint arni gan ei chysegru'n fath o gysegr personol iddo'i hunan. At hynny, rhoes yr enw 'Bethel' i'r fangre. (Ystyr 'beth' yn Hebraeg yw tŷ: Beth Semes – Tŷ Haul; Beth Phage – Tŷ Ffigys; Beth Saida – Tŷ Pysgotwr a Beth Lehem – Tŷ Bara.) Ac wele Beth El yn cyfleu Tŷ Dduw: '... nid oes yma onid tŷ i Dduw, a dyma borth y nefoedd.'

Pan oedd yn gyfyng ar Jacob yn nes ymlaen ar ei deithiau, clywodd y llais fwy nag unwaith yn ei atgoffa: 'Gofi di fi, Jacob? Fi yw Duw Bethel.' Heb os, mae ambell fethel felly wedi digwydd o oes i oes yn hanes teulu dyn. Gallai Paul ddangos union lecyn o'r fath ar bwys Damascus. Medrai Pantycelyn bwyntio at faen ym mynwent Talgarth lle cafodd ei ysgwyd gan neges Howel Harris ifanc.

Wrth gerdded trwy long yn nociau Lerpwl, sylwodd Griffith Ellis, Bootle, ar nodiad uwchben gwely mewn un caban: *This pillow may be used as a life preserver.* Os troes ysgol Jacob yn bregeth iddo, aeth y gobennydd y cysgodd arno yn achubiaeth, droeon, yn ei hanes.

AWST *30*

... canys aethwn gyda'r gynulleidfa ... mewn sain
cân a moliant, fel tyrfa yn cadw gŵyl.
(SALM 42:4)

FEL Y TYRRA'R cystadleuwyr i'w llwyfannau, felly hefyd y pentyrra f'edmygedd innau ohonyn nhw. Y fath egni sydd gan ieuenctid yr Urdd! A'r fath ymarfer a fu; y llafurio ar ran athrawon ac arweinwyr nes i'r brwdfrydedd orlifo dros wythnos yr ŵyl mewn unawdau, deuawdau, partïon, grwpiau a chorau. Y mae pawb wrthi, yn adroddwyr, actorion, offerynwyr (dewinol hefyd), beirdd, llenorion a cherddorion, heb anghofio teulu'r ddawns a'r mabol-gampwyr ... a'r beirniaid, wrth gwrs.

Wedyn, daw gŵyl gerdd flodeuog Llangollen, a'r miwsig yn uno'r gwledydd mewn clwm o liwiau. Rhyfedd yw meddwl am estroniaid ym mhellafoedd daear yn caled ymarfer cyn ysbydu dros dir a môr ac awyr gyda bws, llong ac awyren er mwyn canu ar lan afon Dyfrdwy.

Yna, pan ddêl Awst, bydd prifwyl y genedl yn denu'r miloedd at wythnos arall o gystadlu a churo dwylo. Mewn cilfachau eraill yng nghalendr yr haf, bydd magu wedi bod ar flodau, ar ddofednod ac ar anifeiliaid. Bu gwrteithio, porthi, palu, sisyrnu, brwsio, cribo a phowdro nes cael pawb a phopeth yn ddisglair raenus ar gyfer y beirniaid. Ar wahân i ymrafaelion eraill, nac anghofier y telynorion gyda'u datgeiniaid yn telori hyd yr oriau mân. A byrdwn emyn Rhys Nicholas wrth ddiolch am gelfyddyd:

> Ti'r Hwn sy'n puro ein dyheu,
> Bendithia gamp y rhai sy'n creu.

AWST *31*

... yr hwn a oleua ddirgelion y tywyllwch...
(1 CORINTHIAID 4:5)

PAN OEDDWN YN LLEFNYN, byddwn yn galw'n rheolaidd yn Nhŷ Lôn am biseraid o laeth enwyn. Golygai'r daith tuag yno siwrnai ugain munud trwy goed y Plas i lawr at bont afon Dwyfach. Oddi yno, dilyn llwybr arall at i fyny rhwng ychwaneg o goedydd, gan ofalu ymgadw rhag yr ymyl a gwympai'n serth i'r gwaelodion at y llyn-tro yn yr afon islaw.

Roedd y llwybrau'n ddifrifol o droellog. At hynny, roedden nhw'n gulion iawn iawn, a gwreiddiau cymalog fel esgyrn ar yr wyneb a allai'n hawdd faglu teithiwr dibrofiad. Ni bu'r llwybrau hynny erioed yn drafferth i mi liw dydd, nac ychwaith yng ngolau'r lleuad. Gallaf gofio sawl noswaith dywyll fel afagddu, minnau heb na llusern na fflachlamp, ond eto'n tramwy rhagof yn ddihelynt. Ar y noson fwyaf dudew, ac er cymaint y peryglon, ni lithrais erioed un cam ar y llwybrau hynny.

Pe gofynnid i berson dieithr gerdded y tywyllwch hwnnw, gwn yn bendant na ddôi fyth trwyddi'n groeniach. Beth, ynteu, oedd y gyfrinach? Yn syml, hyn: fy mod i wedi teithio felly sawl canwaith liw dydd fel, pan ddôi'r nos, fod y llwybr yn eglur olau o'r tu mewn imi yn rhywle, gorff, meddwl a chof. Wrth ail-fyw'r profiad mewn gwaed oer heddiw, o'r braidd na chyfyd iasau ynof. Eto, mae'r cyfan yn berffaith wir. Efallai y gall Ioan 1:5 ddatrys mymryn ar ddirgelwch pethau: 'Y mae'r goleuni yn llewyrchu yn y tywyllwch, ac nid yw'r tywyllwch wedi ei drechu ef.'

MEDI *1*

Wele, yr wyf yn sefyll wrth y drws ac yn curo…
(DATGUDDIAD 3:20)

CYN OEDFA'R NOS yn Rhydlydan ar bwys Pentrefoelas, roeddwn yn ymdrwsio yn un o lofftydd y Cernioge Mawr. Sylwais fod plac ar y wal o'm blaen, ac arno'r geiriau: QUEEN VICTORIA SLEPT HERE.

A dyna ni'n ôl yng nghyfnod y Goits Fawr. Y Cernioge oedd y gwesty olaf i'r teithwyr aros ynddo rhwng Llundain a Chaergybi cyn symud ymlaen drannoeth tuag Ynys Môn, ac Iwerddon, efallai. Gan na chysgai Victoria yn Uwchaled bob nos, mae'n ddigon naturiol fod cryn lordio'n digwydd wrth i berchennog y gwesty ymffrostio bod y frenhines, o bawb, 'wedi cysgu yn y Cernioge neithiwr'.

Bu Iesu o Nasareth yn curo wrth ddrws Bethania sawl tro, a gallai Mair a Martha a Lasarus lawenhau ei fod ef wedi aros ar eu haelwyd droeon. Mae Iesu'n sefyll wrth y drws ac yn dal i guro, medd Ioan. Petai modd ein cael ni i agor i Hwn, mae'n siŵr mai ni fyddai'r cyntaf i frolio ar ôl hynny fod Brenin y Brenhinoedd wedi 'cael rhoi'i ben i lawr ar ein haelwyd ni neithiwr' – defnydd ymffrost deuluol am genedlaethau i ddod, bid siŵr.

MEDI 2

Hyfforddia blentyn ym mhen ei ffordd;
a phan heneiddio, nid ymedy â hi.
(DIARHEBION 22:6)

HYSBYSEB FEDDYLGAR oedd honno, ac wedi'i hanelu, bid siŵr, at bob tad a mam: silff hir o gyfrolau'r *Encyclopaedia Britannica*, dau blentyn ysgol ar eu pwys – ac yna'r anogaeth gynnil: 'Put them on the threshold of big things'.

Ar y cychwyn, gall yr hyfforddi fod yn swm o ddiflastod, ond yn y man bydd y cyfan yn troi'n fath o reddf, yn union fel petai rhyw gyfaredd wedi'i datgelu a'i gollwng yn ffrwd dros y dysgwr bychan. Mae hynny'n wir am blentyn yn dysgu siarad; ar ôl misoedd o faglu ar draws y sillafau cyntaf hynny, yn fwyaf annisgwyl daw i 'ddeall' cyfrinach parablu, ac o hynny ymlaen bydd yr hen floesgni wedi diflannu oddi ar ei dafod. Onid felly y mae hi hefyd wrth ddysgu nofio? A reidio beic?

Unwaith y meistrolir y ddawn (neu'r gyfrinach), bydd honno wedyn yn aros am oes gyfan; mae'n dod yn ail natur, fel anadlu – yn broses na ellir ei anghofio fyth mwy.

Erbyn imi orffen darlithio yn Abertawe, roedd hi'n nos dywyll, a minnau heb un syniad sut i fynd allan o'r ddinas. Ond daeth cyfaill i'r adwy. 'Dilynwch fy nghar i,' meddai, 'ac fe'ch arweinia i chi at ben y ffordd ...'

Wrth osod plentyn ar ben ffordd y 'pethau mawr' – egwyddor nobl a doniau dyrchafol byw a bod – y siawns yw mai ar y ffordd honno y bydd ef yn teithio gydol ei siwrnai: 'pan heneiddio, nid ymedy â hi.'

MEDI 3

Myfi yw Alffa ac Omega,
y dechrau a'r diwedd, medd yr Arglwydd...
(DATGUDDIAD 1:8)

MEWN DARLITH yng Ngholeg Diwinyddol Aberystwyth, cyfeiriai'r prifathro, y Dr Gwilym Arthur Edwards, at Polycarp, a fu ar un adeg yn esgob Effesus, ac ar ôl hynny yn Smyrna (Izmir, heddiw). Y tristwch erbyn y diwedd oedd i Polycarp, druan, gael ei ferthyru.

Yn y cyfnod cynnar, roedd saith eglwys enwog yn Asia, sef Effesus, Thyatira, Sardis, Pergamus, Philadelffia, Laodicea – a Smyrna, wrth gwrs, sydd yng ngogledd Twrci. Nid oes unpeth ar ôl o'r chwech arall namyn adfeilion mewn anial dir, ond mae Smyrna'n dal ar ei thraed, yn deml wirioneddol hardd, a hynny yn nannedd y grefydd Fahometanaidd gyfoes.

Yn 1983, eisteddwn o flaen allor eglwys Polycarp gynt, gan ddarllen i'r camera o Lyfr y Datguddiad 2:8-10:

'Ac at angel yr eglwys yn Smyrna, ysgrifenna: "Dyma y mae'r cyntaf a'r olaf, yr hwn a fu farw ac a ddaeth yn fyw, yn ei ddweud ... Paid ag ofni'r pethau yr wyt ar fedr eu dioddef. Wele, y mae'r diafol yn mynd i fwrw rhai ohonoch i garchar er mwyn eich profi, ac fe gewch orthrymder am ddeg diwrnod. Bydd ffyddlon hyd angau, a rhof iti goron y bywyd." '

Tybed a ddarllenwyd yr adnodau uchod yn yr iaith Gymraeg yn Smyrna erioed o'r blaen? Boed felly ai peidio, rwy'n dal i drysori braint yr egwyl honno.

MEDI *4*

Canys disgwyl yr ydoedd am ddinas ag iddi sylfeini,
saer ac adeiladydd yr hon yw Duw.
(HEBREAID 11:10)

UN PNAWN, arweiniai hen dywysydd fintai o Americanwyr trwy gadeirlan Sant Paul yn Llundain.

Toc, mewn brwdfrydedd twym, gofynnodd un o'r twristiaid iddo: 'Onid ydi lle fel hwn yn eich cyffroi chi, dwedwch?' Atebodd yntau'n oeraidd: 'Frawd! Fedrwch chi ddim dal i gyffroi ar ôl deng mlynedd ar hugain.' Onid oedd y tywysydd wedi hen gynefino â'r rhyfeddod?

Ond beth petai gwyrth yn digwydd, a bod Christopher Wren ei hunan yn disgyn i ganol y criw gan draethu wrth y twristiaid: 'Fi fesurodd y bwâu a'r colofnau ar y ddesg. Fi gynlluniodd gromen eang y *whispering gallery*. Fi, deallwch chi, oedd pensaer eglwys Sant Paul.' Byddai hynny'n gyffro, nid yn unig i'r parti tramor, ond i bob newyddiadur yn Llundain.

Mae perygl ein bod ninnau, wrth symud o'r naill bulpud i'r llall, wedi hen, hen arfer â thraethu'r Efengyl, nes i'r cynefindra otomatig ddiffodd pob brwdfrydedd a fu ynom.

Ond beth petai'r Adeiladydd Mawr ei hun yn disgyn i'n plith unwaith eto, a'n hysbysu o'r newydd fel a ganlyn: 'Myfi a gynlluniodd yr Eglwys Fawr gyntaf erioed, pan drefnwyd ffordd yng nghyngor Tri yn Un i achub gwael, golledig, euog ddyn. Myfi ydyw Pensaer Efengyl Gras ...'

Tybiaf y buasai cyffro felly yn para, nid am ddeng mlynedd ar hugain, ond hyd dragwyddoldeb maith.

MEDI 5

Y peth a fu, a fydd; a'r peth a wnaed, a wneir:
ac nid oes dim newydd dan yr haul.
(Pregethwr 1:9)

Erstalwm, wrth agor drws siop fach y wlad, byddai rhyw sbring yn ymollwng nes creu tincial eithaf tyrfus wrth alw'r siopwr at ei gownter.

Ar wahân i'r gloch, roedd hynodrwydd pellach i ddrws y siop, sef yr hyn a geid wrth ei gau ar y ffordd allan. Fel rheol, byddid yn tynnu'r drws gerfydd dolen bres nes byddai'r tafod ar ei phen yn gollwng y gliced i'w lle, ond o fewn wythfed i hynny ddigwydd, a chyn i'r drws gau'n dynn, câi migyrnau cefn llaw eu gwasgu'n egr yn erbyn y cilbost nes plicio'r croen, neu o leiaf achosi clais dulas.

Y gloch uwchben. Y gliced yn y canol. Ac yna'r garreg las ar y gwaelod, fel mynedfa i'r siop. Gyda'r blynyddoedd, wrth i gannoedd o glocsiau a chlemiau sodlau fynd a dod, câi'r llechen ei threulio'n bant amlwg. Un dydd, penderfynodd y siopwr droi'r hen garreg â'i phen i lawr er mwyn cael wyneb gwastad at-i-fyny, ond canfu fod rhywun arall wedi'i throi eisoes ganrif o'i flaen!

Roedd awdur Llyfr y Pregethwr uchod wedi gweld sefydlogrwydd (neu oriogrwydd) y cyfan oesoedd maith yn ôl.

MEDI 6

... ond os cyll yr halen ei flas, â pha beth yr helltir ef?
(Mathew 5:13)

DIFYR, OND DYRYS ar y naw, oedd ceisio dilyn Mr Gruffydd yn labordy'r ysgol ac yntau wrthi'n egluro cyfansoddiad y byd o'n cwmpas. Roedd dŵr, meddai ef, yn ddwy ran o hydrogen ac un o ocsigen, yr H_2O cofiadwy hwnnw.

Ond beth am halen? Mae hwnnw wedi'i greu allan o ddwy elfen, *sodium* a *chlorine*. (I'r doethion, Na Cl.) Yr hyn sy'n hynod yw bod y ddwy elfen uchod – ar wahân – yn wenwyn peryglus iawn. Eto, o'u cael at ei gilydd, trônt yn fendith o beth, ac yn iechyd i ddyn.

Byd gwyrthiol felly yw hwn. Oni theflir pob rhyw sbwriel, ynghyd â drain, chwyn a deiliach, i domen yr ardd? Ac ar ôl gadael i honno swrth-gysgu dros y gaeaf bydd wedi troi'n wrtaith buddiol ar gyfer gwanwyn y garddwr. O edrych ar Galfaria, gwelodd Pedr Fardd wyrth achubol o fath arall:

Yn rawnwin ar y groes fe droes y drain.

Felly hefyd y mae halen yn elfen achubol y mae'n rhaid i'r corff dynol wrthi. Un rhybudd pwysig i ymwelydd ym mhoethder gwlad dramor yw gofalu cyflenwi'r corff chwyslyd â halen.

Teyrnged wefreiddiol oedd honno a roes yr Iesu i'w ddisgyblion gynt: 'Chwi yw halen y ddaear', sef y gallai criw digon brith a gwenwynllyd fel nhw, o dan wyrth gras, droi yn gymdeithas y byddai'n *rhaid* i'r byd hwn wrthi. A dyna'i Eglwys Ef drwy'r oesoedd: y fendith honno, sy'n pureiddio ac yn pereiddio dynoliaeth, ac yn iechyd i druan fyd.

MEDI 7

... ond y cŵn a ddaethant, ac a lyfasant ei gornwydydd ef.
(Luc 16:21)

YN Y GYFRES RADIO *Byd Natur*, cafwyd esboniad tra gwreiddiol gan Dr R. Alun Roberts ar un o'n dywediadau fel cenedl.

Sôn yr oedd am gyfnod pell yn ôl pan oedd gofyn i'r ffermwyr halltu eu cigoedd dros y gaeaf, ac ar gyfer hynny byddai'n rhaid cael halen. Ond yr oedd halen yn brin iawn.

Am fod pyllau halen yn Sir Gaer, byddai'r hen Gymry'n mentro dros y ffin i Loegr ac yn dwyn sacheidiau ohono. Ond am fod eu llwybr yn golygu teithio trwy ddinas Caer, y drefn oedd cyrchu tua'r lle liw nos pan oedd cŵn y ddinas yn debygol o fod yn cysgu. Petai'r rheini'n cyfarth, dyna ddeffro'r trigolion, a'r lladron yn gorfod troi yn ôl.

Hyd heddiw, pan soniwn am siwrnai gynnar gynnar, oni ddywedwn fod yn rhaid cychwyn 'cyn codi cŵn Caer'?

Cyndyn iawn yw'r Beibl i fawrygu cŵn, mwya'r piti. Ar wahân, efallai, i'r cŵn a ddaeth i lyfu doluriau'r cardotyn hwnnw.

MEDI *8*

... pwy a'm gwared i oddi wrth gorff y farwolaeth hon?
(RHUFEINIAID 7:24)

YNG NGHAPEL PENLAN, Pwllheli, wrth i'r athronydd J.R. Jones, Abertawe, bregethu ar felltith euogrwydd, aeth ati i ddadansoddi cerdd Coleridge, 'The Ancient Mariner'.

Fe gofir i'r Hen Forwr, mewn eiliad o ffolineb, ollwng ei saeth a lladd yr albatros oedd yn dilyn y llong. Am fod hynny yn bechod anfaddeuol yng nghoelion y llongwyr, fe glymwyd yr aderyn am wddf y troseddwr. Ar hynny, peidiodd y gwynt a safodd y llong yn llonydd hollol. Gydag amser, fel y darfu'r ymborth a'r dŵr, trengodd y criw o un i un heb neb ar y bwrdd mwyach ond yr Hen Forwr, a'r aderyn melltigaid yn pydru ar ei wegil.

Un dydd, wrth edrych i lawr dros ymyl y llong, sylwodd ar y llysywod, y pysgod a'r nadroedd dŵr yn ymwingo mewn môr o lafoer gwyrdd, meddal. Heb yn wybod iddo'i hunan, dechreuodd fendithio'r 'happy living things' hynny islaw iddo, ac yna'n sydyn fe'i cafodd ei hunan yn medru gweddïo ar eu rhan. Ar yr union foment honno, meddai Coleridge, 'The Albatross fell off, and sank like lead into the sea.' A dyna gorff y farwolaeth wedi diflannu i'r dyfnderoedd.

Yn y cyswllt hwnnw y dyfynnodd J.R. Jones o emyn Pantycelyn sy'n sôn am bechadur o'r diwedd yn cael taflu'i faich oddi ar ei war:

> Euogrwydd fel mynyddoedd byd
> Dry'n ganu wrth dy groes.

MEDI 9

… canys y mae efe yn peri i'w haul godi ar y drwg a'r da,
ac yn glawio ar y cyfiawn a'r anghyfiawn.
(MATHEW 5:45)

WEDI WYTHNOSAU O SYCHDER, un bore dyma'r awyr yn cymylu, a dafnau o law yn disgyn hwnt ac yma. Cyn bo hir, dwysaodd yn genllif, ac felly y bu dros weddill y dydd ac ar hyd y nos. Erbyn trannoeth, roedd y gweddnewid yn amlwg ar y meysydd ŷd, a bron na ellid gweld y coesau'n ymestyn a'r tywysennau'n trymhau.

Bu'r genllif yr un mor fendithiol ar erwau'r winllan wastad; golchwyd y dail, trwythwyd y gwreiddiau, a bron na ellid gweld pelenni bach y grawnwin yn tewychu. Yn y man, daeth yr haul mawr yn ôl i'r glesni, ac yn anterth ei wres, aeddfedodd y grawn yn ŷd y maes, ac yn sypiau'r winllan.

Wrth rannu'r bara oddi ar Fwrdd y Sacrament, onid oeddem yn bwyta'r glaw? Ac wrth gymryd y gwin, onid oeddem yn yfed yr haul? A'r Creadur, ar archiad y Crëwr, yn cyfranogi o'r Cread – nes mynd yn rhan lythrennol o wyrth pethau.

Rhyw newydd wyrth o'i angau drud
A ddaw o hyd i'r golau.

MEDI *10*

Na ddiystyred neb dy ieuenctid di...
(1 Timotheus 4:12)

MAE GAN BLENTYN stôr o nerth i'w losgi. Dyna pam y bydd wrthi o fore hyd hwyr yn ymfwrw i bob math o gampau – ymrafael â dringo, rhedeg, dawnsio, cicio, nofio, neidio a chwffio. Y sefyllfa yw fod gan yr ifanc rywbeth na fedd yr hen mohono, sef egni. Ond wedyn, mae gan yr hen rywbeth na fedd yr ifanc mohono, sef profiad. Yng nghwrs y blynyddoedd, mae'r hen wedi ymfwrw i fath arall o gampau – ymrafael â doethineb, deall, gwybodaeth a barn. Felly'n raddol y magodd yr hen yr hyn a alwn ni yn brofiad. Yr unig ffordd i ennill profiad yw byw, a byw am flynyddoedd lled faith. A dyna un peth y mae'r ifanc heb ei wneud.

Yn yr union gyswllt hwnnw, fe gyfyd problem bur bryfoclyd, a hynny i'r naill ochr fel y llall. Gan yr hen y mae'r profiad, ond dim egni; gan yr ifanc y mae'r egni, ond dim profiad. Os dywedodd Bernard Shaw fod egni'n cael ei wastraffu ar yr ifanc, tybed nad yw'r gwrthwyneb yn wir hefyd, fod profiad yn cael ei wastraffu ar yr hen? Prun bynnag, mae'r gwrthdaro'n anochel o'r ddeutu: mae'r hen yn feirniadol o'r ifanc, fel y mae'r ifanc yn feirniadol o'r hen.

Tybed a oes yna fan cyfarfod, cyffredin i'r ddau? Rhoes Morgan Rhys gynnig fel hyn arni:

> Dewch, *hen ac ieuainc*, dewch
> At Iesu, mae'n llawn bryd...

MEDI *11*

Deuwch ataf fi bawb...
(MATHEW 11:28)

ROEDD YR EMYNYDD Morgan Rhys o Gil-y-cwm yn ŵr gwir ddawnus, ac yn athro profedig a wyddai sut i drin oedolion a phlant. Wrth alw 'hen ac ieuainc' ynghyd, gwelai fod Iesu'n awdurdod i'r ddwy genhedlaeth fel ei gilydd.

Wrth gwrs, mae yn natur yr ieuainc i herio pob awdurdod. (Oni wnaethom ninnau felly yn nyddiau'r glasoed wrth herio'r cartref, yr ysgol, y ffatri a'r llywodraeth, gan fwrw sialens i gymdeithas yn gyffredinol?) Clywn o hyd am brotestio yn erbyn gwahanol awdurdodau ar draws y ddaear gron, a theg yw cydnabod fod herio felly'n beth da ar sawl cyfri.

Ond y mae rhywbeth o gwmpas awdurdod yr Efengyl na allwn ei herio ond ar boen bywyd. Ni all neb, na hen nac ieuainc, ymhél yn anghyfrifol â thrydan; gall herio awdurdod hwnnw ladd. Pan ofynnais i'm cyfaill, J.T. Jones, beth *yw* trydan (ac yntau wedi treulio oes gyda Chwmni Manweb), dyma'i ateb: 'Wyddom ni ddim be *ydi* trydan. Dim ond mai fo ydi'r mistar.'

Galw'r ddwyblaid at yr un 'Mistar' a wnâi Morgan Rhys.

MEDI *12*

... yr Iesu ei hun a safodd yn eu canol hwynt,
ac a ddywedodd wrthynt, Tangnefedd i chwi.
(LUC 24:36)

WRTH I T.H. PARRY-WILLIAMS bendroni am yr wybrennau y
tu hwnt i'r sêr, daeth i'r casgliad nad oes draw yno un dim y
gall dyn ei glywed. Yn ei soned 'Dychwelyd', gan
wrthgyferbynnu'n byd ni â'r gofod maith, myn nad yw
'terfysgoedd daear' yn cyffroi dim ar 'ddistawrwydd nef'.
Nid yw 'trybestod dyn' yn tarfu rhithyn ar y 'tawelwch'
sydd yno. Ac er bod bydoedd yn chwyrnellu trwy'r
eangderau meithion, nid oes sŵn o gwbl yn y gofod – dim oll
ond 'gosteg'. Er cymaint yw'n dadwrdd ni ar lawr daear – 'o
gri ein geni hyd ein holaf gŵyn' – nid yw hynny'n effeithio'r
dim lleiaf ar 'lyfnder esmwyth y mudandod mwyn'. Ac
meddai'n derfynol:

> Ni wnawn, wrth ffoi am byth o'n ffwdan ffôl,
> Ond llithro i'r llonyddwch mawr yn ôl.

Tybiaf y buasai Pantycelyn yn cytuno fod yna ryw
lonyddwch rhyfedd i fyny yno yn rhywle. Ond byddai'n
taeru nad 'gosteg', nad 'tawelwch' tragwyddol farw yw
hwnnw, eithr tangnefedd sy'n abl i roi taw ar holl leisiau'r
greadigaeth, ynghyd â deniadau cnawd a byd. Nid
'mudandod mwyn' mohono, medd Williams, ond
'tangnefedd pur' sy'n fyw gan egnïon adferol:

> Y mae'r gwynt yn troi i'r deau,
> Ac mae'r hin yn dawel iawn
> Pan fo Duw'n cyhoeddi heddwch,
> Er mor arw fu'r prynhawn.

MEDI *13*

... y mae'r Ysbryd hefyd yn cynorthwyo ein gwendid ni ...
(RHUFEINIAID 8:26)

BUOM YN CRWYDRO cannoedd o filltiroedd trwy Dwrci yn chwilio am olion saith eglwys Asia y sonia Llyfr y Datguddiad amdanyn nhw. Fel tywysydd, cyfieithydd a deheulaw i ni mewn tir estron, cawsom gyfaill tra rhagorol ym Mehmet Akargün o ddinas Izmir. (Er bod deunaw mlynedd wedi pasio bellach, mae Mehmet a minnau'n dal i lythyru â'n gilydd.)

Un parod iawn, iawn ei gymwynas oedd y Twrc hoffus hwnnw gyda'i Saesneg clapiog, ac roedd 'No problem' yn ymadrodd mynych ganddo. Un bore, roedd angen tri pheth lled bwysig arnaf: stamp ar gyfer postio, rhif ffôn yn Effesus, a newid arian mewn banc.

'No problem,' meddai Mehmet yn siriol, gan ychwanegu, 'No problem for you. Only problem for me!'

Druan o'n cymwynaswr hael! Mae'n rhaid bod ein mân geisiadau o'r naill ddydd i'r llall yn golygu swm o drafferthion iddo; yntau'n gorfod eiriol ar ein rhan mewn siop a swyddfa, mewn *restoran* (y ffurf Dwrcïaidd) a gwesty. Fwy nag unwaith y gwelais ef yn ymrafael gydag ambell awdurdod penstiff ar ein rhan, ac yn ochneidio gan y gofal a'r cyfrifoldeb a roed arno. 'Only problem for me' yn wir!

Roedd ei hir amynedd gyda ni, a graslonrwydd ei ysbryd tuag atom yn ddigon tebyg i naws yr Efengyl ar sawl cyfrif.

Bythol ddiolch i'r Mwslim caredig o ddinas Izmir.

MEDI *14*

... dos, gwerth dy eiddo a dyro i'r tlodion...
a thyrd, canlyn fi.
(MATHEW 19:21)

FEDRWCH CHI faddau i fargen? Y mae cannoedd na fedran nhw ddim. Os gwelan nhw nwydd sydd wedi gostwng mewn pris, yna mae'n gyfle na ellir ei golli, a'i brynu fydd raid. Prynu, nid am fod angen y peth arnyn nhw, ond am iddo ddod i lefel bargen. Gwn am gyfaill annwyl a welodd beiriant-eillio'n cael ei gynnig am bumpunt; fe brynodd y teclyn heb feddwl ddwywaith – er bod ganddo farf nobl hyd y dydd hwn!

Ni fyddaf yn blino ar ddyfynnu'r sylw hwnnw gan yr Arglwydd Duveen o Millbank. Fel un yn dilyn ocsiynau lle gwerthid darluniau'r meistri, roedd wedi cael gafael ar un o gampweithiau Gainsborough, a thalu crocbris amdano. Pan ddadleuodd cyfaill ei fod wedi talu gormod o ddim rheswm, dyma ateb Duveen: 'Os wyt ti'n talu'n ddrud am yr amhrisiadwy, yna rwyt ti wedi'i gael o'n rhad.'

Dyna ddweud sy'n treiddio at hanfodion byd bargen. I'r un cyfeiriad yr â'r apostol yn Effesiaid 3:8, wrth gyfeirio at y cyfoeth a ddaeth i'w feddiant yntau: 'I mi, y llai na'r lleiaf o'r holl saint, y rhoddwyd y ddawn raslon hon, i bregethu i'r Cenhedloedd anchwiliadwy olud Crist...'

MEDI *15*

Dyma fydd y gwyliau ... a gyhoeddwch
yn gymanfaoedd sanctaidd.
(LEFITICUS 23:2)

FEL TEYRNGED olaf i Bafiliwn Caernarfon yn 1961, recordiwyd cymanfa ganu, ac un o'r emynau a gydiodd oedd 'Dal fi'n agos at yr Iesu' o waith Herber Evans, a fu'n weinidog yn Salem y dref honno.

Sbel cyn hynny, wedi galw yn fy hen gartref, dyma Nhad yn dweud: 'Mi gwela i di yng Nghaernarfon.' (Cyfeirio'r oedd at y Sasiwn yn Seilo, pan fyddwn yn pregethu gyda John Roberts, Porthmadog.) Cyn y Sul dilynol, fodd bynnag, roedd fy nhad wedi'i gladdu.

Cyrhaeddais y capel gorlawn yn bur ddolurus f'ysbryd, ac wrth ddewis emyn i agor yr oedfa, clywn adlais fy nhad yn dod o rywle: 'Mi gwela i di yng Nghaernarfon.' Codais yn llipryn, a ledio 'Dal fi'n agos at yr Iesu'. Pan gyffyrddodd y dyrfa'r geiriau am y 'nos a'r loes a'r trallod', roeddwn ar fin chwalu. Ond pan ddoed at 'Enfys Duw sy'n para i ddatgan/Bydd goleuni yn yr hwyr', dyma hyder yn llifo fel adrenalin i'r ysbryd, a nerth i'r corff fel athletwr.

Ni chofiaf fawr ddim am bregethu yno, nes clywed canu angerddol ar 'Dyma gariad fel y moroedd'. (Deall ar ôl hynny mai Tom Nefyn oedd wedi taro'r emyn i fyny yn y galeri.)

Oedfa ryfedd oedd hi. Bellach, mae'r Rhufeiniaid wedi gadael Caer Segontium. Mae Herber Evans wedi mynd. A Tom Nefyn. A John Roberts. Chwalwyd y Pafiliwn. A hen gapel Seilo. Ond rwy'n siŵr fod yr Iesu'n dal i oleuo'r dre.

MEDI *16*

Ac o'r awr honno allan y cymerodd y disgybl hi i'w gartref.
(IOAN 19:27)

WN I DDIM PAM, ond roedd cerdded i'r tŷ hwnnw'n brofiad cwbl ar ei ben ei hun. Ai dychymyg wedi'i orweithio oedd yr achos, ai nerfau, ai blinder – yn wir, ni fedraf ateb. Ond felly'r oedd hi pan safwn ar lawr Meryem-Ana, 'Cartref Mair' (mewn Twrceg).

Yr hanes yw fod Ioan, ar ôl ffyrnigrwydd y croeshoelio, wedi cymryd Mair, mam Iesu, i'w ofal, ac wedi crwydro llawer, honnir iddi dreulio cyfnod olaf ei hoes mewn tŷ bychan yn Nyffryn yr Eos, rai milltiroedd o Effesus.

Erbyn hyn, mae'r adeilad wedi'i raenuso, gyda chynteddau yn glwstwr destlus o'i gwmpas, ac mae'r tŷ yn fath o gysegr, gydag allor a delwau ar gyfer addoli. Er mai Islam yw crefydd gwlad Twrci heddiw, maen nhw'n derbyn fod Iesu Grist yn ddi-fai, ei fod yn Was Duw, yn Air y Gwirionedd hyd yn oed, ac o'r herwydd caiff ei fam, Mair, barch helaeth. O bopeth annisgwyl, mae rhyw ysbryd ym Meryem-Ana a bair i'r Mwslim a'r Cristion benlinio gyda'i gilydd.

Tua diwedd pumdegau'r ganrif a aeth heibio, yn ôl f'arfer wythnosol, roeddwn wedi postio llythyr i Mam. Bu hithau farw'n sydyn cyn ei dderbyn. Mae'r llythyr hwnnw gennyf o hyd – heb ei agor – a deugain mlynedd a mwy wedi pasio. Fedra i mo'i daflu i ffwrdd am mai Mam a'i piau ef. Pethau rhyfedd fu mamau erioed, a'u tiriondeb wedi siglo crud yr oesoedd. Ond os bu Mair, ei fam Ef, o bawb, yn trigo yn y tŷ yn Nyffryn yr Eos, nid oedd yn syndod i'r emosiwn gael ei siglo mor rhyfedd y pnawn hwnnw.

MEDI *17*

Pan fyddi'n adeiladu tŷ newydd, gwna ganllaw o amgylch y
to, rhag i'th dŷ fod yn achos marwolaeth, petai rhywun yn
syrthio oddi arno.
(DEUTERONOMIUM 22:8)

TRI O'R GLOCH FORE MERCHER, 17 Medi 1952, oedd hi, ac
am fod fy ngwraig yn teimlo'n lled anesmwyth, dyma godi,
goleuo cannwyll a lamp, a rhoi'r tegell ar y tân nwy cyn picio
trwy'r tywyllwch i godi cymdogion cyfagos Manhyfryd.
(Nid oedd gennym na thrydan na theleffon yn ein cartref ni
bryd hynny.)

Yn garedig iawn, ac yn driw i'w haddewid, aeth Emyr a
Mair â ni i Ysbyty Trevalyn (sydd rhwng Wrecsam a Chaer)
lle gadawyd y ddarpar fam ifanc yng ngofal profiadol y
nyrsys.

Roeddwn adre'n ôl toc wedi chwech, yn ceisio egluro
achos y cyffro boreol wrth Moffatt, y labrador du. Tua
phump o'r gloch y pnawn, pan gefais afael ar deleffon i holi'r
ysbyty am hynt fy ngwraig, dyma ddeall fod y babi wedi dod
i'r byd ers un ar ddeg y bore! Naid i'r car a gyrru tua'r
Trevalyn unwaith eto, a dyna pryd y gwelais ein cyntaf-
anedig, Catrin . . . hi a'i mam mewn llawn hwyl, gyda diolch
llawen am hynny.

Wrth i Gwion Jones weinyddu mewn angladd ym mro
Edeirnion, caed sylw i'r perwyl hwn ganddo: nad dyfodiad
yr arch yw'r cyffro mwyaf ar aelwyd, ond dyfodiad y crud.

MEDI *18*

MAE'N DEBYG fod gan bob un ohonom ei gas sŵn. Yn bersonol, ni fedrais erioed ddygymod â dadwrdd tyrfa a thrafnidiaeth dinasoedd. Sŵn arall sy'n annioddefol gennyf yw'r gwadnau 'crêpe' hynny'n cerdded ar bolish linoleum, neu grafiad iasoer cledr llaw wrth redeg dros belen balŵn. Ond wedyn, gallaf ddioddef yn harti sŵn hogi pan fydd y ffeil yn craswichian rhwng dannedd llif.

Eto, fe geir ambell sŵn sy'n gyfaredd digymysg, fel dwndwr aruthr y daran, dyweder. Ar wahân i felyster miwsig Mozart, buaswn yn cynnig y rhwygo siarp hwnnw a ddigwydd pan yw llafn pladur yn arfodi trwy odre swp o frwyn; sŵn cras, cryf, na pherthyn ond i bethau'r pridd, am a wn i. Sŵn arall yr arhosaf i'w wrando yw un ai ci yn llepian dŵr, neu gath yn canu grwndi. Tybed prun yw eich hoff sŵn chwi?

Aeth Williams Pantycelyn â ni at naws hollol wahanol gyda'r dyheu hwnnw – 'O! llefara, addfwyn Iesu...' Oeda ef yn awyr y tangnefedd mawr lle mae'r tyner lais yn peri i bawb a phopeth 'ddistewi, a mynd yn fud', gan yrru 'ofon du a thristwch' i'w difancoll tragwyddol. Ac yna'r erfyniad:

> Gad im glywed *sŵn* dy eiriau,
>   Awdurdodol eiriau'r nef,
> Oddi mewn yn creu hyfrydwch
>   Nad oes mo'i gyffelyb ef.

MEDI *19*

Ac y mae amryw weinidogaethau, eithr yr un Arglwydd.
(1 CORINTHIAID 12:5)

POB UN â'i ddiddordeb yw hi: byd y bêl i un, stampiau post i arall; hwn yn tyrchio mewn tomennydd am hen boteli, a hon mewn ffenestri siopau'n chwilio am binnau het.

Bûm yn rhyfeddu lawer gwaith at ddawn W.D. Williams i ddyfynnu englynion wrth y dwsin. Rhyfeddu wedyn fel y byddai Ted Breeze yn adnabod adar, eu nythod, eu hwyau, eu cynefin, a hynny, pe dôi'r gofyn, o'r Ganllwyd i'r Gambia.

Wedi arhosiad cofiadwy yn Athen, deuthum adre wedi penfeddwi ar deml y Parthenon. Pen draw hynny fu cymysgu sment a thywod, gan weithio ar fodel ohoni ar glawdd yr ardd – hi a'i chwe cholofn a deugain.

Pan euthum i wlad Groeg eilwaith, aeth Christos Yannissis â mi trwy Athen i chwilio am y synagog y bu Paul yn dadlau â'r Iddewon ynddi (Actau 17:17). Wrth ymwáu trwy'r strydoedd, a'r acropolis uchel yn dod i'r golwg bob hyn a hyn, o ran chwilfrydedd gofynnais i'r Atheniad sawl colofn oedd ar y Parthenon. Gwenodd Christos arnaf ac ateb nad oedd ganddo'r un syniad – am mai unwaith erioed y dringodd at y Parthenon. Ac wele deithiwr o Ros-lan bell yn gwybod yn amgenach na'r Groegwr ei hunan!

Ond cyn wfftio'r dim lleiaf, pe gofynasai Christos i mi sawl tŵr sydd ar gastell Caernarfon, ni fuasai gennyf innau'r un syniad chwaith. Dylid cofio'n rasol mai pob un â'i ddiddordeb yw hi mewn hyn o fyd.

MEDI *20*

... aeth Abraham a chymryd yr hwrdd a'i offrymu
yn boethoffrwm yn lle ei fab.
(GENESIS 22:13)

DERBYNIAIS Y GWAHODDIAD i ddefod y 'Kurban Bairamu', a chyrraedd yno'n brydlon am naw o'r gloch y bore.

Güzel Baçhe (Gardd Brydferth) oedd enw'r tŷ, o fewn decllath i Fôr Aegea ar gyrion dinas Izmir yn Nhwrci. Aed â ni i'r ardd lle'r oedd twll newydd gael ei balu allan o'r ddaear. Wrth bren almon cyfagos, roedd dafad gorniog ynghlwm wrth bwt o reffyn.

Y bore hwnnw yn yr ardd, deuthum i sylweddoli mai'r rheswm dros raffu'r defaid oedd eu haberthu ar yr ŵyl i dduw'r Mahometaniaid. Erbyn hynny, roedd y teulu'n sefyll yn ddefosiynol o gwmpas y tocyn pridd, a'r cigydd lleol yn dal y ddafad gerfydd ei chyrn. Anwesodd y penteulu, Kemal Gerekmen, ei phen gwlanog gan furmur y weddi: 'Yn awr, yr ydym yn dy offrymu di i Alah drosom ni.' Ar hynny, cyllellodd y cigydd wddf y creadur truan nes bod y gwaed yn tasgu i'r twll pridd. Ymrithiodd cymal o Eseia ar draws fy meddwl: '... am iddo dywallt ei enaid i farwolaeth...'

Erbyn canol dydd, roedd Kemal wrth y drws i'n croesawu i'w gartref gan ddiferu dafnau persawr ar gledrau'n dwylo cyn bwyta cinio o friwgig rhost yr aberth oedd ar fynd mor bell yn ôl â chyfnod Llyfr Genesis.

Ar ôl gadael y tŷ, croesais y ffordd at ymyl y môr i bendroni ar fore mor gynhyrfus, a daeth llinell Williams Parry i selio'r cyfan: 'Rwy'n wych, rwy'n wael, rwy'n gymysg oll i gyd.'

MEDI *21*

Canys perarogl Crist ydym ni...
(2 CORINTHIAID 2:15)

CYN I'R OES fodern ddod â'r modur a'r sinema a'r teledu i afael cymdeithas, mae'n debyg mai'r pulpud oedd theatr y werin. Bryd hynny, byddai'r hen gewri'n defnyddio pob dawn a feddent wrth gyflwyno'r Efengyl i'r cynulleidfaoedd. Un dull diddan o gyfleu'r neges fyddai i'r pregethwr gynnal dialog ddychmygol ag arwr ei genadwri.

Wrth gyhoeddi ei destun (2 Corinthiaid 2:15, dyweder): 'Canys perarogl Crist ydym ni...', byddai'r cennad yn taflu cwestiwn eithaf personol at yr Apostol: 'Ble cest ti'r *scent* yna, Paul?'

Rhoddai hynny gyfle i Paul ateb – trwy'r pregethwr, wrth gwrs – gan ddisgrifio sut y bu ar un adeg yn erlidiwr ffyrnig. Ond yn ymyl Damascus cwrddodd â'r Iesu yn llygad haul, a bwriodd ei dröedigaeth ef i'r ddaear yn ddall bost. Yn y man, daeth allan o'r pair yn ddyn hollol newydd wedi'i drwytho mewn gras, a'i felysu gan 'berarogl Crist'.

Tro'r pregethwr fyddai hi wedyn i ddisgrifio prydferthwch y *Damask Rose* neu Rosyn Saron, ac egluro fod *scent* y petalau wedi glynu wrth yr Apostol am weddill ei oes ... a'r gynulleidfa'n cael ei chyfareddu gan ddrama'r pulpud.

Garddwr yn stad Maesmor oedd Jenkin Hughes, Dinmael, a chofiaf iddo ddweud wrthyf un tro: 'Petawn i'n trin rhosynnau'r plas cyn i'r haul godi'r gwlith, mi fyddai eu persawr nhw ar fy nillad i dros weddill y dydd.'

Onid oedd hwnnw'n gwestiwn hyfryd o lwythog i hen erlidiwr: 'Ble cest ti'r *scent* yna, Paul?'

MEDI 22

O na buaswn farw drosot ti, Absalom, fy mab, fy mab!
(2 SAMUEL 18:33)

GŴR O'R BALA oedd John Phillips – Tegidon, wrth ei enw
barddol – a ddaeth i Borthmadog fel goruchwyliwr cwmni
llechi ar bwys yr harbwr. Mae'n amlwg y gwyddai ef am fab
yn ei gymdogaeth a fu farw'n ifanc ac yn sydyn iawn.
Ymddengys fod y golled honno wedi ysigo'i dad i'w
wreiddiau, am na bu yntau fyw yn hir ar ôl y ddrycin fawr.

Nyddodd Tegidon[†] glasur o englyn i goffáu'r tristwch
hwnnw, lle mae'n gweld storm yn rhwygo cangen ifanc oddi
ar y pren, ac wedi dinoethi mor chwyrn, ni bu'n hir wedyn
na chwympodd y goeden hithau.

> Yr eiddilaidd ir ddeilen – a syrthiai
> Yn swrth i'r ddaearen;
> Yna y gwynt, hyrddwynt hen,
> Ergydiai ar y goeden.

Mewn sawl pennod yn yr Efengyl yn ôl Ioan, mae'r
cwlwm rhwng tad a mab yn annatod, e.e. '... fel y
gogonedder y Tad yn y Mab' (Ioan 14:13).

[†] Yn *Perlau R. Williams Parry* (1981), dyma dystiolaeth Mathonwy Hughes:
'Ceid yr argraff bob amser mewn sgwrs ag R.W.P. mai ei ffefryn oedd englyn
Tegidon.'

MEDI *23*

... pan fyddi'n hen, byddi'n estyn dy ddwylo
i rywun arall dy wregysu...
(IOAN 21:18)

RHYW BUM MLYNEDD YN ÔL, fe alwodd hen ŵr yn ein cartref ni, ac y mae'n dal efo ni o hyd.

Er ei fod yn eithaf didramgwydd, y mae'n hynod o ddi-ffrwt. Os aiff i'r ardd i dwtian, bydd yn ei ôl cyn pen pum munud yn darllen wrth y tân, neu'n darn-addoli'r ci.

Mae'n hen ddyn digon blêr ar sawl cyfrif. Ar dro, aiff i'm gweithdy – i 'wneud joban', medda fo. Ar ei ôl, fodd bynnag, bydd y fainc yn un cawdel o aflerwch. Os aiff i'm hystafell i sgrifennu llythyr, bydd wedi gadael y bwrdd yn llanastr o bapurau, penselydd ac amlenni, a llyfrau yn hanner agored dros y silffoedd a'r llawr.

Ar ôl sgawt felly, bydd yn ei gornel wrth y tân, un ai'n darllen, neu'n cofnodi'r syniadau rhyfedd sy'n dod i'w ben. Mae fideos a geriach fel cyfrifiaduron yn llwyr allan o'i fyd, heb unrhyw syniad ganddo sut i drafod botymau recordio a mân nobiau o'r fath.

Does ganddo fawr i'w ddweud wrth deledu chwaith, ar wahân i *Midffîld* a rhaglenni archaeoleg. Ar un adeg, ymddengys iddo grwydro'r Cyfandir yn lled helaeth, ond bellach nid oes modd ei gael i grwydro i un man oll allan o'r lle acw.

Bythefnos yn ôl, awgrymodd yr hen ddyn na wyddai pryd y byddai'n gadael ein cartref ni. 'Ond, y diwrnod hwnnw,' meddai gyda phendantrwydd rhyfedd, 'mi fyddi *di* yn gorfod dod efo mi.'

MEDI *24*

... ac efe a syrthiodd mewn trymgwsg,
tra oedd Paul yn ymresymu yn hir...
(ACTAU 20:9)

PNAWN TRYMAIDD O HAF OEDD HI, a'r gynulleidfa'n ei chael hi'n anodd cadw'n effro. Pan ddechreuodd blaenor neu ddau ddylyfu gên ar awr mor llethol, adweithiodd y pregethwr trwy godi'i lais a chyhoeddi, 'Os ydach chi am dynnu'r *shutters* i lawr, rydw innau'n mynd i gau'r siop!'

Bu hynny'n ddigon i ddeffro pob gwrandawr. Digon tebyg oedd pethau yn hanes yr Eglwys Fore. Yn llyfr yr Actau, ceir hanes am yr Apostol Paul yn traethu'n enbyd o faith yn ninas Troas – hyd hanner nos, meddir. Yn sydyn, cyffrowyd yr oedfa: roedd dyn ifanc o'r enw Eutychus wedi mynd i gysgu, ac wedi syrthio i'r llawr oddi ar ymyl ffenestr lle'r oedd yn eistedd... Ond darllener Actau 20:7-12 am gyfrif llawn o'r helynt hwnnw.

Mae syrthni wedi plagio'r eglwys sawl tro. Dalier ar yr alwad yn Eseia 52:1-2, 'Deffro, deffro, gwisg dy nerth, Seion ... Cod, ymysgwyd o'r llwch...'

Ganrifoedd ar ôl hynny, dyma John Hughes, Pontrobert, yn eilio'r alwad honno:

> O! deffro, deffro, gwisg dy nerth,
> O! brydferth fraich yr Arglwydd.

MEDI 25

... y mae'r benthyciwr yn was i'r echwynnwr.
(DIARHEBION 22:7)

YN AIL LYFR Y BRENHINOEDD 6:1-7, ceir hanes tra hynod am nifer o ddynion yn mynegi wrth Eliseus fod eu lle yn rhy gyfyng iddyn nhw fedru byw ynddo, a'u bod am godi cartre mwy helaeth. Ac i ffwrdd â nhw i goedlan ar bwys afon Iorddonen i dorri trawstiau. Ar ganol y prysurdeb, llithrodd bwyell un o'r gweithwyr i waelod yr afon, ac meddai hwnnw wrth Eliseus: 'Gwae fi, syr; un fenthyg oedd hi.'

Gwae, yn wir! Gallwn lawn ddeall trallod y cyfaill hwnnw. Onid yw colli, neu ddifetha rhywbeth a fenthyciwyd yn annifyrrwch gwaeth na'r cyffredin? Beth sy'n waeth na benthyg arian, a methu â'u talu'n ôl? Benthyg modur, a chael damwain? Benthyg llyfr, a'i golli?

Wrth fenthyg unrhyw beth, gwyddom o'r cychwyn nad ni a'i piau. At hynny, cydnabyddwn mai dros dro yn unig y cawn y ffafr; ac yn bwysicach na dim, bod dychwelyd yr eiddo i'r perchennog yn beth cwbl ddisgwyliadwy a theg.

A bod yn fanwl, onid benthyg yw popeth sydd gennym ar ein taith trwy'r byd? Yn y pen draw, onid benthyg yw bywyd ei hunan? 'Yr einioes roddaist, cymer hi', medd un emyn.

Un pnawn, roedd panel y rhaglen radio *Byd Natur* yn darlledu allan yng nghefn gwlad, a Henry Lloyd Owen, yr hynaf o'u plith, yn llesgáu wrth ddringo llethr go serth. Pan euthum draw i'w helpu, meddai wrthyf yn fyr ei anadl, 'Cofia mai ar amser benthyg yr ydw i bellach...'

MEDI 26

... yn gwarchod gartref ...
(TITUS 2:5)

ROEDDEM WEDI bod wrthi ers cryn bythefnos yn crwydro hyd a lled Denmarc yn ffilmio hanes Søren Kierkegaard mewn mannau fel Gilleleje, Sjaellands Odde, Ebeltoft, Aarhus, Silkeborg, Ringkøbing, nes cyrraedd Saedding, ardal ei eni yn Jutland. Taro yno ar Anders Stengaard, hen hen ewythr iddo.

Rwyf wedi cynnwys yr enwau tramor uchod o fwriad, am y byddwn wrth fy modd yn sŵn y sillafau dieithr. Bu'n rhaid oedi sbel yn Copenhagen am i Kierkegaard dreulio rhan helaeth o'i oes yno. Fel erioed, byddai dwndwr a siopau dinas yn orthrwm arnaf, a hyfryd fyddai cael troi i dawelwch yr ystafell lle gweithiai Kierkegaard, neu i'r amgueddfa, neu i'r fynwent, 'Assistens', lle claddwyd ef.

Y bore olaf, cawsom ein gwahodd i Henning Vana ar gyrion Copenhagen, er mwyn cael golwg ar Ganolfan Deledu Denmarc. Er y byddai gweld yr offer diweddaraf yn brofiad gwerthfawr i'r criw ffilmio, gwyddai ein dyn camera, Ken MacKay, nad oedd gennyf y diddordeb lleiaf mewn pethau o'r fath. Wrth imi how-gerdded gyda'm meddyliau fy hunan ar hyd y coridor hirfaith, sylw Ken wrth fy mhasio oedd: 'On auto-pilot, Robin?'

Gwir bob gair! A bod yn onest, ar ôl bod i ffwrdd mor hir, yr unig beth ar fy meddwl bellach oedd cael bod adre'n ôl yn Rhos-lan. Fel Pantycelyn, '. . . yn rhyw ddisgwyl bob yr awr fod tŷ fy Nhad gerllaw.' Ie . . . 'rhyw ddisgwyl'! Ni synnwn nad oedd Williams hefyd ar *auto-pilot* y diwrnod hwnnw.

MEDI 27

... a'i weinidogion yn fflam dân.
(HEBREAID 1:7)

CADW GŴYL yng nghapel y Foel ym Maldwyn yr oeddem ni, a'r Weslead pybyr hwnnw, D. Tecwyn Evans, mewn llawn hwyl ar ganol ei bregeth. Rywsut neu'i gilydd aeth i fanylu am fyd awyrennau, gan dystio pethau mor hwylus oedd y rheini i hedfan bellteroedd dros wyneb y ddaear.

'Rhowch bobol ynddyn nhw,' anogodd Tecwyn. 'Rhowch nwyddau ynddyn nhw. Rhowch unrhyw beth ynddyn nhw – ond bomiau.' Yna, mynegodd ei awydd am feddu awyren bersonol. 'Chreda i byth na fyddai awyren yn beth hwylus i bregethwr symud o fan i fan,' meddai. 'Fe allwn i bregethu am ddeg i lawr yng Nghernyw, am ddau yn y Foel yma, ac am chwech yn Glasgow! Mae gan Ioan adnod fel hyn yn Llyfr y Datguddiad: "Ac mi a welais angel arall yn ehedeg yng nghanol y nef, a'r efengyl dragwyddol ganddo…" Wn i ddim beth a welodd Ioan,' meddai'r hen batriarch, 'os nad pregethwr Wesla'n mynd i'w gyhoeddiad mewn eroplên ar fore Sul!' (Gweler Datguddiad 14:6)

MEDI *28*

Dedwydd yw rhoddi yn hytrach na derbyn.
(ACTAU 20:35)

ROEDD GAN gapel bach y Cwm ddull unigryw o dalu i'r
pregethwr. Yn y cyntedd ar y ffordd i mewn yr oedd blwch
pren a hollt yng nghanol ei gaead. Wrth gyrraedd y capel
byddai pob aelod yn gollwng dernyn o arian trwy'r hollt, ac
ar y ffordd allan byddid yn agor y blwch ac yn estyn yr arian
parod hynny fel tâl i'r cennad.

Un bore Sul arbennig, ysgubai storm filain drwy'r cwm,
ac ar ôl gwisgo'n dynn amdanynt, mentrodd y gweinidog a'i
fab dengmlwydd i ganol y ddrycin. Ar ôl cyrraedd lobi'r
capel, gwthiodd y tad bisyn deuswllt i'r blwch, a cherddodd
y ddau i mewn. Nid oedd un enaid byw yn y cysegr.

Dwysâi'r dymestl gyda'r glaw yn gwastrodi'r ffenestri a'r
gwynt yn ubain o dan y drws. Wedi ugain munud arall a'r
genlli'n dylifo'n waethwaeth, penderfynodd y gweinidog
mai'r peth doethaf fyddai troi tuag adre. Agorodd gaead y
blwch yn y lobi a chymryd ei ddeuswllt ei hunan yn ôl, yna
allan ag ef i ganol y curlaw a'r bachgen yn ei gysgod.

Yna'n sydyn, dyma'r bychan dengmlwydd yn cynnig pwt
o ddoethineb.

'Dad!' meddai. 'Tasech chi wedi rhoi mwy yn y blwch, mi
fasech wedi cael mwy i ddod adre.'

Mae'n wir bod rhywbeth braidd yn chwithig yn rhesymeg
y plentyn, ond wedyn, po fwyaf a rowch chi i fywyd, y
tebygrwydd yw mai mwyaf yn y byd a gewch chi allan
ohono yn ogystal.

MEDI 29

A phan aeth hi yn ddydd, nid oeddynt yn adnabod y tir:
ond hwy a ganfuant ryw gilfach a glan iddi; i'r hon y
cyngorasant, os gallent, wthio'r llong iddi.
(Actau 27:39)

Wrth grwydro gwlad Denmarc, sylwais fod gan y rhan
fwyaf o'r capeli fodel o long, rhwng llathen a chwe
throedfedd o hyd, yn hongian o nenfwd y cysegr: modelau
gwir gywrain, yn festys, riging, rhaffau, baneri ac angorion.
O holi Svend Balslev, gweinidog Kastellet, cefais sawl
esboniad ganddo pam mae llongau mor amlwg yng nghapeli
Denmarc.

Un oedd addewid capten arbennig i'r Arglwydd y byddai,
o'i arbed mewn tymestl enbyd, yn cyflwyno model o'i long
fel rhodd i'r eglwys. Esboniad arall oedd eu bod yn cofféu
Iesu Grist yn tawelu'r storm ar fôr Galilea. Gallasai'r model
hefyd fod yn goffa am y llong (neu'r 'arch') a gadwodd Noa
a'i deulu adeg y Dilyw.

Hoff esboniad Svend Balslev oedd yr enw a arddelir hyd
heddiw am ran ganol y cysegr, sef 'llong yr eglwys' – 'the
nave of the church'. Daw'r gair 'nave' o'r Lladin 'navis', sy'n
golygu 'llong'. Erbyn meddwl, onid o'r gair hwnnw y caed
'navy', 'naval' a 'navigate'?

Yn Llyfr yr Actau, ceir pennod orchestol sy'n disgrifio
Paul mewn llongddrylliad, a sut y bu i rai o'r teithwyr nofio
ar ystyllod nes cyrraedd traeth ar ynys Melita – Malta,
heddiw. Efallai mai gwers bennaf Denmarc yw dangos fod y
llongau'n fythol ddiogel yn harbwr yr eglwys.

MEDI *30*

... fe wyddoch y byddwn ni'r athrawon
yn cael ein barnu'n llymach.
(IAGO 3:1)

CLYWIR CRYN falurio ar bethau gan y cyfryngau torfol sy'n cymysgu rhwng geiriau fel termau/telerau; methu/colli; cyfreithiol/cyfreithlon; prydau/prydiau, heb anghofio'r erthyl 'so' hwnnw sy'n hadu fel pla dros bob ardal bellach.

O bryd i'w gilydd gan hynny, bydd gofyn cwrs o buro ar yr heniaith. Felly'r oedd hi yn y dauddegau pan aeth rhai fel John Morris-Jones a Tecwyn Evans ati i 'buro' hen lyfr emynau'r Methodistiaid Calfinaidd. Er enghraifft, yn emyn David Charles, Caerfyrddin, rhoed 'Bydd synnu wrth *gofio*'r rhain', yn hytrach na'r gor-odli gwreiddiol '... *olrhain* rhain'.

Cofiaf R. Williams Parry ym Mangor yn trafod peryglon ymyrryd gormod â'r hen emynau. Ymddengys fod y purwyr yn 1929 yn anfodlon â'r 'th' enidol ym mhennill Ann Griffiths:

> Anturia iddo'th fywyd,
> A bwrw arno'th bwn.

Yr hyn a wnaed yn y llyfr newydd oedd gweithio'r rhagenw 'dy' i'r llinellau:

> Dy fywyd mentra arno,
> Ac arno rho dy bwn.

Nid oedd Williams Parry yn amau dim ar y 'cywiro' gramadegol fel y cyfryw, ond teimlai fod rhywbeth cyfrin wedi mynd ar goll yng nghwpled gwreiddiol Ann. A'i ddedfryd oedd hyn: 'Bu'r driniaeth lawfeddygol yn llwyddiant perffaith. Ond bu farw'r claf.'

HYDREF *1*

Chwiliwch yr ysgrythurau...
(IOAN 5:39)

WRTH GYRRAEDD llofft y gwesty, y siawns yw y gwelwch Feibl ar bwys y gwely. Cyffro pellach yw fod Beiblau fel hyn i'w cael mewn miloedd o westyau ar hyd a lled y ddaear. Enw'r gymdeithas sy'n eu rhannu yw'r Gideoniaid.

Cychwynnodd y stori ar nos o Hydref 1898 mewn gwesty yn Wisconsin: dau Gristion dieithr yn digwydd cwrdd yno, ac yn cadw defosiwn hwyrol yng nghwmni'i gilydd. Y noson honno, penderfynodd y ddau ffurfio cymdeithas a fyddai'n gysur i Gristion ar ei drafael hwnt ac yma. Erbyn Gorffennaf y flwyddyn ddilynol, rhoed trefn ar y gymdeithas o dan enw'r gwaredydd, Gideon, yn Llyfr y Barnwyr.

Y canlyniad fu argraffu Beiblau, a'u dosbarthu mewn gwestyau, ysbytai, colegau, gwersylloedd milwrol a sawl man cyhoeddus dros wyneb y byd. Bellach, ceir cyfieithiadau mewn mil a mwy o ieithoedd y ddaear.

Un noson, mewn gwesty yn Athen, agorais y 'Beibl Gideon', a sylwi (cyn cyffwrdd Genesis) fod y dalennau cynnar yn cynnwys yr un un adnod mewn pump ar hugain o ieithoedd mwyaf gwybyddus dynoliaeth, fel Arabeg, Tsieinëeg, Afrikaans, Saesneg, Ffrangeg, Groeg etc. Ioan 3:16 oedd hi: 'Canys felly y carodd Duw y byd...' A dyna'r Efengyl a'r twrist yn taro ar ei gilydd wrth deithio, ac fe allan nhw ddod yn gyfeillion am oes.

HYDREF 2

… ymarfer dy hun i dduwioldeb.
(1 TIMOTHEUS 4:7)

GAIR ARDDERCHOG yw'r 'ymarfer' hwn. Er mwyn i'r athletwr gadw'i nerth a'i ystwythder, rhaid iddo ymarfer yn gyson gyson, nes bod y corff i gyd yn gweithio'n 'anymwybodol' i'r perfformiwr.

Yng ngwendid swrth y natur ddynol, mae'r meddwl wedi ystyfnig benderfynu rhai pethau ymlaen llaw: bydd yn rhaid iddo gael dannod ynghylch rhyw dro blin a fu, neu bydd gofyn talu'n ôl oherwydd rhyw gam a ddigwyddodd. Dyna ogwydd (eithaf naturiol efallai) meddwl dyn yn ei gythraul.

Ond er mwyn i Ysbryd yr Efengyl gael ei le yn yr un dyn, bydd gofyn chwyldro yn ei bersonoliaeth. Golyga hynny gwrs caled o 'ymarfer'.

Rywsut neu'i gilydd, rhaid i ni ddysgu meddwl yn garedig: peidio â dannod, peidio â thalu'n ôl. Nid yw mileindra ffrae a dialedd rhwng dau ond yn chwerwi teimladau nes bod y mewnolion yn llosgi fel asid. ('Ulcers come, not from what you eat, but from what is eating you', meddai rhyw feddyg.)

Wrth ymarfer â gras, bydd gofyn i ddyn gyhoeddi wrtho'i hunan (yn hyglyw uchel, os mynnir): 'Wna i ddim bod yn gas, wna i ddim talu'r pwyth, wna i ddim gwylltio', ac o ddal ati i ymarfer felly â'r doniau da, cyn bo hir daw melystra personoliaeth yn ail natur i ddyn. Y canlyniad fydd sylwi bod ei gartref a'i gymdogaeth yn llawer llawenach lle.

'Roeddwn i'n clywed eich bod chi wedi cael diwygiad yn Salem yma,' meddai cyfaill wrth flaenor yr eglwys.

'Naddo wir,' atebodd yntau. 'Diwygio *wnaethon* ni.'

HYDREF *3*

Cenwch i'r Arglwydd ganiad newydd...
(SALM 96:1)

RHYDD-GYFIEITHIAD o salm Sant Ffransis o Assisi, fu farw 3 Hydref 1226.

Oruchaf Hollalluog Arglwydd Dduw da, i Ti y perthyn clod, anrhydedd, gogoniant a phob bendith.

Bydded clod i'm Harglwydd Dduw a'i holl greaduriaid; ac yn arbennig ein brawd yr haul sy'n dod â'r dydd a'r goleuni inni: teg yw ef, yn disgleirio'n dra godidog gan dy ddangos Di i ni, O Arglwydd.

Bydded clod i'm Harglwydd am ein brawd y gwynt, am awyr a chwmwl, am hin dawel a phob tywydd sy'n cynnal yr holl greaduriaid.

Bydded clod i'm Harglwydd am ein chwaer y dŵr, sydd mor wasanaethgar inni, yn wylaidd, gwerthfawr a glân.

Bydded clod i'm Harglwydd am ein brawd y tân, y rhoddi Di trwyddo ef oleuni i ni mewn tywyllwch; y mae'n llachar a dymunol, yn rymus iawn a nerthol.

Bydded clod i'm Harglwydd am ein mam y ddaear, sy'n ein cynnal a'n cadw gan ddwyn ffrwythau amrywiol, blodau lliwgar a glaswellt.

Clodforwch a bendithiwch yr Arglwydd, diolchwch iddo a gwasanaethwch Ef mewn gwyleidd-dra mawr.

HYDREF *4*

Bob bore y deuant o newydd: mawr yw dy ffyddlondeb.
(GALARNAD JEREMEIA 3:23)

WRTH IMI GERDDED Y STRYD, cwrddais â gwraig oedd newydd ddod o'r feddygfa, a'i hwyl, yn ôl ei golwg, yn bur isel. 'Edrychwch ar y rhain!' meddai, gan ddal pecyn o dabledi o'm blaen. 'Wyddoch chi fod y doctor wedi deud y bydd yn rhaid imi gymryd y rhain bob dydd? "*Tra byddwch chi byw*", ddeudodd o, cofiwch. Sobor, yntê?'

Roedd cnul tynged yn ei llais, a'i llygaid yn llawn difrifwch. Chwarae teg iddi hithau, druan, a dedfryd y meddyg mor sobreiddiol. Roedd derbyn y 'tra byddwch chi byw' yn ofyn go fawr.

Eto, o edrych ar bethau yn oer a rhesymol, onid yw pawb oll ohonom o dan ddedfryd debyg? Y gwir yw fod yn *rhaid* i ninnau wneud rhai pethau 'tra byddwn ni byw', megis bwyta, sy'n golygu tri neu bedwar pryd bob dydd o'n hoes. Felly hefyd y mae'n rhaid i ni yfed 'tra byddwn ni byw'. Heb sôn am y rhaid o gadw'n gynnes. O gysgu. Ac o ddeffro – gyda lwc.

Mae'n bosibl mai teitl tristaf y Beibl ar lyfr yw 'Galarnad Jeremeia', a rhaid cyfaddef fod ynddo gryn alaeth. Ond wedyn, yn y llyfr hwnnw hyd yn oed, ceir y geiriau gobeithiol hyn: 'Trugareddau yr Arglwydd yw na ddarfu amdanom ni oherwydd ni phalla ei dosturiaethau ef' (3:22).

Er yr holl gwyno oedd yn ei glinig, byddai'r Meddyg Mawr wrthi bob bore yn rhannu'r moddion. Yn enw'r trugareddau hynny, codwch chwithau eich calon!

HYDREF 5

A phan weddïech, na fydd fel y rhagrithwyr...
(MATHEW 6:5)

FE SYLWODD rhywun fod siâp y rhif 7 yn debyg i gaib, a phan ddaeth 1777 i'r almanac, galwyd honno'n Flwyddyn y Tair Caib. I grefyddwyr Cymru, dyna pryd y daeth un o lyfrau mawr Williams Pantycelyn o'r wasg, yn dwyn y teitl eithaf llwythog: *Templum Experientiae Apertum neu Ddrws y Society Profiad*. Cafodd y Saesneg *society* ei Gymreigio i 'soseiat', ac felly y daeth y gair 'seiat' i'r iaith.

Pan oedd y Diwygiad Methodistaidd ar gerdded, gofalodd Pantycelyn a'i gyfeillion fod y credinwyr newydd yn cael cwrdd i seiadu, sef trafod eu profiadau ysbrydol, ac ar brydiau, cyffesu eu gwendidau. Yn y seiadau hynny, yn ogystal â'r cysuro, gallai ceryddu ddigwydd hefyd. Ar fater 'torri allan o'r seiat', sylwer mor rasol oedd Williams wrth drin codymau'r saint:

'... am ryw gwympiadau disymwth na bo gan gredadyn un meddwl blaenllaw amdanynt, ond syrthio iddynt o nerth temtasiwn danllyd a ddaeth fel hurrican o gyffiniau uffern, neu fel llifeiriant diarwybod o fynyddau cig a gwaed, ni ddylid taflu allan yn frwd y cyfryw rai, ond eu ceryddu yn addfwyn...'

Cyn pen canrif arall, ymhidlodd elfennau o ffug i'r seiadau, a hynny a barodd i Wil Bryan (yn *Rhys Lewis*, Daniel Owen) egluro wrth ei ffrind o Eglwyswr mai 'lot o bobol dda yn meddwl 'u bod nhw'n ddrwg' oedd yn mynd i'r seiat. A dyma'i ddyfarniad terfynol: 'Mae hi'n fwy cyfforddus yn 'r Eglwys, ond yn fwy saff yn y capel.' Gwyn fyd gwreiddiolion fel Wil!

HYDREF 6

... a'i gân fydd gyda mi liw nos...
(SALM 42:8)

DENGYS DYDDIADUR 1956 mai ar Hydref y 6ed a'r 7fed y
cynhelid yr Ŵyl Bregethu yn y Tabernacl, Aberteifi, a'm bod
wedi aros ar aelwyd Penrallt Ddu gyda Mr a Mrs Thomas.
Yn ôl y cofnod, 'cyfeillion cyfforddus, caredig a diffwdan'.
Gwir bob gair, am fod rhin yr atgof yn felys hyd heddiw, a
chryn bum mlynedd a deugain wedi pasio bellach.

Coffa da am orlif croeso gwraig y tŷ, heb sôn am gwmni
diddan 'Tomos y Fèt' a'i linyn lliwgar o straeon. Cofio dod
yn ôl o'r oedfa, a phawb ohonom wedi swpera yn gylch o
gwmpas y piano. Yna, Guto'n dod i mewn (ai gwas, ai
cymydog, nid wy'n siŵr erbyn hyn) ac yntau yn ei seithfed
nef wrth forio trwy'r hen emynau.

Yn y man, rhoed cynnig ar dôn 'Bryniau Casia', ac wedi
canmol 'y Gŵr wrth Ffynnon Jacob', mynnai Guto ein bod
yn dysgu pennill a glywsai ef rywbryd yng nghwrs y
blynyddoedd. Ni wn pwy oedd yr awdur, dim ond bod
hwnnw'n grefftwr a fedrai gadw at y ddelwedd gydol ei gân:

> Hen lestr mawr Trugaredd
>   A ddaeth i'n daear ni;
> Mordwyodd foroedd cariad
>   O Fethlem i Galfari.
> Arllwysodd ei thrysorau
>   Mewn teirawr ar y groes,
> A digon yn ei chargo
>   I fyw tragwyddol oes.

HYDREF 7

... profwch yr ysbrydion ... ai o Dduw y maent...
(1 IOAN 4:1)

WRTH GRWYDRO DRAMOR, dylai'r teithiwr barchu arferion y wlad y mae ynddi, er y dichon rhai ymddangos yn bur od iddo. Cofiaf bicio am goffi canol bore yn Nwyrain Berlin (cyn dymchwel y wal) a'r gofalwr wrth y drws yn aros am fy macintosh i'w hongian ar fach yn ei lobi. Wrth garbwl egluro ei bod yn fore oer a llaith, ac na fwriadwn aros brin chwarter awr, teimlwn fod tyndra rhyfedd yn magu rhyngom, ac ildio'r gôt fu raid. Am ryw reswm, roedd tynnu côt yn *drefn bendant* ganddyn nhw.

Ym Morocco, peth peryglus yw tynnu ffotograff agos o ferch, am y gellir dolurio balchder ei gŵr, ac ni fyddai ef yn hapus o weld estron yn mynd adre i'w wlad yn berchen llun o'i wraig. Wrth fargeinio'n chwareus ag Arab dros gownter ei stondin, os penderfynwch yn sydyn na fynnwch mo'r nwydd wedi'r cyfan, byddwch wedi pechu'n anfaddeuol – am fod *dechrau bargeinio* yn golygu eich bod yn *siŵr o brynu*, a'r tebyg yw y cewch gwrs o'ch melltithio am 'dorri'r rheolau', fel petai. Yn yr Eidal wedyn, gwelais fintai o ferched yn cael eu gwahardd rhag ymweld ag eglwys Sant Pedr am fod eu hysgwyddau'n noethion.

Wedi'r cyfan, wrth oedi mewn gwlad dramor, dylem gofio nad y brodorion yw'r estroniaid, ond ni. A hynny bob tro. Yn y Llythyr at yr Hebreaid (11:13), sonnir am deulu Abraham yn cyfaddef mai 'dieithriaid ac ymdeithwyr oeddent ar y ddaear'. Felly, sut y dylai'r 'twrist crefyddol' ymateb i arferion y byd hwn? Plygu i'r drefn ynteu protestio? Cwestiwn sy'n snwcro dyn, braidd!

HYDREF *8*

A dywedodd yr angel oedd yn siarad â mi,
'Dangosaf i ti beth ydynt.'
(SECHAREIA 1:9)

DAETHOM I DDWFN y wlad yn Anatolia i gael cip ar eglwys Sardis y sonia Llyfr y Datguddiad amdani. Er iddi fod ar un adeg yn gornel gynnes i ffrindiau'r Crist, dim ond adfeilion crinsych sydd yno heddiw. Eto, ganllath i ffwrdd, roedd synagog yr Iddewon yn eithaf graenus ei gwedd. Ac yn y cwmpasoedd (Islamaidd ers canrifoedd bellach) ceir ambell gell sy'n glynu wrth ei chred hithau, a phawb a'i enw yn rhywle ar Lyfr yr Eglwys. Dyma addefiad Mehmet, fy nghyfaill o Dwrc: 'Mwslim ydw i – ond ar bapur yn unig.'

Hyd y gwn, ni sonia'r Testament Newydd am Lyfr yr *Eglwys*, ond y mae'n crybwyll Llyfr y *Bywyd*. Wrth drafod eglwys Sardis, cyfeiria'r Ysbryd at ambell aelod fu'n wrol yn nydd yr erlid: '… a'i enw ef ni thorraf allan fyth o lyfr y bywyd…' (Datguddiad 3:5).

Mae cerdd gan Leigh Hunt yn sôn am angel yn galw yn llofft Abou Ben Adhem â llyfr aur yn cynnwys enwau 'y rhai oedd yn caru Duw'. Pan ddeallodd nad oedd ei enw ef ar y cyfyl, gofynnodd Ben Adhem tybed a ellid cynnwys ei enw 'fel un oedd yn caru ei gyd-ddyn'. Eglurodd yr angel y byddai'n rhaid iddo drafod achos felly â'i Arglwydd, ac y dôi'n ôl nos drannoeth gyda'r ddedfryd. Yn unol â'i amod, dychwelodd yr angel gan agor y llyfr aur:

> And showed the names whom love of God had blest,
> And lo! Ben Adhem's name led all the rest.

Sy'n awgrymu y gall fod gwahaniaeth rhwng Llyfr yr Eglwys a Llyfr y Bywyd.

HYDREF 9

... edrychwch pwy a greodd y rhai hyn...
(ESEIA 40:26)

MAE AMBELL UN yn prowla trwy'r Llyfr Mawr er mwyn dod o hyd i air neu adnod sy'n lled anghyffredin, fel y cyfaill hwnnw a ofynnodd i mi ymhle mae sôn am gathod yn y Beibl. Heddiw, temtir finnau i ofyn ymhle yn yr Ysgrythur y gwelir sôn am y paun.

Hyd y gwn, mae tri chyfeiriad posibl. Yn 1 Brenhinoedd 10:22, mewn pennod lachar sy'n disgrifio ymweliad brenhines Seba â phlasty Solomon, mynegir fel hyn: '... unwaith bob tair blynedd fe ddôi llongau Tarsis â'u llwyth o aur, arian, ifori, epaod a pheunod.' (Ceir yr un adnod yn union yn 2 Cronicl 9:21.) Ac yna'r cwestiwn hwn yn Llyfr Job 39:13: 'A roddaist ti adenydd hyfryd i'r peunod?' (Am resymau ysgolheigaidd, nid yw 'peunod' Job – neu William Morgan – yn *Y Beibl Cymraeg Newydd*; y cyfieithiad yno yw 'estrys' a 'garan'.)

Un hydref, sbel yn ôl, rhwng llidiart Talhenbont a Phlas Hen, codais o'r gwellt bluen paun sydd fymryn dros saith modfedd o hyd. Rhaid mai o fôn y gynffon y disgynnodd hon, am y gallai'r plu hwyaf dynnu at ddwylath o hyd.

Rwyf wedi craffu oriau ar y bluen honno; y cwilsyn gwyn a manblu'r bôn yn ymagor yn ddwyres o 'walltiau' nes ffurfio'r llygad glasddu hwnnw ar y blaen mewn cylch o frown, glas a gwyrdd sy'n symudliw disglair. Gwn y byddai microsgop yn angerddoli'r wyrth am fod yno filoedd ar filoedd o fân flew nad yw llygad noeth yn dal arnyn nhw. Os yw'r paun yn aderyn balch, pob parch iddo am deimlo felly. Petawn i'n grëwr aderyn o'r fath, byddwn yn fwy balch na'r paun ei hunan.

Yr oedd holl adar y nefoedd yn nythu yn ei cheinciau, a'r
holl anifeiliaid gwylltion yn epilio dan ei changau...
(ESECIEL 31:6)

PAN YW'R ADAR yn ymfudo'n un haid, mae'r rhai bach yn canfod y ffordd i'w cartre tramor wrth ddilyn eu rhieni.

Aeth un adarydd i arbrofi gan roi marc ar yr 'hen' adar, ac yna'u gollwng i'r awyr. Ond ar ôl rhoi nod tebyg ar y rhai ifainc, fe'u cadwodd hwy ar wahân. Wedi sbel weddol o'u hatal, o'r diwedd fe'u gollyngodd hwythau i'w tynged. Ymhen dau ddiwrnod, roedd y rhai 'bychain' hefyd wedi cyrraedd y wlad bellennig. A hynny heb arweiniad eu rhieni.

Arbrofodd un arall gyda drudwy a fyddai bob hydref yn arfer ehedeg i lawr tua'r de. Ar ôl eu gosod mewn cawell roedd pen pob un yn pwyntio'r tua'r de. Aeth yr arbrofwr ati wedyn i drosi a throi'r cawell bob sut, a'u drysu'n llwyr (fel y tybid); eto roedd y drudwy'n dal i graffu'n ddiogel i gyfeiriad y de.

Fe wn innau am gi oedd wedi'i adael ar ôl yn sir Fôn trwy gamddealltwriaeth rhwng teulu o ffermwyr. Fe deithiodd y ci hwnnw o berfeddion Môn a llwyddodd yn y man i ganfod bryniau Meirionnydd, a chyrraedd adre'n flinedig yng nghwm Croesor bell.

Beth yw'r dirgelwch hwn sy'n perthyn i adar ac anifeiliaid? Greddf, medd rhai. Ond beth mewn difrif yw greddf? Ni wn yn wir – dim ond i Bantycelyn fentro cynnwys y gair cyfrin hwnnw mewn emyn un tro:

> Mae yma reddf o waredigaeth,
> Mae yma reddf o ddod yn rhydd...

HYDREF *11*

Yr wyt yn ymweled â'r ddaear, ac yn ei dyfrhau hi; yr
ydwyt yn ei chyfoethogi hi yn ddirfawr ag afon Duw…
(Salm 65:9)

Gellir nodi'r aberoedd yn rhesi ar hyd arfordir Cymru: Abergele, Aberdaron, Aber-soch, Aberdyfi, Aberystwyth, Aberaeron…

Ond beth am Aberglaslyn? Mae Glaslyn yn dal i lifo trwy'r ceunant uchel o gyfeiriad Beddgelert. Mae 'Aber' yn dal yn yr enw. Ond nid oes fôr ar gyfyl yr aber honno fel y bu gynt. Y gŵr a newidiodd ddaearyddiaeth y parth hwnnw o Wynedd oedd Alexander Madocks. Ddechrau'r bedwaredd ganrif ar bymtheg, cododd y gwron hwnnw glawdd y Cob enwog i gadw'r môr o fewn terfynau newydd, ac ennill mil o aceri o forfa yn y fargen.

O'r herwydd, cafodd afon Glaslyn aber newydd bum milltir i ffwrdd ym Mhorthmadog. Cyn hynny, byddai'r môr ar benllanw'n golchi ymylon pell yr hen Aberglaslyn. Pa ryfedd fod cregyn i'w cael draw yno o hyd.

Rhyfeddod mwy na hynny yw bod cregyn i'w cael ar gopa'r Wyddfa. Golyga ffaith felly i'r darn hwnnw o greigdir fod o dan donnau'r môr ar un adeg, nes dod grymoedd i godi 'Eryri fawr' o lefel yr heli tua'r uchelderau gan gynnwys y cregyn. Lle bynnag y bu'r môr yn gweithio, mae'n siŵr o adael peth o'i ôl hwnt ac yma. Mae'r Iachawdwriaeth, medd un emynydd, yn gweithio'n bur debyg ac yn 'chwyddo fyth i'r lan'.

HYDREF *12*

Trugareddau yr Arglwydd a ddatganaf byth...
(SALM 89:1)

PAN FYDD SILFFOEDD y gegin yn orlawn o betheuach, neu arfau'r saer yn gawdel dros bob man ar fainc y gweithdy, bydd yn hawdd gan bobl Gwynedd ddweud, 'Mae'n hen bryd symud yr holl drugaredda 'ma!'

Ond pam defnyddio'r gair 'trugareddau' am aflerwch, o bopeth? Clywais yr Athro Bedwyr Lewis Jones yn sôn am hen arfer pererinion y canrifoedd a fu, wrth gyrraedd man cysegredig (fel Tyddewi, Enlli neu Rufain), yn prynu creiriau fel arwydd o *drugaredd* Duw tuag atyn nhw.

Wedi cyrraedd adre'n ôl, byddai gan yr addolwyr god yn llawn o *drugareddau*. Gydag amser, aed i arfer y gair 'trugareddau' am 'nick-nacks', a chlywir yr ymadrodd mewn rhai ardaloedd hyd heddiw: 'Symud yr hen drugaredda 'ma o'r ffordd!'

Ond fe'u ceir yn eu priod le yn y Beibl, fel yn Salm 119:77, 'Deued i mi dy drugareddau, fel y byddwyf byw...' A phe bai emyn Elfed ar fynd yng nghyfnod y pererinion, byddai eneiniad ar y cytgan:

> Ar ei drugareddau
> Yr ydym oll yn byw...

HYDREF *13*

Clodforwch Dduw y duwiau:
oblegid ei drugaredd sydd yn dragywydd.
(SALM 136:2)

EMYN DIOLCH (alaw *Green Leaves of Summer*)

Fe ddown â dyhead i ganmol y cread,
Mawrygwn y cariad fu'n gweini cyhyd;
Ac fe ganwn i'r Arglwydd am ei nawdd ymhob tywydd,
Duw y Nef ydyw'r Llywydd sy'n gwarchod y byd.

Y cwm sy mor dawel, ac esmwyth yw'r awel,
A suon o'r anwel sy'n dod gyda'r lli;
Am yr ardd yn ei lliwiau, am y grug ar y rhiwiau,
O! pa dduw mhlith y duwiau sy'n debyg i Ti?

Am iechyd yn heini, a hapus gwmpeini,
Am ofal rhieni o fore hyd nawn;
Am Efengyl dragwyddol, ac am Eglwys y dwyfol
Rhoddwn glod i Ti'n fythol, a'n diolch yn llawn.

HYDREF *14*

... ffrwyth yr Ysbryd yw,
cariad, llawenydd, tangnefedd, hirymaros,
cymwynasgarwch, daioni, ffydd, addfwynder, dirwest...
(GALATIAID 5:22)

MAEN NHW'N llafurio'n hollol ddi-dâl. Maen nhw wrth eu bodd yn y gwaith. Ac erbyn dydd y cyfri, mi fyddan wedi cael popeth i drefn. Mae'n rhaid bod rhinwedd gwbl neilltuol yn nefnydd y bobl dda hyn i ymroi mor ddiymatal.

Os bydd gofyn am ddarlithydd, bydd Dafydd wedi gwirfoddoli i sgrifennu ato, i osod cadeiriau'n rhesi ar lawr y neuadd, i foduro milltiroedd i gyrchu'r traethwr, ac yna'i gludo'n ôl i'w gartre pell.

Mae Nansi, hithau, yr un fath; bydd hi wedi ffonio arweinydd y parti, wedi agor y festri ers canol pnawn i roi'r gwres trydan ar waith, ac wedi arlwyo'r bwrdd a'i lestri ar gyfer y swper-ar-ôl. A bydd aelodau Salem wedi cael noson arall i'w chofio.

Gyda diolch i ryw dirion drefn, mae tylwyth Dafydd a Nansi i'w cael o hyd. Ond y mae yna hefyd lafurwyr o fath arall. Cyfeirio'r wyf at y rhai sy'n canu'r organ ym methelau bach y wlad – a chapeli mawr, o ran hynny. Gan amlaf, merched yw'r rhain, bendith arnyn nhw. Ar wahân i gynnal caniadaeth y cysegr o un pen blwyddyn i'r llall, gellir dibynnu ar eu miwsig ar gyfer bore llon y briodas yn ogystal â phnawn lleddf yr angladd. Mil diolch i'r cymwynaswyr distaw hyn, gydag ymddiheurad am inni eu cymryd yn ganiataol mor gywilyddus o ddifeddwl.

HYDREF *15*

Gwrando hyn, Job; saf, ac ystyria ryfeddodau Duw.
(JOB 37:14)

DETHOLIAD YW'R ISOD o Job 38 sy'n cyfleu, nid yn unig ddyfnderoedd y meddwl chwilotgar, ond yn ogystal orchest Cymraeg yr Esgob William Morgan wrth gyfieithu barddoniaeth mor urddasol.

Yna yr Arglwydd a atebodd Job allan o'r corwynt, ac a
  ddywedodd,
Pwy yw hwn sy'n tywyllu cyngor ag ymadroddion heb
  wybodaeth? ...
Pa le yr oeddit ti pan sylfaenais i y ddaear?
  mynega, os medri ddeall.
Pwy a osododd ei mesurau hi, os gwyddost? Neu pwy a
  estynnodd linyn arni hi?
Ar ba beth y sicrhawyd ei sylfeini hi? Neu pwy a osododd ei
  chonglfaen hi,
Pan gydganodd sêr y bore, ac y gorfoleddodd holl feibion
  Duw? ...
Pa ffordd yr eir lle y trig goleuni? A pha le y mae lle y
  tywyllwch ...
A aethost ti i drysorau yr eira? Neu a welaist ti drysorau y
  cenllysg ...
Pwy a rannodd ddyfrlle i'r llifddyfroedd? A ffordd i fellt y
  taranau ...
A oes dad i'r glaw? Neu pwy a genhedlodd ddefnynnau y
  gwlith?
A rwymi di hyfrydwch Pleiades? Neu a ddatodi di rwymau
  Orion?

HYDREF *16*

Ai'r estron hwn yn unig a gafwyd i ddychwelyd
ac i roi gogoniant i Dduw?
(LUC 17:18)

WRTH GRWYDRO mewn gwledydd tramor, mae'n ofyn go fawr i deithiwr fedru siarad yr holl ieithoedd gwahanol sydd ar ei drafael. Ond wedyn, y mae yngan ambell air o iaith y brodorion yn beth pur ddymunol, yn enwedig geiriau bach cwrteisi.

Pan fyddwn ar grwydr felly ers llawer dydd, ceisiwn ddysgu ymadroddion am dri pheth yn arbennig. Y cyntaf oedd 'maddeuwch i mi' – am y byddai dyn ar brydiau'n gorfod torri ar draws dau yn sgwrsio, neu'n waeth na hynny, yn gwneud rhywbeth trwsgl, anffodus lle y dylai ymddiheuro. Yr ail oedd 'os gwelwch chi'n dda'. A'r trydydd, a ystyriwn cyn bwysiced â'r un arall, sef 'diolch'.

Dyma rai o'r diolchiadau a gofiaf: yr Eidal – *grazie*. Iwgoslafia – *hvala*. Groeg – *evcharisto*. Ffrainc – *merci*. Sbaen – *gracias*. Twrci – *teshuk cur ederim*. Yr Almaen – *danke schon*.

Onid yw'r Llyfr Mawr yn llawn diolch ar bob llaw? 'Awn i'w byrth ef â diolch,' meddai'r Salmydd. 'I Dduw y byddo'r diolch,' meddai Paul wrth y Corinthiaid. Ac wedyn wrth y Thesaloniaid: 'Ym mhob peth diolchwch.' A'r Meistr ei hunan, dro ar ôl tro: 'Yr wyf yn diolch i Ti, O Dad...'; 'Ac wedi iddo gymryd y cwpan, a rhoi diolch...'

Da y'n dysgwyd ni gan Morgan Rhys:

> Diolch iddo
> Byth am gofio llwch y llawr.

HYDREF *17*

Amgylchynaist fi yn ôl ac ymlaen...
(Salm 139:5)

Yn llechwraidd o'r tu ôl ichi, daw cyfeilles gan ddal bag plastig bychan, a sisial yn eich clust: 'Tip i'r dreifar!' Mae'n bleser gennych chwithau ollwng dyrnaid o arian i dincial ar y pres sydd eisoes wedi eu cyfrannu gan deithwyr seddau cefn y bws mawr.

Rydych wedi bod yn teithio ers cryn bythefnos yn y bws nes cyrraedd pen draw'r siwrnai yn nhopiau'r Eidal. Ond bellach, cyn pen hanner awr arall, dylech gyrraedd adre'n ôl i'ch hen gynefin.

Pa ryfedd ei bod yn bleser calon gennych roi cil-dwrn yng nghasgliad y bag plastig! Tra buoch chi'n mwynhau'r daith dramorig mor ddiofal (a difeddwl hefyd, efallai) onid oedd llygaid effro Huw y gyrrwr yn craff wylio'r drafnidiaeth aflonydd oedd o'i flaen – ac o'i ôl yn ogystal? Roedd ei ddwylo'n gyson ar yr olwyn, a'i draed yn trafod y pedalau wrth reddf.

Nid talu cyflog i Huw sy'n digwydd wrth i'r bag plastig gasglu o sedd i sedd, namyn teithwyr diolchgar sy'n llawen barod i gydnabod mawr ofal y gyrrwr amdanyn nhw o filltir i filltir.

'Beth a dalaf i'r Arglwydd, am ei holl ddoniau i mi?' Dyna gwestiwn Salm 116:12. Wel, am mai benthyg yw popeth a feddwn, *fedrwn* ni ddim talu, ar wahân i gynnal Gŵyl Ddiolch fel math o gil-dwrn, efallai. Tra buom ni'n symud yn ddiddig trwy flynyddoedd bywyd, boed hindda neu ddrycin, hyfryd yw cydnabod y Llaw Anwel fu'n gyson wrth lyw y cread o ddydd i ddydd ac o nos i nos.

HYDREF *18*

... a'r bobl a grëir a foliannant yr Arglwydd.
(SALM 102:18)

HYD Y GALLAF DDIRNAD, nid yn aml – os o gwbl – y gall unrhyw greadigaeth siarad â'i chreawdwr. Nid yw'n arfer gan yr hyn a grewyd ymgysylltu â'r sawl a'i creodd.

Dyna'r peiriant modur, sy'n rhan o fywyd pawb ohonom erbyn heddiw. Ystyrier mewn sobrwydd wneuthuriad y cymhlethdod metel hwnnw: symudiad piston yn sugno nwy petrol, gwifrau sy'n cludo fflach drydan yn ffrwydro'r nwyon nes cicio'r piston i lawr ac i fyny ... yna'r echelydd yn cnoi eu ffordd trwy ddannedd olwynion sydd erbyn y diwedd yn symud tunnell o gerbyd ar hyd y ffordd fawr gyda chyflymder dewinol. Yn ddiweddar, gyda'r datblygiadau electronig, aeth cymhlethdod y peiriant yn fwy fyth o destun rhyfeddod a dirgelwch. Hyn oll, heb sôn am gampau'r hofrennydd a'r Concorde.

Eto, mudion ydyn nhw i gyd. Ni siaradodd yr un peiriant erioed â'i beiriannydd. Ni thorrodd ei bortreadau yr un gair â Raphael, na'i ddelwau marmor yr un sill â Michelangelo. A hynny am na all creadigaeth ymgomio â'i chreawdwr.

Ond pan ddown at ddyn, dyma enghraifft o greadur sy'n abl i siarad â'r hwn a'i creodd. Sylwer ar David Charles yn defnyddio'r modd cyfarchol yn ei bennill:

> Tydi sy deilwng oll o'm cân,
> Fy Nghrëwr mawr a'm Duw...

Ac o hynny ymlaen, mae'r emyn yn troi'n siarad brwd.

HYDREF 19

… ti a luniaist haf a gaeaf.
(SALM 74:17)

TRIGWN MEWN BYD lle mae pawb a phopeth yn cylchdroi wrth rythm pendant. Ceir llanw a thrai, deffro a chysgu, gwawr a machlud, byw a marw, haf a gaeaf – ac nid ar chwarae bach y newidir y patrwm yn hanes y cread.

Yn y trofannau, sut bynnag, ni cheir tymhorau fel y cyfryw, a hynny am nad yw gwregys canol y ddaear yn colli'r haul fel y gwna gweddill y belen.

Un tro, fel arbrawf, plannwyd coeden o Gymru yn naear y trofannau. O dan amodau mor gynnes a heulog, gwreiddiodd y pren yn hwylus, a deilio'n helaeth. Ond ymhen rhai misoedd, dechreuodd y dail felynu, yna crino, ac wedyn disgyn oddi ar y brigau.

Ar y cychwyn, bu'r digwyddiad yn achos dryswch, nes i'r coedwigwr sylweddoli ei bod hi'n dymor hydref ar y calendr 'gogleddol'. Er bod haul y trofannau yn ei anterth arferol, roedd gormod o aeaf Cymru yng nghanghennau'r goeden honno, a mynnodd hen rythm y tymor ei blingo'n llwyr o'i dail.

Yng nghyfnod y diffrwythdra cyfoes, tybed nad oes ormod o aeaf dau Ryfel Byd yn ein defnydd ninnau, ac na ddaw trefn ar bethau nes grafftio grasau newydd i'n gwythiennau?

HYDREF *20*

... [mae] eu hangylion hwy yn y nefoedd bob amser yn
edrych ar wyneb fy Nhad ...
(MATHEW 18:10)

PAN OEDD ELFED yn fachgen bach, arferai fynd yng
nghwmni'i dad i gwrdd gweddi misol a gynhelid mewn
bwthyn o'r enw Cwmcafit yn ardal Cynwyl Elfed.

Roedd honno'n daith bur bell trwy rostir nes dod at lwybr
ar ymyl ceunant dwfn, a chornant yn trochioni dros feini
breision islaw. Tystiai Elfed fod y lle hwnnw'n codi arswyd
arno, yn enwedig ar noson dywyll, arw.

Sonia am ei dad ac yntau'n cerdded o'r cwrdd gweddi, a'r
nos wedi eu dal. Roedd y llwybr cyfyng yn serth uwchben y
ceunant, a'r bychan blinedig erbyn hynny'n colli tir. Yna,
gwelai fod ei dad wedi aros amdano, a bod llewyrch y llusern
gannwyll yn goleuo'i wyneb. Wrth i'r bachgen bach nesáu,
clywai anogaeth dirion ei dad: 'Dere'n awr.'

Ymhen blynyddoedd wedyn (yn ôl *Cofiant* Emlyn
Jenkins) dyma oedd argraffiadau Elfed: 'Tybiaf mai rhyw
adlewyrch o'r profiad hwn wnaeth i mi, wrth ganu'r emyn –
"Arglwydd Iesu, dysg im gerdded" – gloi'r pennill cyntaf â'r
cysur:

> Mae yn olau
> Ond cael gweld dy wyneb Di.

'Gyda'r alwad, ac un golwg ar ei wyneb, ni theimlwn mor
lluddedig; ymhoewai fy ngham drachefn, ac nid oedd y rhiw
mor galed i'w ddringo.'

HYDREF *21*

A gadawsant eu rhwydau ar unwaith a'i ganlyn ef.
(MARC 1:18)

PROSES O RYFEDD RIN YW TYFU. Yn yr act honno, mynd ar i fyny a wna popeth. Wrth ddringo, mae'n anochel fod rhyw bethau'n cael eu gadael ar ôl. Sylwer ar y roced enfawr ar ei banllawr yn Cape Canaveral a'r miloedd galwyni o nwyon fflam dân yn ei gwthio tua'r entrychion. Wrth iddi losgi'i llwybr yn uwch ac yn uwch i'r ffurfafen, gellir gweld y craeniau fu'n ei chynnal yn ymddatod, a phlisg ar ôl plisg o'r roced yn disgyn yn dalpiau i'r ddaear. Ni ellir dringo – na thyfu – heb adael mân bethau ar ôl.

Un bore wrth chwilota yn y sied, ar ddamwain deuthum ar draws bocs yn llawn teganau. Daliodd y cynnwys ar fy ngwynt braidd. Oni fedrwn gofio prynu'r gêm hon, y ddoli acw, a'r moto bach hwn? A'r pryd hynny'n ymlonni o wybod y pleser a gâi'r ddau fach wrth chwarae â nhw. Mor gwbl ofer fyddai mynd â'r tois hynny at y 'plant' erbyn heddiw, a hwythau o fewn cyrraedd hanner canmlwydd! Ni ellir tyfu heb adael petheuach ar ôl.

> Gorchudd ar dy bethau mawrion
> Yw teganau gwag y byd...

Ysgrifenna hwynt hefyd ar byst dy dŷ, ac ar dy byrth.
(DEUTERONOMIUM 6:9)

'EDRYCHWCH I LAWR AT EICH TRAED!' meddai Vittorio wrth ein tywys hyd strydoedd Pompei. A'r hyn a welem oedd gwaith mosäig a'r ddeuair odano: CAVE CANEM, sef 'Gwyliwch y ci'. Cyn gadael yr ardal, dyma brynu teilsen fechan oedd yn replica o'r ci hwnnw.

O Marbella y daeth y deilsen arall, un wen a neges arni mewn glas: DIOS BENDIGA CADA RINCON DE ESTA CASA, sef 'Duw a fendithio bob cornel o'ch cartref'.

Rhybudd oedd neges un yr Eidal; rhoesom hwnnw y tu allan wrth ddrws y cefn. Dymuniad gweddigar oedd un Sbaen; mae hwnnw wedi'i osod y tu mewn ar dro'r grisiau.

Yn Deuteronomium 6:9, cynghorir Israel i arddangos cyfarwyddiadau'r Arglwydd er mwyn i'r teulu a'r gymdogaeth fedru eu gweld: 'Ysgrifenna hwynt hefyd ar byst dy dŷ, ac ar dy byrth.'

> Boed pob aelwyd dan dy wenau,
>   A phob teulu'n deulu Duw:
> Rhag pob brad, nefol Dad,
> Cadw Di gartrefi'n gwlad.
>
> ELFED

HYDREF 23

... a cheir clywed ei sŵn ef pan ddelo
i'r cysegr, gerbron yr Arglwydd...
(EXODUS 28:35)

Y DYDD O'R BLAEN, sylwais fod yr hen gloch yn hongian o hyd ar fur ysgol y pentref, a daeth hynny ag atgof amdani'n canu (gyda'i dwy alwad) cyn inni heidio am y dosbarth. Os yw cloch y cloc larwm yn dueddol o darfu ar gwsg, rwy'n dal i drysori tincial clychau'r defaid ar fore tawel o Ebrill yn Amffipolis.

A dyna'r gloch bres honno a seiniai'r arolygwr wrth dynnu'r Ysgol Sul i'w therfyn cyn cyhoeddi swm y casgliad a mân gofnodion eraill. Ar ein ffordd tuag adre, dôi galw am ganu ysbeidiol ar gloch y beic – rhyw ddeunod cras wrth dynnu a gollwng y sbring; byddai gan ambell feiciwr gloch ddwbl, a'r morthwylion yn taro dwy soser fetel yn seinber ryfeddol.

Cyn i'r oes newydd gronni arswyd seiren yn yr injan dân a'r ambiwlans, fe dybiwn i fod tinc pur effeithiol yn yr hen glychau'n ogystal. Ar fore Sul, byddai Elis Pengroes mewn da bryd i dynnu'r rhaffau yn eglwys Llanystumdwy, gan atgoffa rhywun, braidd, am glychau Aaron yn Exodus.

Ni waeth gennyf sut y beirniedir canu Crwys, am y daliaf fod rhyw ryfedd rin yn ei gerdd 'Cloch y Llan', lle dymunai hen gwpwl i'r gloch eu galw nhw'r un pryd. A pham lai?

HYDREF 24

Cerwch eich gelynion, bendithiwch y rhai a'ch melltithiant,
gwnewch dda i'r sawl a'ch casânt,
a gweddïwch dros y rhai a wnêl niwed i chwi...
(MATHEW 5:44)

SAFONAU'R CHWARAEWR

1 Nid yw'n ymffrostio.
2 Nac yn ildio.
3 Nac yn gwneud esgusion pan fetho.
4 Mae'n gollwr llawen.
5 Ac yn enillydd tawel.
6 Mae'n chwarae'n deg.
7 A chystal ag y gall.
8 Mae'n mwynhau menter.
9 Dyry'r fantais i'w wrthwynebydd pan fo amheuaeth.
10 Cred fod y chwarae ynddo'i hunan yn bwysicach na'r canlyniad.

Mae'r pwyntiau uchod yn cwmpasu'r sbortsmon yn eithaf cryno. Yn Luc 6:31, onid yw'r cywasgiad yn fwy cryno fyth? 'Fel y dymunwch i ddynion wneud i chwi, gwnewch chwithau yr un fath iddynt hwy.'

> Cadw fi'n ddiogel
>   Beunydd ar fy nhaith;
> Arwain fi mewn chwarae,
> Arwain fi mewn gwaith.
>   W. BRYN DAVIES

HYDREF 25

Dedwydd yw rhoddi yn hytrach na derbyn.
(ACTAU 20:35)

TYBED NA ELLIR galw 'rhoddi' a 'derbyn' yn ddwy ddawn? Ac yn ddwy grefft ar ben hynny? Os gall 'rhoi' ambell un fod yn rhy amlwg, gall 'derbyn' un arall fod yn rhy swta; y naill yn ei orgyhoeddi'i hunan, a'r llall yn orgrintach i fynegi dim math o werthfawrogiad.

Gellir rhoi mewn amryfal ffyrdd – drwy gyfrwng anrheg, help llaw, neu bres. Efallai mai'r rhoi trwy bres yw'r rhoi mwyaf dyrys; weithiau gellir tramgwyddo wrth gynnig arian, a phryd arall dramgwyddo wrth beidio!

Ffordd ymwared Sarah Bernhardt oedd gadael llond bowlen o arian mewn ystafell gefn yn ei chartref, fel y gallai ei chyd-actorion, ar ddiwrnod o brinder, bicio i'r cefn a chymryd dyrnaid o bres heb i neb sylwi. Wrth i gyfaill o arlunydd ddilyn patrwm yr actores, dysgodd wers eithaf annisgwyl: bod y bowlen yn ei gartref ef ar brydiau yn dirgel ail-lenwi, fel petai'r un a dderbyniodd yn hael wedi datblygu'n rhoddwr oedd yr un mor hael! '… derbyniasoch yn rhad, rhoddwch yn rhad…' meddai'r Iesu wrth ei ddisgyblion (Mathew 10:8).

HYDREF 26

Yr Arglwydd Dduw a roddes i mi dafod y dysgedig...
(ESEIA 50:4)

YM MLYNYDDOEDD EI ANTERTH, roedd John Williams, Brynsiencyn, yn bregethwr a fedrai dynnu'r bobl ato wrth y miloedd. Roedd ei angerdd yn wir ysgubol, ei saernïaeth o bregeth yn feistraidd, a'i ddawn areithio'n gwbl orchestol. Pan gâi'r gwynt o dan ei adain, byddai'r gynulleidfa'n llythrennol wyro tuag ato, ac ar waniad ei fraich gwelid y gwrandawyr yn ymagor i'r naill ochr fel petai llwybr o arswyd wedi eu rhannu'n ddwy garfan.

Wele enghraifft o'i ddawn wrth bregethu ar Mathew 21:44: 'A phwy bynnag a syrthio ar y maen hwn, efe a ddryllir: ac ar bwy bynnag y syrthio, efe a'i mâl ef yn chwilfriw.'

(Gan gofio bod rhethreg a rhuthr ymadroddi yn rhan o arddull y cyfnod hwnnw, ystyrier torf yn gwrando ar y gorlif a ganlyn yn anterth ei berorasiwn.)

> A lwydda'r feisdon i ddryllio'r graig gallestr? A lwydda'r brithyll i hollti'r agerlong? A lwydda ysgubell yr henwr i atal y llanw rhag codi? A lwydda cyfarth y corgi i arafu hynt y trên? A lwydda dy boeryn di i ddiffoddi'r mellt? A lwydda'r pry cannwyll i ddiffodd yr haul? Neu nâd y cenau llew i atal y wawr dorri? Hwy a lwyddant bob un cyn y llwyddi di i ddryllio'r maen.

Mewn cyswllt arall bu'n trafod effaith yr haul ar ein daear ni: 'Yr un haul sy'n gwneud i'r rhosyn berarogli ac i'r domen ddrewi. O dan yr un haul yr aeth Jwdas yn fradwr ac Ioan yn Ddisgybl Annwyl.'

HYDREF *27*

Dyfnder a eilw ar ddyfnder, wrth sŵn dy bistylloedd di...
(SALM 42:7)

PAN OEDD ar daith ar ffiniau Canada, aeth John Williams i gael golwg ar y Niagara Falls. Dywedir fod taranau'r dyfroedd hynny i'w clywed o bellter, a bod gwlith y trochion yn cawodi'n law mân dros yr ymwelwyr; ac ar adegau, fod enfys yn magu o dan riniog y Niagara.

Un bore ym Mrynsiencyn dawel, gwaeddodd cyfaill brwd ar ei ffrind oedd ar ochr arall y ffordd: 'Rydw i newydd gael cerdyn oddi wrth y Parchedig, fachgan! Wyddost ti be? Mae o wedi *gweld* y Niagara Falls.'

Ac meddai'r llall fel ergyd: 'Mi gweli *ditha* hi hefyd pan ddaw o adra!'

Y rheswm y byddai cynulleidfaoedd Môn yn medru 'gweld' y Niagara oedd i'r pregethwr fod yn dyst byw o nerth y genlli. Onid oedd dwndwr y dyfroedd yn ei glustiau, a gwlithlaw'r gawod ar ei dalcen? A dyna gyfrinach yr eglwys gynnar: 'Eithr chwi a dderbyniwch nerth yr Ysbryd Glân wedi y delo efe arnoch; ac a fyddwch *dystion* i mi...' (Actau 1:8)

HYDREF *28*

Yn eu plith yr oedd cyfansoddwyr cerddoriaeth
ac awduron arwrgerddi ein llên.
(ECCLESIASTICUS 44:5)

MEWN MAN ARALL yn y llyfr hwn, rwyf wedi nodi bod gan
y prifardd swil, R. Williams Parry, emyn yn *Llyfr Emynau y*
Methodistiaid Calfinaidd a Wesleaidd. Pan grybwyllais
hynny wrth gyfaill, bwriodd ef ar y trywydd a'i ymroddiad
yn fflam. Pan welais ef ymhen sbel ar ôl hynny, nid oedd ar
ôl o'i frwdfrydedd ond lludw tomen yn mudlosgi. Roedd
wedi methu'n deg â dod o hyd i'r gwaith! Ond fe'i dywedaf
eto fyth: y mae'r pennill yn ddiogel yn y llyfr emynau
crybwylledig, a daeth i fod am i'r cerddor E.T. Davies bwyso
am gymorth y bardd ar gyfer miwsig Bach.

Pwy, ynteu, yw awdur y llinellau hyn yn *Y Caniedydd?*

> Fel na bo pwys a gwres y dydd,
>   Na'r byd a'i feichiau ef,
> Na stormydd ffawd yn siglo'u ffydd
>   Yn rhinwedd gras y nef.

Neb llai na phrifardd arall, sef T.H. Parry-Williams, a oedd
yn gefnder i Fardd yr Haf. Disgrifiodd yr olaf ei hunan fel un
'anhyglyw ac anamlwg yn y cwrdd' – a byddai hynny'n wir,
mi dybiaf, am ei berthynas o Ryd-ddu'n ogystal. Serch
hynny, pan ddoi'r gofyn, mae'n rhaid bod y naill fel y llall yn
barod i 'wneuthur rhywbeth gwiw dros Grist'.

Ewch a dywedwch wrth y cadno hwnnw...
(LUC 13:32)

WN I DDIM SUT y mae pethau ym myd dawnsfeydd erbyn hyn, ond yn y dyddiau a fu, roedd i bob dawns ei henw – *waltz, polka, tango* – gydag un ddawns arbennig o boblogaidd, sef y *fox-trot*.

Ar gyfer gwledd ei ben blwydd, roedd Herod y tetrarch wedi galw ar ferch Herodias i'r neuadd i ddawnsio o'i flaen. Llithrodd hithau'n slasen fain tua'r llawr marmor gan blethu'i chorff ifanc mewn sawl ystum, a'i deudroed yn picio hwnt ac yma mor ysgafn â'r awel. Roedd Herod wedi ffoli cymaint ar ei pherfformiad nes iddo'i galw ato a chynnig iddi unrhyw rodd a fynnai – 'hyd hanner fy nheyrnas', yn ôl Marc 6:23.

Rhedodd yr eneth at ei mam a gofyn a fedrai hi dorri'r ddadl ynglŷn â'r fath rodd. Roedd gan honno ateb hollol barod. (Onid oedd Ioan Fedyddiwr – oedd ar y pryd yn dihoeni mewn carchar cyfagos – wedi ceryddu Herodias yn gyhoeddus?) Ac meddai'r hoeden ddialgar wrth ei merch, 'Y rhodd? Gofyn i Herod am ben Ioan Fedyddiwr ar blât.'

'Mi alwodd Iesu Grist yr hen Herod hwnnw yn gadno,' meddai J.W. Jones. Yna, aeth ati i dylino o gwmpas y gair. 'Cadno,' pwysleisiodd. 'Llwynog,' meddai wedyn. Ac yna'r cynnig terfynol: '*Fox*,' meddai. 'Wyddoch chi, bobol – ar noson ei ben blwydd, mi gollodd Herod arno'i hun yn lân mewn *fox-trot*!'

HYDREF *30*

Eithr y tafod ni ddichon un dyn ei ddofi ...
Ag ef yr ydym yn bendithio Duw a'r Tad,
ag ef hefyd yr ydym yn melltithio dynion...
(IAGO 3:8-9)

ROEDD 'BRYNSIENCYN' yn heliwr pur frwd, ac fe'i ceid yn fynych ar stetydd Môn a'i ddryll dan ei gesail a'i sbaniel wrth ei sawdl.

Ond am Thomas Williams y bwriadaf sôn y munud hwn. Roedd Thomas yn henwr llwydwelw, hwyrdrwm ei glyw erbyn i mi daro arno. Mewn capel y bu hynny, a Thomas o'm blaen yng nghornel y sêt fawr a'i law yn cwpanu ei glust i helpu'r clywed.

Wedi'r gwasanaeth, daeth ataf i sôn am un o orchestion mawr ei fywyd: iddo'n llanc ifanc ddechrau oedfa i John Williams, Brynsiencyn. Clywais o le arall fod ar Thomas bryd hynny awydd troi am y Weinidogaeth, ac i John Williams ofyn iddo anfon pregeth o'i waith ato.

Pwnc y bregeth honno oedd 'Y Farn Fawr', ac ynddi roedd Thomas wedi bwrw ati i wastrodi byd ac eglwys heb un ias o drugaredd ar gyfyl y neges; efengyl hollol dywyll a chwbl ddiobaith.

Ond yn hytrach na'r teitl 'Y FARN FAWR' ar ben y ddalen, yr hyn oedd wedi'i gam-sbelio gan Thomas oedd 'Y FRAN FAWR', a hwn oedd y cyngor dibetrus a gafodd gan John Williams: 'Thomas, saetha hi cyn gynted ag y medri di!'

Onid yw'n wir bod rhyw syniadau gwibiog yn deor ynom ninnau nad yw'n werth eu hailadrodd wrth neb? Trowch i drydedd bennod Epistol Iago lle mae'r awdur yn gweld peryglon tafodau llac.

HYDREF *31*

Anwylyd, na chredwch bob ysbryd...
(1 Ioan 4:1)

YN EI DDARLITH ar 'Ysbrydegaeth', aeth John Williams, Edern, ati i'w ddisgrifio'i hunan yn gweithio'n hwyr y nos ar bregeth y Sul. Fel y myfyriai uwchben ei fater, tybiodd iddo glywed llais yn siarsio: 'Nid honna.' Gan ddyfalu mai dychymyg, bid siŵr, oedd peth o'r fath, bwriodd ymlaen â'i dasg. Cyn pen dim, clywodd yr un pendantrwydd unwaith yn rhagor: 'Nid honna.'

'Pan dorrodd yr Ysbryd ar fy nhraws i am y trydydd tro,' meddai'r darlithydd, 'dyma fi'n deud wrtho fo – "Wel gwna bregeth dy hun, 'ta, os medri di wneud un well!" '

Erbyn nos Sul yn ei bulpud, roedd y cennad yn cael trafferth ddirfawr gyda 'phregeth yr Ysbryd', chwedl yntau. Sut bynnag, ymhen amser, ac er mawr ddirgelwch iddo, fe'i cafodd ei hun yn eistedd yn sedd y pulpud wedi llwyr ymlâdd, y gynulleidfa'n canu ag angerdd eithriadol, ac awyr y capel yn llawn o'r tiriondeb rhyfeddaf.

Wedi cyrraedd y festri i ddod ato'i hun, daeth cyfaill i mewn (yntau hefyd yn ysbrydegwr) ac aeth ati i drafod yr oedfa ryfedd. 'Wyddost ti, John,' meddai hwnnw, 'roedd yna lond y capel yna o gythreuliaid heno, a'r rheini wedi penderfynu drysu d'oedfa di. Roedd hi'n wironeddol galed arnat ti ar gychwyn dy bregeth, ond yna'n sydyn, dyma ddyn ifanc yn dod allan o gefn y pulpud, yn rhoi'i fraich am d'ysgwydd di, a chyda'r fraich arall dyma fo'n ysgubo'r cythreuliaid i gyd allan o'r capel. Ac o hynny ymlaen, roedd dy bregethu di'n gwbwl ogoneddus. Chlywson ni erioed ddim byd mor angerddol.'

TACHWEDD *1*

Chwiliodd y Pregethwr am eiriau cymeradwy...
(PREGETHWR 12:10)

LLYFR Y PREGETHWR 12:1-7. Er bod ei fater yn drymaidd, mae'r awen a blethodd yr awdur i'w feddyliau yn gyfareddol.

Cofia yn awr dy Greawdwr yn nyddiau dy ieuenctid, cyn
    dyfod y dyddiau blin, a nesáu o'r blynyddoedd yn y
    rhai y dywedi, Nid oes i mi ddim diddanwch ynddynt:
Cyn tywyllu yr haul, a'r goleuni, a'r lleuad, a'r sêr, a
    dychwelyd y cymylau ar ôl y glaw:
Yr amser y cryna ceidwaid y tŷ, ac y cryma y gwŷr cryfion,
    ac y metha y rhai sydd yn malu, am eu bod yn
    ychydig, ac y tywylla y rhai sydd yn edrych trwy
    ffenestri;
A chau y pyrth yn yr heolydd, pan fo isel sŵn y malu, a'i
    gyfodi wrth lais yr aderyn, a gostwng i lawr holl
    ferched cerdd:
Ie, yr amser yr ofnant yr hyn sydd uchel, ac yr arswydant
    yn y ffordd, ac y blodeua y pren almon, ac y bydd y
    ceiliog rhedyn yn faich, ac y palla chwant: pan elo dyn i
    dŷ ei hir gartref, a'r galarwyr yn myned o bob tu yn yr
    heol:
Cyn torri y llinyn arian, a chyn torri y cawg aur, a chyn
    torri y piser gerllaw y ffynnon, neu dorri yr olwyn
    wrth y pydew.
Yna y dychwel y pridd i'r ddaear fel y bu, ac y dychwel yr
    ysbryd at Dduw, yr hwn a'i rhoes ef.

TACHWEDD 2

... ni wyddost mai gwrthrych trueni a thosturi ydwyt,
yn dlawd, yn ddall, yn noeth.
(DATGUDDIAD 3:17)

AR UN ADEG, bu fy mrawd, Wil, oedd yn saer coed, a'i gyfaill, Robin Lewis (saer maen), wrthi'n adeiladu tai hwnt ac yma.

Roedd y ddau ffrind, ynghyd â'u labrwr, ar eu te-ddeg, ac ar ganol trafodaeth frwd ar fater soseri hedegog – yr UFO's bondigrybwyll. Am ei fod yn ddarllenwr pur ddyfal, roedd yn ymddangos fod Wil wedi nodi rhestr o ffeithiau tra syfrdanol am fodau o fyd arall. Ac o weld Robin yn ei amau, tynnodd Wil doriad o bapur newydd o'i boced a'i estyn i'w gyfaill.

Wedi craffu'n hir iawn ar y papuryn, meddai'r saer maen cyn pen tipyn, 'Fedra i ddim darllen hwn, Wil. Mae o'n rhy fân o ddim rheswm.'

'Gwisga dy sbectol,' meddai Wil.

'Fu gen i rioed sbectol yn fy mywyd,' atebodd Robin. 'Rydw i'n medru gweld yn berffaith.'

'Wel – tria fy sbectol i, o ran hwyl,' cynigiodd Wil, a'i hestyn.

Wrth ufuddhau i'r cais, a syllu eilwaith ar y print mân, dyma wyneb y saer maen yn goleuo drosto, ac ebychodd yn orfoleddus, 'Hogia bach! Dydw i ddim wedi gweld fel hyn ers blynyddoedd!'

Pur debyg oedd cyflwr eglwys Laodicea yn Llyfr y Datguddiad (3:14-22). Roedd hithau wedi arfer tybio fod ei golwg yn iawn nes i'r Ysbryd dystio ei bod yn gwbl ddall i'r pethau oedd yn cyfrif.

TACHWEDD 3

... canys amlach yw y rhai sydd gyda ni
na'r rhai sydd gyda hwynt.
(2 BRENHINOEDD 6:16)

BRAWD O GWMPASOEDD Castellnewydd Emlyn oedd Gwion Jones, hen lanc pybyr a ddaeth yn weinidog at yr Annibynwyr yng nghapel Bethel, rhwng Cefnddwysarn a Glanrafon. Wrth sgwrsio â dynion, byddai'n defnyddio un gair 'deheuol' yn fynych, sef 'bachan'. Er ei fod yn ŵr o gryn allu, a'i sylwadau'n ddiarhebol braff, roedd rhywbeth pur swta yn ei natur.

Ar nawn iasoer o Ionawr, a minnau ar fin gweinyddu yn yr angladd cyntaf i mi fel gweinidog ifanc, daeth Gwion Jones ataf ym mhorth y fynwent gyda chyngor cwta – ond gwir werthfawr: 'Peidiwch â bod yn *hir*, bachan.'

Bu'n ddrycin anarferol wyllt un noson, ac erbyn y bore roedd deiliach a changhennau a brigau wedi eu sboriannu ar bob llaw. Wrth daro ar Gwion Jones, mynegodd un brawd brwdfrydig fod coed ar lawr dros yr ardal i gyd, ac meddai'r hen lanc yn llwyr ddigyffro, 'Bachan, bachan, mae mwy ar eu traed.'

Pair ambell ddrycin i ninnau dybio bod y cyfan oll wedi'i ddymchwel o'n cwmpas. Ond fel rheol, nid yw'r sefyllfa mor anobeithiol â'r ofnau.

Chwedl William Ambrose: 'Ymaith, ffôl amheuon...'

TACHWEDD *4*

... ond pan euthum yn ŵr,
mi a rois heibio bethau bachgennaidd.
(1 CORINTHIAID 13:11)

RHAGRITH FYDDAI cymryd arnom nad ydym yn cael cysur wrth ddilyn 'deniadau cnawd a byd'. Heb un os, mae hon y ddaear ddifyrra'n bod i bobun a aned 'o lwch y fflam, o gnawd a natur ac o gig a gwaed'.

Ond yna, o dipyn i beth, mae dyn yn tyfu trwy'r diddanwch daearol. Gall hynny ddigwydd trwy fath o ymatal gwirfoddol, mynachaidd, ond gall ddigwydd hefyd trwy ddadfeiliad anorfod ein defnydd, ys mynegodd Hooson:

> Angerdd pob fflam, a thân pob nwyd
> A dry'n ei dro yn lludw llwyd.

Wrth i dymor cynta'r coleg agor, arfer yr athrawon, ar un llaw, oedd nodi'r llyfrau y byddai gofyn i'r myfyrwyr eu cael ar gyfer y cwrs. Arfer y myfyrwyr, ar y llaw arall, fyddai chwilota trwy silffoedd siop Galloway, a phrynu'r llyfrau hynny'n rhad ail-law. Byddai teitlau'r rheini'n cyfleu llawer, fel 'Primer...', 'Elementary...', 'Introductory...', 'Ground-work...' A'r rheswm eu bod yno'n rhad oedd bod myfyrwyr y flwyddyn cynt wedi tyfu trwyddyn nhw, a bod y pethau 'elfennol' bellach y tu cefn i'r astudiaeth.

Felly y graddiodd Pantycelyn yng nghwrs bywyd:

> Fe'm ganwyd i lawenydd uwch
> Nag sy 'mhleserau'r llawr...

TACHWEDD 5

Trefnaist dywyllwch fel bod nos...
(Salm 104:20)

Dro maith yn ôl, roeddwn ym mherfeddion y ddaear yn Nhan-yr-ogof, ym mynydd-dir Brycheiniog. Trwy lwc, roedd ein llwybrau ni wedi eu goleuo gan fylbiau trydan, ond yna, wedi dod trwy nifer o dwnelau at un arall o'r ogofâu enfawr hynny, dyma'r tywysydd yn ein rhybuddio y byddai'n diffodd y goleuni am funud. Ac fe wnaeth!

Ni phrofais y fath dywyllwch yn fy mywyd. Roedd yn gyfan gwbl ddudew heb edefyn o lewyrch yn un man oll. A chyfadde'r gwir, roedd rhywbeth dychrynllyd yn y profiad. Droeon ar ôl hynny, bûm yn dyfalu beth a ddôi o ddyn petai yn y dyfnderoedd hynny heb na chwmni na goleuni: daear hollol ddu, tyllau a llwybrau dieithr yn arwain yn ddiamcan o'r naill agen i'r llall, ond na ellid gweld unpeth o gwbl na gwybod pa gyfeiriad i droi iddo . . . dim ond un cam gwag a dyna lithro dros ddibyn diganllaw . . . i fwlch . . . i agen . . . i dwll . . . i nos dragwyddol.

Pa ryfedd fod dyn erioed yn gweld bwganod mewn tywyllwch! A'r plentyn bach yn anesmwyth yn ei wely heb lygedyn o oleuni'n gwmni cyn cysgu. Gwych yw addefiad onest un emyn, 'Rwyf yn blino ar y twllwch', a llonder y llall am fod y 'nos yn cilio draw'. Yn wir, nid aeth Llyfr Genesis ymhellach na'i drydedd adnod cyn cyhoeddi gorchymyn cyntaf un y Beibl: 'A Duw a ddywedodd, "Bydded goleuni".'

TACHWEDD 6

... i edrych ar brydferthwch yr Arglwydd,
ac i ymofyn yn ei deml.
(SALM 27:4)

YN YR OESAU CANOL, eithriad hollol oedd bod seddau ar lawr yr eglwysi, a'r drefn arferol yn ystod yr addoliad oedd i bobun sefyll ar ei ddeudroed. Yn ogystal â hynny, dylid cofio nad oedd gwres ychwaith i dwymo'r adeilad, a chyda llawr carreg llaith yng ngerwinder gaeaf, dibynnai'r bobl yn helaeth ar wres ei gilydd.

O sylweddoli, at hynny, fod taith hir gan rai o'r aelodau i gyrraedd y gwasanaeth, mae'n siŵr bod gorfod sefyll trwy gydol yr amser yn cyffio llawer un, yn arbennig yr oedrannus. O dipyn i beth, fe drefnwyd i osod math o sedd wrth ymyl wal y cysegr, a phe digwyddai gorlesgedd lethu'r addolwr oedd â'i iechyd yn breguso, câi ef (neu hi) roi clun i lawr wrth sedd y wal.

Dyna, meddir, a roes fod i'r ymadrodd gennym fod hwn, neu hon, 'wedi mynd i'r wal' – nerth yn pallu, methu â sefyll mwy ar ddeudroed; gorfod cyfaddef gwendid ac ildio, nes 'mynd i'r wal' yn llythrennol.

'Nertha 'mlinion draed...' meddai yntau, fawr, un tro wedi i flinder ei lorio'n deg.

TACHWEDD 7

Byddi'n ailadeiladu'r hen furddunod ac yn codi ar yr hen
sylfeini; fe'th elwir yn gaewr bylchau,
ac yn adferwr tai adfeiliedig.
(ESEIA 58:12)

BWTLER OEDD NEHEMEIA ym mhalas brenin Persia. Pan glywodd fod Jerwsalem mewn enbydrwydd, gadawodd y palas er mwyn cynorthwyo dinas ei febyd. Ar ôl cyrraedd, gwelodd fod bylchau llydain yn y muriau, a bod y pyrth wedi eu llosgi. (Nehemeia, penodau 4, 5 a 6.)

Mae gwahaniaeth gwaelodol rhwng bwlch a phorth. Os oes bwlch ar derfyn fferm, gall pethau droi'n helbulus yn bur fuan. Ond lle mae porth, sef adwy a llidiart yn cau'n ddiogel arni, bydd hynny'n warant o gymdogaeth dda. Rheoli a wna porth: does dim dal ar fwlch.

Bwriodd Nehemeia i'w dasg ar frys. Gofalodd am grefftwyr i drwsio pob porth, gyda dorau'n agor ac yn cau yn dynn. Am y bylchau, gwelodd fod yno broblem ddyblyg.

i LLE BO BWLCH, GALL PETHAU FYND ALLAN TRWYDDO
   Sylwodd sut roedd mawredd a sancteiddrwydd wedi diflannu o fywyd Jerwsalem. Felly hefyd y collwn ninnau ysgolion bach y wlad, aelodau o'n heglwysi, ac ieuenctid o ffermydd a phentrefi.

ii LLE BO BWLCH, GALL PETHAU DDOD I MEWN TRWYDDO
   Pan aeth mawredd allan o'r ddinas, daeth gormes y gelyn i mewn gan lygru Jerwsalem. Felly'n ogystal y daeth dylanwadau estron i'n plith ninnau yng Nghymru gan seisnigeiddio ac americaneiddio rhieni a phlant.

Nid diystyr heddiw yw apêl un o'n harwyr cyfoes: 'Sefwch gyda mi yn y bwlch.'

TACHWEDD *8*

A gweddi'r ffydd a iachâ'r claf...
(Iago 5:15)

CYMERIAD DIDDAN ryfeddol oedd J.O. Williams, Bethesda, crëwr Siôn Blewyn Coch a chyd-awdur *Llyfr Mawr y Plant* gyda Jennie Thomas. Am fod ynddo gymysgedd mor gyfrwys o'r difri a'r digri, ni wyddid beth a geid ganddo nesaf.

Ar un noson anarferol ddifyr yn ein cartref ni, gan ei bod wedi un o'r gloch y bore, llwyddodd Mam i ddwyn perswâd ar J.O. a'i wraig, Edeila, i aros dros nos. Ond golygai hynny y byddai Wil a minnau'n gorfod ildio ein llofft ni, a mynd at ein brawd, Jac, i drio rhannu un gwely rhwng tri!

Wedi hir droi a throsi, a ninnau o'r diwedd yn rhyw osio at gysgu, daeth J.O. atom i'r ystafell – am iddo gofio stori yr oedd yn rhaid i ni'i chlywed. Yna, prin ei fod wedi ymadael tua'i lofft ei hunan, nad oedd yn ôl unwaith yn rhagor i'n cadw'n effro gyda stori arall!

Ac yna aeth ati i ddisgrifio cyfaill yn cymryd rhan mewn cwrdd gweddi:

'Diolch i Ti, Arglwydd,' meddai'r addolwr, 'am inni gael diffodd y gannwyll cyn cysgu neithiwr...'

Gwyddai'r hen frawd, meddai J.O., fod yna deulu ar draws y ffordd iddo lle'r oedd salwch pur fygythiol. Ac yn y llofft honno, byddai'r gannwyll yn olau ar hyd y nos.

TACHWEDD 9

... ac nid oes graig megis ein Duw ni.
(1 SAMUEL 2:2)

YM MARC 10:13-16, ceir hanes rhieni'n dod â'u plant at yr Iesu, a'r disgyblion yn eu ceryddu ac yn eu gwthio'n ôl at y dyrfa. Ond achubodd Iesu gam y mamau gan egluro fod plant yn perthyn lawn cymaint i'r Tad Nefol ag oedden hwythau fel disgyblion. Mae perthyn yn ennyn cyd-deimlo, a hynny ar amrantiad, am fod y teulu i gyd yn ymwybod â'r boen. Onid yw hynny'n wir am y corff dynol? Os tery'r morthwyl gornel ewin bys, fe hyllt y gwayw trwy'r corff i gyd.

Yn y pedwardegau arhoswn mewn tŷ ar fryncyn yn sir y Fflint, gyda golygfa odidog o draeth a môr a threfi'n ymestyn tua gwastadedd Cilgwri a Lerpwl. Wrth sgwrsio ar yr aelwyd, ni allwn beidio â chyfeirio at y craciau agored oedd ym muriau'r parlwr. Eglurodd gŵr y tŷ sut y bydden nhw, adeg y Rhyfel, yn gwylio fflachiadau'r bomiau wrth iddyn nhw ffrwydro nos ar ôl nos ar ddinas Lerpwl. 'Ac fe ddaethon ni i ddeall,' meddai'r cyfaill, 'ein bod ni yma yn sir y Fflint ar yr un wythïen o graig â honno sydd draw acw yn Lerpwl.' (Hen gyffro 'perthyn' unwaith eto.)

Wrth amddiffyn y plant, rhoes yr Iesu rybudd pellach i'w ddisgyblion: 'Gwyliwch rhag i chwi ddirmygu un o'r rhai bychain hyn; oherwydd rwy'n dweud wrthych fod eu hangylion hwy yn y nefoedd bob amser yn edrych ar wyneb fy Nhad sydd yn y nefoedd' (Mathew 18:10).

Mae ergyd i blant y ddaear yn gyffro i angylion y nefoedd – am eu bod nhw'n perthyn i'r un wythïen.

TACHWEDD *10*

Hen wŷr a hen wragedd a drigant eto
yn heolydd Jerwsalem...
(SECHAREIA 8:4)

ARFERAI WILLIAMS PARRY ogoneddu Eifion Wyn am wrthod gair barddonllyd fel 'euro' wrth gyfarch mis Medi, ac iddo ddewis mynegi'n syml, 'Pan fo'r cnau'n *melynu*'r cyll'. Yn yr un modd, byddai'n clodfori Ralph Hodgson am ddisgrifio'r sarff yn ymglymu am goeden – '*yellowing* its greenery' – 'melynu' eto fyth.

At gerdd 'The Bull' y cyfeiriai, sef tarw etholedig gyr o geirw na feiddiai'r un gwryw ymyrryd â'i harem. Eto, yn hwyr neu'n hwyrach, fe ddôi anochel ddydd ei ddiorseddu yntau gan darw ifengach a mwy angerddol. Yn llesgedd ei ddarostyngiad, cofia'r hen 'bennaeth' fel y byddai ei fam yn ymlid yr eryrod oedd am fygwth gloddesta ar gnawd ei llo ifanc. Cofia wedyn sut y bu ef ei hunan yn brefu dros y fforest pan ddôi'r fwltur i ymhél â'i 'ferched ifanc' yntau. Ond bellach, sigla'r hen wron yn doredig, wrthodedig, gan wybod yn iawn fod yr eryrod eisoes yn hofran uwch ei ben:

> Flocking round him from the skies,
> Waiting for the flesh that dies.

Cwpled odidog greulon. Ond fel yna'n union y mae hi.

Felly y teimlai'r Salmydd hefyd wrth ymbil, 'Paid â'm bwrw ymaith yn amser henaint; paid â'm gadael pan fydd fy nerth yn pallu' (Salm 71:9).

TACHWEDD *11*

... eithr gair Duw nis rhwymir.
(2 Timotheus 2:9)

GANED MARTIN LUTHER yn Eisleben yn 1483, a bu farw yn 1546. Gellir dal mai blwyddyn fawr ei yrfa oedd 1517, ac yntau'n ŵr ifanc 34 oed. Dyna pryd y morthwyliodd y felwm hwnnw ar ddrws eglwys Wittenberg, ac arno 95 o bwyntiau i ddeffro'r Babaeth. Nid oedd Luther yn derbyn y gallai'r Pab waredu neb oddi wrth euogrwydd; twyll oedd gwarantu 'cwtogi siwrnai perthynas trwy'r purdan' ond i'r teulu gyfrannu'n ariannol; gresynus oedd gweld Pab goludog (ac amheus ei fuchedd) yn cipio arian y tlodion i ailgodi eglwys Sant Pedr yn Rhufain.

Yn gynnar yn ei fywyd, trodd at y fynachaeth cyn ei gael ei hunan yn athro Ysgrythur yn Wittenberg. Â'i feddwl miniog a'i gydwybod dyner, nid rhyfedd iddo brotestio yn erbyn anghysonderau ei eglwys ei hunan. Yn wir, ni bu'n fwriad ganddo rwygo'r achos Pabyddol, namyn ei ddiwygio, ond gyda gormod yn y fantol, meginwyd ei brotest yn fflam, ac felly y llosgodd 'Protestaniaeth' ei llwybr ar draws Ewrop.

Yn ystod ei yrfa arwrol, bu Luther yn herio'r awdurdodau; bu ar ffo gan ymguddio yng nghastell Wartburg lle gweithiodd ar gyfieithiad gorchestol o'r Beibl fel y gallai'r Almaenwyr ei ddarllen yn eu hiaith eu hunain. Ar dŵr uchel eglwys Wittenberg, gosodwyd llinell o emyn gan Luther: EIN FESTE BURG IST UNSER GOTT (Cadarn dŵr yw'n Duw ni).

A hoff oedd gan yr Iesu Martha, a'i chwaer, a Lasarus.
(IOAN 11:5)

WNAETH MAM ddim byw yn hir ar ôl claddu Nhad. Yn ei hangladd hi, dywedodd ei gweinidog, Robert Roberts, Cricieth, mai *rhyw* bobol sy'n gwneud bywyd. 'Tynnwch y bobol hynny o'r patrwm,' meddai, 'ac ni fydd pethau fyth yr un fath wedyn.'

Digon gwir. Onid oes gan bawb ohonom 'ryw bobol' yr ydym wrth ein bodd yn eu cwmni? Mae'n wir hefyd y gellir cael 'rhyw bobol' o fath arall: rhai nad ydym yn medru ymwneud â nhw lawn mor rhwydd.

Wrth bregethu yn y Tabernacl, Aberystwyth, clywais J.W. Jones, Conwy, yn bwrw siars at ei gynulleidfa:

'Peidiwch chi â deud y drefn wrthyn ni, weinidogion, am ein bod ni'n galw mewn ambell dŷ yn amlach na thai eraill. Wyddoch chi y byddai Iesu Grist yn gwneud yr un fath? Mi fydda Fo yn troi yn amal, amal at aelwyd Bethania. Sylwch ar yr adnod yma: "A hoff oedd gan yr Iesu Martha, a'i chwaer, a Lasarus." Mi fydda Fo wrth ei fodd efo'r teulu bach hwnnw.'

Yna, newid mymryn ar ei gwrs i glensio'i bwynt: 'Wrth ymweld â'r aelodau yng Nghonwy acw, mi fydda i'n curo ar ambell ddrws ... ac yn *gweddïo* na fyddan nhw ddim gartra!'

Er i'r gynulleidfa siglo gan chwerthin, gwyddai pob un yn y capel fod y pregethwr ffraeth yn bur agos at wirionedd pethau. Ac yn cytuno, bid siŵr, mai 'rhyw bobol sy'n gwneud bywyd'.

Ie, pe rhodiwn ar hyd glyn cysgod angau, nid ofnaf niwed...
(Salm 23:4)

CYMERIAD ARBENNIG iawn oedd Doctor Lewis Jones, a fu'n gweini ar y cleifion yng Nghricieth a'r ardaloedd cyfagos. Roedd iddo wyneb bochgoch a chrop o wallt brith, bras, a baglai ar draws ambell air wrth siarad, gan gamdreiglo'n rhyfedd hwnt ac yma. Wrth gerdded byddai'n rhyw hanner tuthian, a phan safai byddai'n gwingo'n aflonydd.

Am ei fod o natur grefyddol, âi i gadw oedfa ar brydiau yng nghapeli bach y fro, ac ar ddiwrnod angladd, gofelid gofyn i'r doctor gymryd rhan drwy ddarllen neu weddïo. Pe digwyddai bennu ar adnodau o'r Rhufeiniaid neu'r Corinthiaid, gallai fynd i gaethgyfle gyda chymalau amleiriog yr Apostol Paul.

Ei hoff ddewis fyddai'r drydedd salm ar hugain. Un pnawn, pan gyrhaeddodd y bedwaredd adnod – 'Ie, pe rhodiwn ar hyd glyn cysgod angau...' fe lithrodd ar air yn y cymal 'nid ofnaf niwed'. Yr hyn a ddywedodd y doctor oedd 'nid ofnaf *newid*'.

Boed lithriad ai peidio, onid oedd y gair annisgwyl hwnnw'n hyfryd o ysbrydoledig? Oherwydd, yn hwyr neu'n hwyrach, bydd y newid hwnnw'n digwydd i bawb ohonom ninnau: bydd iechyd yn newid, bydd y cartre'n newid, a bydd y patrwm i gyd yn gorfod *newid*.

Diolch i'r hen feddyg dyrys am roi gwedd arall ar salm Dafydd. 'Nid ofnaf newid.'

TACHWEDD *14*

… canys ofnadwy a rhyfeddol y'm gwnaed…
(SALM 139:14)

FYDDA I DDIM yn synnu cymaint â chymaint wrth glywed fod hwn-a-hwn yn wael, neu fod hon-a-hon wedi marw. Nid nad yw hynny, wrth reswm, yn siom ac yn dristwch – ond ni ddylai fod yn syndod.

Pan feddyliwn gymaint o draul sydd ar y corff (a'r meddwl) dynol, y syndod yw nid ei fod yn gwaelu, ond ei fod wedi cadw mor iach cyhyd. Ystyrier y dreth sydd ar y corff o'r cychwyn cyntaf, a hynny hyd y diwedd eithaf. Yn un peth, nid yw fyth yn gorffwys; nid yn 'gorffwys' yn ystyr lythrennol y gair, beth bynnag.

Am beiriant modur, gall hwnnw chwyrnellu mynd am ddwyawr neu dair, ond yn y man caiff ei ddiffoddi, ac wedyn fe saif y cerbyd yn llonydd oer am weddill y dydd, a thros nos, ac efallai dros drannoeth hefyd. Er bod hwnnw'n fetel caled, mae'n graddol ymdreulio, mae'n dechrau rhydu a chancro nes ymddatod fesul darn.

Ond am galon y corff dynol, mae honno'n gweithio'n gyson o ddydd ein geni. Yng nghwrs diwrnod, mae'n curo'n gwbl ddi-ball, ac ar rai adegau o gynnwrf gall guro'n wirioneddol ffyrnig. A phan ddaw'r nos, ni fydd y galon honno'n colli un curiad er i'r corff ymlonyddu. Dyna'r drefn o nos i nos, o ddydd i ddydd ac o flwyddyn i flwyddyn ... heb stopio erioed. Pa ryfedd mewn difri fod gwaeledd a marwolaeth yn digwydd? Pa gig a gwaed a ddichon ddal yr holl straen?

TACHWEDD *15*

... pan elo dyn i dŷ ei hir gartref...
(PREGETHWR 12:5)

DYHEAD POB CLAF yn y parth hwnnw o'r ddinas oedd cael ei drin gan Dr Sorensen. Roedd ei allu meddygol yn ddihareb, ei ofal yn gwbl eithriadol, a'i amynedd yn ddi-ball. Ar fur lobi'r clinig gwelid arwydd amlwg: DR SORENSEN – UPSTAIRS. Ac i fyny'r grisiau hynny y cyrchai'r cleifion ato'n ddyddiol am eu triniaeth.

Un bore, pan gyrhaeddodd yr ysgrifenyddes ei desg yn y dderbynfa, clywodd fod y meddyg mwyn wedi marw'n sydyn yn ystod y nos. Wedi i un claf cynnar ganfod drws y syrjeri ynghlo, brysiodd at yr ysgrifenyddes am esboniad. Am ei bod hi'n rhy doredig i gynnal sgwrs, y cwbl y medrai ei wneud oedd pwyntio tua'r nenfwd uchel a sibrwd tri gair yn unig: 'Doctor Sorensen – upstairs.'

Tybed beth a feddyliai'r hen feddyg o'r grisiau sydd yn emyn David Charles, Caerfyrddin?

> F'enaid innau yn cael myned,
>> Fel aderyn bach o'r llawr,
> Ar adenydd cariad cynnes,
>> Fry i'th fynwes, Iesu mawr.

TACHWEDD *16*

Mewn gair, y mae ffydd, gobaith, cariad, y tri hyn, yn aros.
A'r mwyaf o'r rhain yw cariad.
(1 CORINTHIAID 13:13)

O! gariad rhad, O! gariad drud,
Sydd fil o weithiau'n fwy na'r byd.

O dybio, ar yr olwg gyntaf, fod 'rhad' a 'drud' yn croes-ddweud ei gilydd, cefais ddatrysiad meistraidd ar y dryswch gan fy hen athro, Ifor Williams. Nid 'rhad' yn golygu 'cheap' sydd yma, meddai ef, ond yr hen air 'rhad' yn golygu 'bendith' a 'gras'. (Cofier fel y byddai'r hen bobl gynt yn arfer y sylw, 'Rhad arnat ti!') Yn wir, yng nghyfnod yr Esgob William Morgan, yr un ystyr oedd i '*Gras* ein Harglwydd' ag i '*Rhad* ein Harglwydd.'

O'r un 'rhad' y caed 'rhadlon' (fel 'graslon'). Gelwid y sawl oedd ddifethgar o'r fendith yn 'af-radlon'. Felly y daeth 'afradu' yn y de i swnio fel 'bradu' – sef 'un yn gwastraffu'.

Gan hynny, rhag i neb gredu mai peth diwerth oedd 'cariad *rhad*', ychwanegodd Pantycelyn ansoddair oedd yn sicrhau mai 'rhad *drud*' yw hwn:

'O! gariad rhad, O! gariad drud...'

Dengys yr athro wedyn i'r gair 'drud' ar un adeg olygu 'dewr', 'foolhardy', sef cariad na ddichon unpeth ei atal – cariad *drud*.

TACHWEDD *17*

Pwy bynnag ni dderbynio deyrnas Dduw
fel dyn bach, nid â efe i mewn iddi.
(LUC 18:17)

NEWYDD FOD yn y môr yr oeddwn, ac wedi cerdded o'r dŵr
yn dra phenisel am imi fethu unwaith yn rhagor â meistroli
cyfrinach nofio, a'm bod wedi suddo i'r dwfn.

Toc, daeth Elis Gwyn ataf o'r môr, ac o deimlo fy mod
mewn trallod o ryw fath, holodd beth oedd yn bod. Atebais
innau fy mod wedi ymdrochi wrth draeth Ynysgain Fawr ers
wythnos a mwy, a'm bod wedi methu'n deg â deall sut oedd
nofio. Cyfaddefodd yntau iddo sylwi arnaf droeon yn cicio'r
dŵr yn drochion, yn bwrw'm breichiau'n ddireol ac yn
swalpio dan y don cyn suddo i'r gwaelodion. Wedi rhai
eiliadau o gysidro, aeth ati'n bwyllog i esbonio achos fy
ffwndwr:

'Yn syml,' meddai Gwyn, 'rwyt ti'n trio'n rhy galed.'

Mor wir! Gyda phwyll, mewn pnawn neu ddau arall
deuthum innau i ddeall fod yn y tonnau (yn ogystal â'm corff
i fy hunan) egwyddor oedd wedi'i haddasu'n berffaith ar
gyfer nofio. (Onid oedd Archimedes wedi dadansoddi'r
dirgelion yn ddiogel ganrifoedd cyn hynny?) Dim ond i
rywun orwedd ar y môr, bydd ymwthiad distaw y dŵr
odano'n peri i'r corff arnofio'n gwbl ddiymdrech. Nid oes
angen 'trio'n rhy galed' – dim ond ildio, a bydd grym
cynhaliol y dŵr yn gofalu am weddill cyfrinachau nofio. Mae
allwedd y cyfan yn y ddawn honno o 'dderbyn'.

Nid trwy ymgyrchoedd tyrfus y ceir y deyrnas; nid
crwsâd o blastro posteri dros bob man yw'r ateb. Ond yn
gwbl syml, derbyn grym y dŵr.

TACHWEDD *18*

A chan nad oedd ganddo ddim i dalu...
(MATHEW 18:25)

YSTYRIWCH YN bwyllog araf y myfyrdod a ganlyn gan Indiad
ar egwyddor 'y syml':

> Symlrwydd yw byw mewn cyflwr o ffolineb:
> ffolineb sy'n tarddu o ddoethineb – y doethineb
> hwnnw sy'n credu mewn gollwng gafael pan yw
> pawb arall am fynnu cydio fel gelen.
>
> Dylid mynd i mewn i'r deml fel cragen. Os nad
> ewch i'r deml yn wag, mae'n amhosibl dod oddi
> yno yn llawn.

Llinell dra godidog yw honno yn emyn 'Craig yr
Oesoedd', 'Dof yn *waglaw* at dy groes'.

Sawl gwaith y daethom allan o'r oedfa dan gwyno 'na
chefais i ddim byd yn y capel yna heddiw'? Wel, naddo, wrth
gwrs, os oeddem ni'n llawn yn mynd i mewn. Gyda'r
canlyniad nad oedd *lle* i ddim arall gael ei gyfle.

Ni ellir rhoi dim mewn dwrn heb iddo agor – a derbyn.
Un o hoff ddyfyniadau Gwilym O. Roberts, Pontllyfni,
oedd: 'Let go and let God.'

TACHWEDD *19*

Byddwch lawen a hyfryd...
(MATHEW 5:12)

DAU GYFAILL mynwesol gydag enwad y Bedyddwyr oedd Jubilee Young a John Williams Hughes, y naill fel y llall yn bregethwyr o fawr fri. Ond yn eu dull o draethu, dau gwbl wahanol.

Roedd gan Jubilee lais eithriadol ddwfn a phwerus, a dawn ysgubol o raeadru brawddegau yn un llifeiriant. Am Williams Hughes wedyn, llais pur eiddil oedd ganddo ef, yn traethu'n dawel, dawel hyd at sibrwd ar adegau. Wedi gwneud ambell osodiad, byddai'n gwenu'n llydan dros res amlwg o ddannedd gwynion, a châi'r wên honno'r effaith fwyaf enillgar ar ei wrandawyr.

Un hwyr, a'r ddau mewn hwyl ar ôl pregethu yn y Cyrddau Mawr, dywedodd Williams Hughes wrth ei gyfaill, 'Wn i ddim beth ddôi o'th bregethe di, Jubil, oni bai am dy lais di.' Daeth ateb Jubilee yn ôl ar drawiad, 'Wn i ddim beth ddôi o'th bregethe dithe chwaith, oni bai am dy ddannedd di!'

Yn ogystal â difrifwch yn ôl y galw, mi dybiaf hefyd fod swm o hiwmor yng Ngras ein Harglwydd. 'Byddwch lawen a hyfryd' oedd un siars gan y Meistr.

TACHWEDD *20*

Gwyliwch rhag i chwi ddirmygu un o'r rhai bychain hyn;
oherwydd rwy'n dweud wrthych fod eu hangylion hwy yn y
nefoedd bob amser yn edrych ar wyneb fy Nhad...
(MATHEW 18:10)

AR FUR CEGIN FFARM yn Llawrybetws, roedd yna ddarlun Fictoraidd o blentyn yn croesi pompren a cheunant bygythiol islaw. Y tu ôl iddo, roedd angel yn cysgodi dros y plentyn â'i adenydd, ac o dan y llun, y geiriau, 'The Guardian Angel'.

Wrth agor ei ddarlith ar Ysbrydegaeth, dyma osodiad cyntaf John Williams, Edern: 'Mae gan bob un ohonoch chi sydd yma heno ei angel gwarcheidiol.' Aeth rhagddo wedyn i'w ddisgrifio'i hunan ar nos Sadwrn yn cerdded tua Chwm Pennant, lle'r oedd i bregethu drannoeth. Am fod y cwm yn ddieithr iddo, ac na wyddai ymhle'r oedd i letya'r nos, teimlai'n lled betrus.

Wedi cerdded rhai milltiroedd trwy'r gwyllnos, safodd gŵr o'i flaen dan bwyntio at lidiart. Er i John Williams gyfarch y dieithryn, ni chafodd ateb ganddo. Wedi mynd trwy'r adwy a'i gael ei hunan ar goll yn lân, ymddangosodd y gŵr eto dan bwyntio at gamfa'r tro hwn. Yn y man, fe'i cyfeiriodd at olau mewn ffenestr draw ar y llethr, ac wedi hynny, diflannodd allan o fod.

Synnai gwraig y bwthyn fod y pregethwr wedi llwyddo i ddod o hyd i'w lety mewn cwm mor anghysbell. Ond fel yna y mae'r angel gwarcheidiol yn gweithio, ebe'r cyfaill hynod o Edern.

*… yr ydym ni yn eu clywed hwynt yn llefaru yn ein hiaith
ni fawrion weithredoedd Duw.*
(ACTAU 2:11)

'BE YDI'R IDIOM YNA, DWÊD?' holai Llwyd o'r Bryn ar derfyn
oedfa yng Nghefnddwysarn, a ninnau newydd ganu
'Arglwydd, tyred, â'r newyddion sydd yn gweithio
llawenhau...' Felly'r noson honno y daeth 'gweithio
llawenhau' yn destun i'r seiat-ar-ôl.

Fel plant y gogledd, byddem yn rhyw lun o
ymgyfarwyddo â seiniau dieithr emynau'r capel. Heddiw,
gwn mai perthyn i dafodiaith y de yr oedd 'Yr Iesu'n ddi-lai
a'm gwared o'm gwae', ac i glust Morgan Dafydd o Gaeo,
roedd 'di-lai' a 'gwae' ('gwai', fel petai) yn odli.

Yna, ceid 'Tyrd yn *glau*, a llwyr iachâ...'; 'clau' yn golygu
'buan', 'parod' – gair cwbl anghyfarwydd i ni. Beth, wedyn,
am yr 'o'r bron' hwnnw? Gellid taflu'r gogleddwr oddi ar ei
echel am y byddai 'bron' yn golygu 'o fewn dim', a 'bron
iawn' yn gyfystyr â 'jest iawn'. I'r deheuwr, fodd bynnag,
ystyr 'o'r bron' yw 'i gyd, y cyfan oll, eithaf popeth': 'trwy
barthau'r byd o'r bron', sef hyd eithafoedd pella'r ddaear.
Ymysg emynau'r ardderchog Forgan Rhys ceir y ddwy
linell:

> Mae'r Brenin ar ei orsedd
> Yn siriol yn ymhŵedd...

Berf ddyrys eithriadol, nes deall mai 'ymbil' oedd 'ymhŵedd'
y Brenin. Eto ni bu'r dieithrwch yn dramgwydd, am ein bod,
fel yn y Pentecost gynt, yn deall ein gilydd er gwaetha'r
dieithrwch.

TACHWEDD 22

Llusern yw dy air i'm traed, a llewyrch i'm llwybr.
(S~~ALM~~ 119:105)

G~~WELEDIGAETH~~ I S~~YNNU~~ ati yw honno a roes inni'r peli bach disglair hynny ar hyd canol y ffordd darmac. Er nad oes unrhyw ddiben iddyn nhw liw dydd, mae'n hanfodol bwysig eu bod yno ar gyfer y nos. Yn enwedig mewn niwl.

Soniodd cyfaill wrthyf amdano'n gyrru ar nos o niwl yn ddiweddar, a hynny ar ffordd droellog oedd yn gwbl ddieithr iddo. Gan mor drwchus oedd y niwl, ni allai weld na ffos na pherth, heb sôn am fedru dirnad cyfeiriad y troadau. Ei achubiaeth, yn llythrennol felly, meddai ef, oedd gyrru gyda'r pwyll mwyaf, a dilyn llwybr y gwydrau bach oedd yn troi'n llygaid iddo yng ngolau lampau'r car.

Nid peth i wfftio ato yw ymgais rhieni i osod pelydrau ar gulffordd eu plant mewn dyrys fyd fel hwn. Mae'n hawdd deall plentyn, ac yntau yn haul mawr bore'i oes, yn gresynu at drafferthion mam a thad yn ei gylch.

Eto, ar ambell ran o'i siwrnai (bore oes neu beidio) gall tywyllwch a niwl ordoi'r ffordd yn ddirybudd. A phwy a ŵyr na bu gosod y llygaid bach gloywon yn help gwaredigol ar blwc felly o'r daith?

TACHWEDD *23*

Am hynny y dychwel gwaredigion yr Arglwydd,
a hwy a ddeuant i Seion â chanu...
(ESEIA 51:11)

BYDDAI MYNYDDOG yn hoff o lunio byrdwn fel 'Petai, petasai, yntê...'

Adeg Rhyfel 1914-18, roedd fy nhad ar y môr. Un tro, wedi i'r *Ionian* yr oedd arni adael Falmouth, fe'i suddwyd gan long danfor. Llwyddwyd i achub y criw a'u glanio yn harbwr Aberdaugleddau, a chafodd fy nhad egwyl heb ei disgwyl adre'n ôl ym Mhen Llŷn. Dro arall, wedi cefnu ar Greenock ac anelu am Fôr Iwerydd, dyma un torpedo'n taro bow'r llong *Lime Branch*, ac un arall yn pasio o dan y starn. Y tro hwnnw hefyd, daeth fy nhad 'o'r tonnau'n iach i'r lan.' Oni bai hynny, fuaswn innau ddim yma i gofnodi fel hyn.

Toc wedi wyth ddydd Mercher, 23 Tachwedd 1938, roedd y trigain arferol ohonom ar ein taith drên foreol o Gricieth tuag Ysgol Sir Porthmadog. Gyrrai'r corwynt a'r curlaw yn wir frawychus, ac wrth basio gorsaf fach y Greigddu ar fin y traeth, rhuthrai'r tonnau at ymyl y rheilffordd. Ymhen deng munud ar ôl i drên y plant basio, bylchodd y môr y clawdd llanw gan ysgubo'r cledrau a'r rheiliau i'w ganlyn. Beth petasai'r trên fymryn yn hwyr y bore hwnnw?

Nid yw hyn ond dilyn yr hen, hen ddyfalu a geir o oes i oes – petai hyn, petasai arall. 'Twllwch dudew' a welai'r Hen Bant,

> Oni buasai'r Hwn a hoeliwyd
> Ar fynydd Calfari
> O ryw anfeidrol gariad
> Yn cofio amdanaf fi.

TACHWEDD *24*

Oherwydd nid wyf fi, yr Arglwydd, yn newid, ac nid ydych
chwithau'n peidio â bod yn blant Jacob.
(MALACHI 3:6)

WRTH GYRCHU TUA CHAERNARFON, ein gorsaf drên ni oedd
Llangybi yn Eifionydd a thybiwn, yn hogyn, y byddai hi
yno ar gyfer pawb dros byth. Ond gyda bwyell Beeching,
bwriwyd yr orsaf fach allan o fodolaeth, a pharodd hynny
newid dirfawr i'n hardal wledig.

O dipyn i beth, deuthum i sylweddoli fod newid yn
anochel ym mhatrwm byw a bod. Bob nos Wener, byddai fan
las Caradog yn aros ar ben y ffordd, ac yntau'n agor y
cefnddrws i werthu llysiau a ffrwythau. Ond un pnawn ym
mynwent Chwilog, gwyddwn na ddôi'r hen gyfaill hoffus ar
ei rownd byth mwy.

Dyna hanes pawb a phopeth: newid gwaith, newid tŷ,
newid bro; newid dull o drafaelio, newid patrwm amaethu;
newid mewn ysgol a chapel, ffatri ac ysbyty; y chwareli a'r
pyllau glo. Ac i yrru'r ergyd adre, beth am y newid a
ddigwydd 'yn slei a distaw bach' i ninnau'n bersonol, gorff a
meddwl?

> Heneiddia'r greadigaeth, palla dyn,
> Diflannu oesoedd byd o un i un;
> Er cilio popeth, un o hyd wyt Ti:
> Y digyfnewid Dduw, O! arwain fi.

TACHWEDD *25*

... ymlawenhawn yn nerth ein hiechyd.
(SALM 95:1)

WEDI AWR o ymweld yn Ysbyty Gwynedd, cerddodd fy nghyfaill, Bleddyn, heibio i'r dderbynfa brysur gan anelu am y drws gwydr yn y fynedfa. Yn ei frys, bu agos iddo ymfwrw i hen wraig ar bwys ei ffon oedd wedi aros yn sydyn ddifeddwl ar ei lwybr. Safai yno ger y drws yn ei choban, a gŵn gynnes drosti – wedi troi, bid siŵr, o ward gyfagos i ystwytho'i chymalau.

Wrth edrych allan, sylwodd Bleddyn ei bod yn dymchwel y glaw, a'r gwynt o gyfeiriad Môn yn ei hyrddio'n genlli ar draws dinas Bangor.

'Y mawredd!' meddai Bleddyn gan fotymu'i gôt, 'mae hi'n storm ddifrifol allan yna.'

Ac meddai'r hen wraig ar bwys ei ffon, 'Diolchwch lawer, 'y ngwas bach i, eich bod chi'n cael cerdded drwyddi hi!'

Aeth Bleddyn allan i'r ddrycin, meddai ef, yn llawer callach ddyn.

... eto am ychydig bûm yn gysegr iddynt
yn y gwledydd lle maent.
(ESECIEL 11:16)

> Ond er mwyn 'yr hen bwerau'
>   A fu yma'r dyddiau gynt,
> Ac er mwyn y saint a brofodd
>   Yma rym y Dwyfol Wynt,
> Ac er mwyn eu plant wrth ymladd
>   Anghrediniaeth, ddydd a ddaw,
> Amser, sy'n dadfeilio popeth,
>   Yma atal di dy law.

Pan glywodd Cynan y bwriedid cau hen gapel Nanhoron yng ngwlad Llŷn, aeth ati i nyddu myfyrdod am y lle. Os oedd yna eglwysi lle ceid 'uchel allor gyfrin' gyda chanhwyllau ac arogldarth, nid oedd yn y cysegr gwledig hwn ond pridd ar ei lawr a llwydni ar ei bared – 'dim ond moelni Piwritaniaeth yn ei holl eithafion llwm.'

Nid yw'r pennill uchod sy'n cloi'r gerdd ond un frawddeg feichiog o eiriolaeth ar ran y capel bach. Sylwer ar y tri chymal sy'n datgan rhesymau'r bardd dros bledio fel y gwna: 'er mwyn "yr hen bwerau"...', 'er mwyn y saint...' ac 'er mwyn eu plant...' Yn y cwpled sy'n weddill, mae Cynan yn cyfarch 'Amser' (y pen-dadfeiliwr), a'i orchymyn i ymbwyllo 'yma' – yma, yng nghapel Nanhoron, o bob man. Mae hi bron yn amhosibl adrodd y cwpled olaf heb i'r llais aros er ei waethaf ar y gair 'yma':

> Amser, sy'n dadfeilio popeth,
>   Yma atal di dy law.

Pwy a fesurodd y dyfroedd yn ei ddwrn,
ac a fesurodd y nefoedd â'i rychwant...
(ESEIA 40:12)

BETH AM oedi i wylio Pantycelyn mewn ymrafael â'r
uchelion, ac â'r dyfnderau hefyd?

> Duw anfeidrol yw dy enw,
> Llanw'r nefoedd, llanw'r llawr;
> Mae dy lwybrau'n anweledig
> Yn nyfnderoedd moroedd mawr;
> Dy feddyliau –
> Is nag uffern, uwch na'r nef.

A fu'r fath rychwantu erioed? Is – ac uwch!
   Pennill eto, o emyn arall, sy'n peri inni ofyn tybed yn wir
a fu Williams yn ysbydu trwy'r gofod mewn roced.

> Gyrrwch fi i eithaf twllwch,
> Hwnt i derfyn oll sy'n bod,
> I ryw wagle dudew anial,
> Na fu creadur ynddo 'rioed...

Sôn am unigedd eangderau! Ond er bod ei ddarfelydd yn
ddigon i sigo'r cyffredin ohonom, mae'n cloi'r cyfan â
sicrwydd bendigaid:

> Hapus hapus
> Fyddaf yno gyda Thi.

TACHWEDD *28*

YCHYDIG CYN naw y bore byddai William Jones, Maenywern, a ninnau'n croesi llwybrau'n gilydd; nyni ar y ffordd i'r ysgol (yn Llanystumdwy), ac yntau ar ei siwrnai i borthi gwartheg y Gwyndy.

Byddai ganddo ddwy bwcedaid lawn o borthiant yn hongian wrth yr iau oedd dros ei ysgwyddau. Un bore, gosododd William Jones un bwced lawn ar ganol y ffordd, a'm herio i'w chario iddo. Braidd yn drom oedd hi, a phur garbwl oedd f'ymdrechion i'w chodi, heb sôn am ei chario.

'Aros funud,' meddai William Jones, cyn mynd ati i osod yr iau dros f'ysgwyddau a bachu'r bwcedi llwythog wrth y cadwyni. Er syndod i mi fy hun, medrwn gario'r ddwy bwced yn annisgwyl o rwydd, gan gofio mai nawmlwydd oed oeddwn.

Funud cyn hynny, prin y llwyddwn i symud un bwced; bellach medrwn gludo dwy! Ond sut felly? I'r iau dros f'ysgwydd yr oedd y diolch. Mae'n wir na wnâi'r iau y pwysau un owns yn llai, ond fe'i gwnâi yn llawer mwy esmwyth i gynnal y llwyth.

Nid yw'r Efengyl, o raid, yn addo symud beichiau byw a bod oddi ar warrau pobl, ond y mae'n cynnig rhywbeth a ddichon larieiddio'r dreth o'u cludo.

'Deuwch ataf fi bawb a'r y sydd yn flinderog ac yn llwythog,' meddai'r Iesu, 'a mi a esmwythâf arnoch.'

TACHWEDD 29

Y mae hwn yn derbyn pechaduriaid,
ac yn bwyta gyda hwynt.
(LUC 15:2)

UN O AMAETHWYR pwysig yr ardal oedd Amos Owen, Foel Uchaf, a'i adeiladau fel ei wrychoedd yn bictiwr o daclusrwydd. Roedd yr un taclusrwydd o'i gwmpas fel pen-blaenor capel y Berth yng ngenau'r dyffryn. Gwisgai'n drwsiadus, siaradai'n bwyllog, ac roedd ei farn hallt am y rhai dyrys eu moes yn ddeddfol ddigyfaddawd.

Mor wahanol oedd Elis Puw, y Llain: tyddynnwr encilgar, tawel, ac yn gweld rhinwedd yn y person mwyaf diafael.

Sut bynnag, roedd glawogydd diwedd haf yn bryder cynyddol i Elis, a'i gynhaeaf ŷd yn styciau diferol ers pythefnos. Ond fore'r Sul hwnnw, tywynnodd yr haul o'r diwedd, ac i goroni popeth, gyrrai sychwynt bendithiol dros y meysydd – yr union ddiwrnod i Elis fynd i'w faes i lacio'r styciau. Ond dydd Sul oedd hi . . . ac i'r oedfa yr aeth Elis yng nghwmni Ifor, ei fab dengmlwydd.

Ar ei ffordd o'r capel, sleifiodd Elis i'r cae ŷd gan daflu ambell ysgub ar y llawr hwnt ac yma. Sylwodd Ifor fod ei dad yn cymryd cip sydyn i gyfeiriad y llethrau uchel bob hyn a hyn. At hynny, roedd yn cwmanu fel petai'n ceisio'i guddio'i hunan wrth wasgaru'r styciau i afaelion y sychwynt. A phan gymerodd ei dad un cip arall tua'r ucheldir, mentrodd Ifor ofyn ei gwestiwn: 'Ofn i Iesu Grist eich gweld chi ydach chi?'

'Nage'n wir, Ifor bach,' atebodd ei dad. 'Mae petha'n iawn rhwng Iesu Grist a fi. Ofn i Amos y Foel fy ngweld i rydw i.'

TACHWEDD *30*

… ar wahân i mi, ni allwch wneud dim.
(IOAN 15:5)

Glanha dy Eglwys, Iesu mawr –
Ei grym yw bod yn lân…

Y mae sawl gwedd ar y 'glân' yng nghwpled Elfed. Yn ramadegol mae'r enw 'glendid' yno, sef 'bod yn lân'. Mae modd gorchmynnol y ferf yno, sef 'glanhâ'. Yn goron ar y cyfan, mae'r enw personol diwrthdro yno, sef 'Iesu mawr'. Yn niwedd popeth, Efe yw'r unig un a ddichon lanhau'r Eglwys.

Efe, nid ni. Mae'n wir i ni fod wrthi sawl tro yn rhoi cynnig arni. Roeddem am wneud môr a mynydd o bethau gan fwrw ati i bwyllgora, cynadledda, protestio a chyfundrefnu. Buom wrthi'n rhannu pamffledi wrth y miloedd, yn ysol am ennill 'Cymru i Grist' ac ar dân gydag 'Ymgyrch y Deffro'. Bendith ar bob bwriad dyrchafol o'r fath, ond ni welwyd llawer o ffrwyth o'r cyrch, a rhyw fethiant digon digalon fu hanes y cynigion mwyaf brwd.

Ond pam felly? Yr ateb yw nad *ni* a ddichon lanhau'r byd o'i lygreddau, ond Efe. Yr Iesu mawr yw'r Glanhawr, nid ni.

Ar brydiau, gwelir hysbyseb mewn papur enwadol yn gwahodd teulu i ddod i fyw i dŷ capel arbennig, ac un o'r amodau yw ymgymryd â glanhau'r capel yn wythnosol.

Nid wy'n amau am funud na all dyn lanhau'r capel. Ond ni all neb ond Iesu lanhau'r Eglwys.

RHAGFYR *1*

... treuliasom ein blynyddoedd fel chwedl.
(SALM 90:9)

PAN DDAW RHAGFYR i'r fro, bydd yn hawdd gennym
ryfeddu mor chwim y daethom at fis olaf y flwyddyn. Sylwi
nad oedd fawr yn ôl pan roed y calendr newydd hwnnw ar y
wal, ac Ionawr yn ifanc addawol. Cofio'r gaeaf pell yn troi'n
wanwyn, cyn dilyn haf golau gan hydref melyn. Ac yn fwyaf
sydyn, dyma ni'n ôl yn nhwll gaeaf arall unwaith eto. Cofio
hefyd sut y buom wrthi'n ymlafnio o fis i fis gan ymboeni
ynglŷn â gwaith ac arian nes i'r rhuthr fod agos â'n lladd fwy
nag unwaith. Mewn ffwndwr felly, mae'n werth troi at
Robert Davies, Bardd Nantglyn, a myfyrio'n bwyllog, araf ar
ei neges:

> A fedd synhwyrau diau dowch,
> Ar undeb trowch i wrando,
> Yn un fwriad gan fyfyrio,
> Fel mae'n llethrog ddydd yn llithro;
> Ni rusir mono i aros munud,
> Gwalch ar hedfan, eden buan, ydyw'n bywyd.

> Gwagedd mawr rhoi serch a bryd
> Ar olud byd a'i wychder;
> Hedeg ymaith y mae'n hamser,
> Ar ein hoedel na rown hyder.
> Pa mor ofer yw ymrwyfo
> Am ormodedd yn y diwedd a'n gadawo?

RHAGFYR *2*

Fy nyddiau sydd gynt na gwennol gwehydd...
(JOB 7:6)

MAE'N HAWDD gan y to hŷn ohonom ryfeddu fel yr ydym wedi gwibio mor ddiarwybod trwy flynyddoedd einioes. 'Bachan!' meddai Evie o'r de, 'ry'n ni ar y ffordd yn ôl nawr!'

Ceir yr un gwirionedd ym myd awyrennau wedi rhialtwch brwd esgyn oddi ar y rhedfa tua gwlad bellennig; yn hwyr neu'n hwyrach bydd yn rhaid dod i lawr a glanio unwaith eto. (Daliodd sawl emyn ar y ddelwedd honno: 'Pan ddaw'r dydd i lanio...', 'Bydd melys lanio draw...')

Wrth i awyren gyrraedd maes awyr Heathrow, dyweder, bydd swyddog wedi'i llygadu ar y sgrin radar, ac er ei bod gan milltir i fwrdd, caiff ei chyfarwyddo gan bwyll tua'i glanfa. Am fod sawl peilot arall yn aros ei dro i lanio, rhaid i'r awyrennau eraill gylchdroi yn yr wybren draw, fil o droedfeddi y naill uwchben y llall. Hyn yw'r *hold* neu'r *stack* sy'n cadw pobun mewn trefn nes daw'r alwad i'r isaf yn y das lanio.

Felly'n union y daeth calendr eleni â ni at waelod tas y misoedd, a'n glanio ninnau yn y man ar ben taith blwyddyn arall.

RHAGFYR *3*

Y rhai hyn oedd foneddigeiddiach
na'r rhai oedd yn Thesalonica…
(ACTAU 17:11)

WEDI ERLEDIGAETH eithaf chwyrn arno yn Thesalonica, symudodd Paul fymryn tua'r de i drafod Efengyl Crist gyda phobl Berea.

Rai blynyddoedd yn ôl, a hithau'n ddyddiau'r Pasg, bu mintai fach ohonom yn dilyn taith Paul o dopiau Groeg nes cyrraedd, fel yntau, i dref Berea – 'Veria' yw'r enw heddiw. Tua chanol dydd aethom i gaffi am bryd o fwyd, ond oherwydd rhesymau crefyddol, gofidiai'r perchennog am nad oedd yn arfer ganddo goginio prydau trymion yn ystod yr ŵyl, ac arweiniodd ni ar dde ac aswy trwy strydoedd Berea nes aros o'r diwedd ar bwys caffi bychan. 'Mi wn i y cewch chi ginio iawn yn y fan yma,' meddai. A chyda'r wên anwylaf, ffarweliodd â ni.

Ganol y pnawn, sylwais ar hen wraig mewn dillad duon yn dod allan o wasanaeth yr eglwys a thafell o fara yn ei llaw. Daeth ataf yn siriol, torri cornelyn o fara'i Chymundeb a'i estyn i mi. O'm Groeg prin, mentrais y gair 'efcharisto', sy'n golygu 'diolch'; sydd hefyd yn cyfleu 'Swper yr Arglwydd'.

Ni welais erioed mohoni o'r blaen; ni welaf fyth mohoni eto. Ond mi gofiaf tra byddaf byw am y ddau ohonom ar fin y palmant yn sacramenta ar bnawn y Pasg. Fel y mae mwynder ym mryniau Maldwyn, rwy'n sicr hefyd fod boneddigeiddrwydd yn dal ar gerdded hyd strydoedd Berea.

RHAGFYR 4

Glanha fi oddi wrth fy meiau cuddiedig.
(SALM 19:12)

'GLANHA DY EGLWYS, Iesu mawr' oedd un erfyniad gan Elfed. Y delfryd yw bod yr Eglwys yn glanhau'r byd. Ond arall hollol yw cywair yr emyn: bod ar yr Eglwys ei *hunan* angen ei glanhau.

Mae'n ymddangos fod dylanwad estron wedi dod i mewn o rywle, a bod hwnnw wedi llygru'r glendid sydd yn hanfod i'r Eglwys. Efallai nad yw'r peth estron hwnnw'n ddrwg yn ei fyd ei hunan, ond pan ddaw dylanwad felly i'r Eglwys mae'n creu helynt ddifrifol iawn.

Ystyrier peth mor gyffredin â llwch. Byd llwch yw'n byd ni, a cheir hwnnw ym mhob man o'n cwmpas. Gwelir llwch ar ddodrefn y tŷ, ac ar wydrau'r ffenestri; fe'i hanedlir o'r awyr, ac fe'i sethrir dan draed. Boed hynny'n ddymunol ai peidio, byd o lwch yw hwn, ac am a wn i nad yw llwch yn iawn yn ei le ei hun.

Eto, os aiff y llychyn lleiaf i'r llygad, dyweder, gall achosi amhariad gwirioneddol boenus; amhariad sydd mor ddwys ar ambell adeg nes gorfod cael sylw'r meddyg ato. Wedi archwilio'r llygad dolurus, un term bygythiol gan yr arbenigwr yw *foreign body*, sef bod rhywbeth hollol estron wedi dod i fan na ddylai fyth fod yno. Un peth yw llwch o dan draed, peth cwbl arall yw llwch yn nhynerwch llygad.

Nid oes, felly, ond un waredigaeth. Rywsut neu'i gilydd, mae'n rhaid golchi'r llygredd allan er mwyn i lendid hanfodol y llygad ffynnu unwaith yn rhagor.

'*Glanha* dy Eglwys...'

RHAGFYR 5

Ac efe a'u cymerodd hwy yn ei freichiau...
ac a'u bendithiodd.
(Marc 10:16)

SYLWER AR Y MODD y mae'r fam yn ei gynnwys fel bod y babi
â'i wyneb at gynhesrwydd ei mynwes. Ond ar yr un pryd,
bydd ei dwy fraich a'i dwy law yn dynn am gefn – am du ôl
– y bychan. A dyna'r mymryn wedi'i lapio – ymlaen ac ôl –
gan diriondeb ei choflaid.

Mae elfen gref o'r baban yn aros ym mhawb ohonom
ninnau, hyd yn oed ar ôl i ni dyfu. Onid yw hynny'n eglur
gan Dafydd yn Salm 23? Mae'r Arglwydd yn gofalu bod o'r
tu blaen iddo: 'Efe a'm *harwain*...' Ond yn ychwanegol at
hynny, mae'r gofal amdano o'r tu ôl yn ogystal: 'Daioni a
thrugaredd a'm *canlynant*...'

Tybia rhai mai ymlaen y mae holl helbulon y daith – ofni'r
pethau *sydd i ddod*. Y gwir amdani yw fod swm mawr o'r
helbulon o'r tu ôl inni – ofni'r pethau *sydd wedi bod*. Gall
lleng o'r rheini lechu yn ein defnydd. Ar dro, gall y rheini
ymlid dyn fel pac o gythreuliaid gan achosi nychdod ac
iselder difrifol.

Roedd Pantycelyn yn ei adnabod ei hunan yn syndod o
drylwyr. Sylwer mor ddadansoddol iach yw'r erfyniad a
ganlyn. Wedi gofyn am warchod ei ddyfodol – 'Wrth fy
ystlys bydd i'm *harwain*' – cymer gip hefyd ar ei orffennol:

> Atat rwyf yn ffoi am noddfa
> Rhag y drygau *sydd o'm hôl*;
> Cymer fi, Dywysog bywyd,
> Dwg fi yn dy ddwyfol gôl.

A dyna'r goflaid yn un anwes gynnes gron.

RHAGFYR 6

Daeth y chwalwr i fyny o flaen dy wyneb...
(NAHUM 2:1)

DAWN WIR URDDASOL yw honno pan yw dyn yn derbyn ei gurfa fel bonheddwr. Er bod rhywbeth athrist yn y peth, mae'n digwydd yn rheolaidd ym myd natur o'n cylch. Dyna'r carw-frenin corniog ar greigdiroedd yr Alban: mae pobun arall o'i dras yn cadw'n ddiogel o'i diriogaeth nes i henaint ei lethu. Trist ar ôl hynny yw ei weld yntau – y *monarch of the glen* – wedi gorfod cilio i lecyn mwyaf unig y cwm, yn wanllyd ac yn wrthodedig fyth mwy.

Ochr arall y geiniog cyn ein trechu oedd yr awydd ynom am gystadlu, am fod yn brif ac ar y blaen, costied a gostio. Felly y myn eisteddfod ei phrifardd, a senedd ei phrif weinidog. Ceir yr un ysfa ym myd chwaraeon: nid rhedeg yw'r gamp, ond rhedeg gyflymaf, neidio uchaf, llamu bellaf a tharo galetaf. Ym maes merched, rhaid yw bod y bertaf ei gwedd a'r siapusaf ei chorff. Mewn afiechyd hyd yn oed, ceir rhai sydd yn mynnu mai nhw yw'r salaf – nhw gafodd y boen fwyaf, y tabledi cryfaf, a'r llawdriniaeth enbytaf.

Mewn hoen neu mewn poen, mae rhywun o'n plith am fod ar y blaen. Ond cyn sicred â dim (fel gyda charw'r ucheldir) daw dydd y llethir y cadarn gan un cadarnach; gwêl y cyflym un cyflymach, yr hardd ei harddach.

Beth ellir ei wneud yn wyneb dirywiad mor anochel egr? Deubeth, o leiaf: derbyn yn dra diolchgar y bendithion a gaed, ac ildio mor urddasol ag sydd bosibl yn nydd y gwendid.

Pan flingwyd Job o'i gyfoeth ac o'i iechyd fesul tipyn, aeth cyn belled â mynnu hyn: 'Pe lladdai efe fi, eto mi a obeithiaf ynddo ef' (Job 13:15).

RHAGFYR 7

Felly creodd Duw ddyn ar ei ddelw ei hun...
(GENESIS 1:27)

YN FWY NAG UNWAITH yn ddiweddar, rwyf wedi sylwi bod osgo fy ngwraig wrth gerdded yn rhyfeddol o debyg i'w mam gynt. Mae'n anodd cyfleu mewn geiriau yn union beth yw'r tebygrwydd hwnnw, ond rywsut neu'i gilydd mae'r llygaid yn adnabod symudiadau'r corff yn reddfol.

Pan aeth Gareth i weithio i'r pwll glo, dywedodd ei dad y byddai'n ei gwrdd wrth iard y gwaith ar derfyn ei shifft gyntaf. Ddiwedd y pnawn wrth ddod i fyny o'r pwll, roedd wyneb Gareth, fel y gweddill o'r gweithwyr, yn bygddu drosto gan lwch glo.

Am y gwyddai na fyddai ei dad yn gallu ei adnabod oherwydd y düwch, penderfynodd y mab, o ran direidi, y byddai'n mynd heibio iddo heb ei gyfarch. Wrth iddo'i basio felly – yn 'llwyddiannus' fel y tybiai ef – clywodd lais yn galw ar ei ôl: 'Gareth! Gareth!'

'Sut y gwyddech chi mai fi oedd wedi'ch pasio chi?' holodd Gareth. 'Mae wyneb pawb ohonon ni'r un fath â'i gilydd o dan y llwch yma.'

'Falla na wnes i ddim adnabod dy wyneb di,' addefodd y tad, 'ond fe sylwais fod osgo'r teulu yn dy gerddediad di.'

Mae'r osgo hwnnw yn rhywbeth na all yr un o'r plant ei wadu na'i gelu fyth. 'Ac ni ddwg neb hwy allan o'm llaw i', medd rhyw adnod.

RHAGFYR 8

... ond bydd goleuni yn yr hwyr.
(SECHAREIA 14:7)

AR NOSON FAWR pan fo'r gwynt yn cystwyo'r berllan, a'r glaw yn gwastrodi'r ffenestr, mor ddiddos yw bod ar yr aelwyd yn darllen llyfr neu'n gwylio'r teledu. Ond yn hollol ddirybudd, dyma'r holl dŷ yn diffoddi mewn tywyllwch dudew. Gwyddoch chwithau fod cannwyll yn rhywle, ond ym mhle? Baglu ar draws cadair, trawo llestr oddi ar ymyl y ddresel, a ffwndro'n helbulus o gwmpas y lle. Y ffaith yw fod dyn yn colli arno'i hunan pan fwrir ef i dywyllwch.

'A thywyllwch oedd ar wyneb y dyfnder', medd ail adnod Llyfr Genesis. A'r nesaf ati: 'A Duw a ddywedodd, "Bydded goleuni…" ' (O ystyried, dyna orchymyn cyntaf un y Beibl.) O hynny ymlaen, mae'r goleuni'n pelydru ym mhobman trwy'r Beibl cyfan: 'Y bobl oedd yn rhodio mewn tywyllwch a welodd oleuni mawr' (Eseia 9:2); am fugeiliaid y Nadolig – 'gogoniant yr Arglwydd a ddisgleiriodd o'u hamgylch' (Luc 2:9); am Saul, ger Damascus – 'yn sydyn fflachiodd o'i amgylch oleuni o'r nef' (Actau 9:3).

Roedd yn ffaith wybyddus y byddai Williams Pantycelyn yn arswydo rhag teithio yn afagddu'r nos:

> Rwyf yn blino ar y twllwch,
> Deued, deued golau'r dydd:
> Yn y golau
> Mae fy enaid wrth ei fodd.

Y fath gysur iddo oedd disgrifiad 'cyfarwyddwr pererinion' ohono'i hunan: 'Myfi yw goleuni'r byd' (Ioan 8:12). Cysur i bawb arall ohonom, o ran hynny.

RHAGFYR 9

Ha fab, cymer gysur; maddeuwyd i ti dy bechodau.
(MATHEW 9:2)

WRTH BREGETHU ar faddeuant yn Sasiwn Llanfair Caereinion, soniodd Tom Nefyn am drafferth roedd tad yn ei gael gyda drygau ei fab, Robat, nes iddo o'r diwedd gynnig telerau fel hyn iddo:

'Am bob gweithred ddrwg wnei di, mi fydda i'n bwrw hoelen i gilbost y llidiart. Ond am bob gweithred dda wnei di, mi fydda i'n tynnu un hoelen i ffwrdd.'

Eto, meddai Tom Nefyn, petai pob un hoelen wedi cael ei thynnu allan, pa haws fyddai Robat efo maddeuant ei dad – a'r cilbost yn greithiau i gyd?

Trafod hir amynedd Duw yr oedd y pregethwr ac yn sôn amdano'i hunan yn cerdded llwybr at dŷ yn y Rhondda. Pan oedd o fewn ychydig i'r drws, dyma helgi nerthol yn llamu ato o'i genel. Ond yn sydyn sylweddolodd na allai'r bwystfil ei gyrraedd am nad oedd y gadwyn yn ddigon hir.

'Dim ond hyd y tsiaen!' meddai Tom Nefyn. 'Felly y bydda i'n meddwl am yr emyn hwnnw:

> Mae'n holl elynion ni yn awr
> Mewn cadwyn gan y Brenin Mawr.'

Ar ôl curo ar y drws, fe'i hagorwyd gan ŵr sarrug ei olwg, a chyn i'r ymwelydd orffen ei neges fe'i caewyd yn glep yn ei wyneb, a bu'n rhaid iddo ymadael yn siomedig.

Ond lle bo amynedd ar waith, nid gan siom y bydd y gair olaf.

RHAGFYR *10*

Ond caffed amynedd ei pherffaith waith...
(IAGO 1:4)

ATHRO AC EMYNYDD gwir ddawnus oedd Morgan Rhys o Gil-y-cwm. Craffer ar diriondeb y pennill dilynol ganddo:

> Dewch, hen ac ieuainc, dewch,
> At Iesu, mae'n llawn bryd;
> Rhyfedd amynedd Duw
> Ddisgwyliodd wrthym cyd:
> Aeth yn brynhawn, mae yn hwyrhau;
> Mae drws trugaredd heb ei gau.

Bob hyn a hyn, fel byrdwn i'w neges, dyfynnai Tom Nefyn y llinell, 'Rhyfedd amynedd Duw...'

Aethai saith mlynedd heibio, ac yntau'n pregethu yn un o gapeli'r cymoedd. Ar derfyn yr oedfa, daeth gŵr trwsiadus ato, a'i gyflwyno'i hunan fel yr un a gaeodd y drws yn ei wyneb flynyddoedd cyn hynny.

'Sbel yn ôl, fe ddechreuais i fynd i'r capel,' meddai, 'ac erbyn hyn, rwy'n flaenor yn Soar ers tair blynedd.'

'Rhyfedd amynedd Duw!' meddai Tom Nefyn wrth ei gynulleidfa. Ac i gyfleu pa mor bwysig yw gadael i amser wneud ei wyrth, seriodd y dweud a ganlyn ar ein cof:

'Dwyt ti ddim yn agor tiwlip efo cyllell!'

Rhyfedd amynedd Duw...

RHAGFYR *11*

A'r efengyl hon am y deyrnas a bregethir trwy'r holl fyd...
(MATHEW 24:14)

PETHAU CWBL annarogan yw pregethau.

Er llafurio'n wir galed gydag ambell un, ac er ei thraethu gydag angerdd, mae hi'n mynnu gwywo'n gyhoeddus o flaen pawb. Ceir pregeth arall y bu'r cyflwyniad cyntaf ohoni'n bur addawol, ond o'i hail gynnig ar y Sul dilynol, mae'n diffodd fel cannwyll mewn drafft.

Ond gydag ambell bregeth, am ryw reswm cyfrin, mae honno'n cadw'n nwyfus, lysti. Mae'n dal yn fythol newydd, a'r pregethwr wrth ei fodd yn ei chyflwyno o le i le.

Roedd gan William Prytherch, y Gopa, ddwy neu dair o rai felly, a byddai'n cael hwyl anghyffredin yn cyflwyno 'ladis' o'r fath mewn Cyrddau Mawr ar draws gwlad. Wedi oedfa neilltuol wlithog mewn un cwrdd, daeth gwrandawr ato i ddiolch yn frwd, ond gan ychwanegu iddo ef glywed y bregeth honno ddeng mlynedd ynghynt yn sasiwn Pontmorlais. 'Wel, fachgen!' meddai Prytherch yn foddhaus, 'on'd yw hi'n gwisgo'n dda?'

Mae'n rhaid bod ambell bregeth wedi dod yn syth 'oddi uchod', ac nad oes dreulio ar na'i newydd-deb na'i gorfoledd. Efallai i Hugh Jones, Maesglasau, daro'r union dant hwnnw yn yr emyn:

> Dim trai ni welir arni mwy;
> Hi bery'n hwy na bore a nawn.

RHAGFYR *12*

Y dyn truenus ag ydwyf!
(RHUFEINIAID 7:24)

ONID YW DYN yn un o'r creaduriaid mwyaf cymhleth sy'n bod? Ar brydiau, bydd yn cyfadde'n agored fod ei ymddygiad yn broblem iddo ef ei hunan, fel y gwna Paul yn Rhufeiniaid 7:15: 'Ni allaf ddeall fy ngweithredoedd, oherwydd yr wyf yn gwneud, nid y peth yr wyf yn ei ewyllysio, ond y peth yr wyf yn ei gasáu.'

Yn y pennill dyrys a ganlyn gan Thomas Ellis, Llithfaen, nodir deg cyflwr mewn wyth llinell:

> Galaru'r wyf mewn dyffryn du
> Wrth deithio i dŷ fy Nhad;
> Ar ben y bryniau'n llawenhau
> Wrth weled cyrrau'r wlad.
> Rwy'n ddu fy lliw, a'm gwisg yn wen,
> Rwy'n llawen, ac yn brudd;
> Rwy'n agos iawn, ac eto 'mhell,
> Rwy'n waeth, rwy'n well bob dydd.

Byddai Parry-Williams yn sôn am 'hen wraig yn y pentref gynt a fyddai'n achwyn fod cur yn ei phen, poen yn ei haelodau, a chaethdra'n ei brest, gan ychwanegu nad oedd hi ddim hanner da ei hun chwaith.' Tybed ym mha adran o'i chorff yr oedd hi 'ei hun' yn trigo? Os oedd hi yno o gwbl, erbyn meddwl.

RHAGFYR *13*

Canys cŵn a'm cylchynasant...
(S<small>ALM</small> 22:16)

Cyn mynd i nef asynnod
Fe luniaf f'ewyllys hynod...

meddai Gwenallt yn ei gerdd 'Testament yr Asyn'. Yn fwy na'i chynnwys deifiol, yr hyn sy'n fy nharo heddiw yw i Gwenallt dderbyn bod gan y mulod eu libart nefol rywle dros y ffin – 'nef asynnod'. Ni fynnwn ei groesi ar fater felly, dim ond i minnau (wedi 'rhydio') gael prowla am nef y cŵn, a tharo unwaith eto ar Moffatt ddu a'i ddannedd gwynion. 'Gŵr bonheddig!' oedd bloedd Bob Owen, Croesor, uwch ei ben wrth i'r labrador bwyso ar ei glun.

Yna, fe alwn ar Mac, y 'collie' trwynfain a'i siwt amryliw o felyn, du, gwinau a gwyn, a'r mascara godidog hwnnw o gylch ei lygaid. Siawns, wedyn, na ddôi Daniel y sbaniel a Nedw i'r aduniad. Yr hen gyfeillion blewog, pob un yn wahanol – yn wyllt, yn ddiog, yn chwareus, yn fwyteig – ond pobun yn ddi-feth o deyrngar.

Rhwng pawb, cawsom hanner canrif o'r cwmni cwnyddol. Ar y foment, Pedro sydd gyda ni, ritrifar trwm o liw'r mêl ysgafnaf, a'r creadur ffeindia'n fyw. Beth yw'r ddawn a roed iddyn nhw i doddi calon bob bore o'r newydd, ac ar ben y daith, i dorri'r galon honno'n ufflon ulw?

Mae sawl emyn plant yn diolch i'r Crëwr am y 'friallen fach ar lawr', a'r 'dryw yn y drain'. Ond am greaduriaid gwir anwesgar fel yr ebol, y gath a'r ci, ni wn am un emyn sy'n crybwyll y cyfeillion hynny. Tybed pam?

RHAGFYR *14*

Ni welodd neb Dduw erioed...
(IOAN 1:18)

MAE GRADDAU yn perthyn i oleuni. Ar un wedd, mae'n rhaid i ni wrtho i weld y byd a'i bethau, ac i ddangos y ffordd wrth inni symud o fan i fan. Ar wedd arall, gall goleuni weithio'n hollol i'r gwrthwyneb, a'n rhwystro rhag gweld dim oll.

Ar ein moduron ni y mae lampau cryfion sy'n hollti tywyllwch nos yn ffordd lachar o'n blaen, gan wneud teithio'n fater rhwydd ryfeddol. Er bod y gyfraith yn gofyn i bob gyrrwr ddofi anterth ei lampau pan ddaw cerbyd arall i'w gyfarfod, eto bydd ambell un difeddwl yn anghofio gwneud felly. Y canlyniad yw bod ei oleuni ef yn dallu'n llwyr y sawl sy'n dod i'w gyfeiriad: enghraifft o belydrau (a ddylai fod yn dangos y ffordd) yn troi'n gymaint o ddisgleirdeb nes llethu'r llygaid yn gyfan gwbl, ac yn cuddio'r ffordd.

Wrth gyfieithu emyn Chalmers Smith, defnyddia T. Gwynn Jones y ffurf 'cêl', o'r ferf 'celu' – cuddio:

> Ti, Dduw unig ddoeth, y goleuni a'th gêl,
> Tragywydd wyt Ti, nid oes lygad a'th wêl.

Egyr yr emyn gyda'r syniad o orddisgleirdeb yn ormod i grebwyll dyn, a chyda'r un byrdwn y mae'n selio'r cyfan ar y diwedd:

> Ysblander y golau a'th gudd rhagom ni.

Un dibwys wyf i; beth allaf ei ddweud?
(JOB 40:4)

WRTH HEL MEDDYLIAU HEDDIW, fe wn y byddaf agos â gwallgofi cyn dod i ben â sgrifennu. I roi cynnig ar bethau, dychmygwch weld y ddaear fel pelen gron, a'i ffurf, fel draenog, yn fil miloedd o bigau yn pwyntio i bob cyfeiriad.

Dewiswch un pigyn fel ffon ddiderfyn ei hyd, a ddichon ymestyn tua'r gofod maith. Dringwch ar hyd y ffon, i fyny fry, gan ddal i'w dilyn tua'r glesni. Ond i ble? Ni wn i ddim i ble. Dim ond y bydd y mynd hwnnw heb ddiwedd iddo'n bod.

Yn awr, dowch yn ôl i'r ddaear, a dringo'r pigyn (neu'r ffon) agosaf atoch, a byddwch yn teithio ar hyd honno hefyd ar lwybr arall sy'n ddiderfyn. Trowch wedyn at waelod y belen (tua'r deau, fel petai); neu at ochrau'r 'draenog' (fel math o ddwyrain, neu orllewin) a'u dilyn hwythau ymlaen ac ymlaen ac ymlaen. I ble, eto fyth? Nid oes neb a ŵyr i ble, dim ond eu bod yn dal i fynd i rywle. Erbyn hynny, bydd tragwyddoldeb o bellteroedd felly'n graddol barlysu meddwl poblach fel ni, gan wneud y farblen daear y trigwn arni'n beth hollol amhwysig.

Rywle yn y fan yna, jest cyn i wallgofrwydd gydio ynof, byddaf yn llamu'n ôl tuag adre, yn cloi'r drws ar dragwyddoldeb, ac yn berwi'r tegell ar gyfer peth mor ddaearol â phaned. Fel y dywedodd Job gynt, 'Wele, gwael ydwyf' ('I am of small account', yn Saesneg!).

RHAGFYR *16*

Awn hyd Fethlehem
a gwelwn y peth hwn a wnaethpwyd...
(LUC 2:15)

GELLIR BRAS-LEOLI Craig yr Aderyn yng nghwmpasoedd Llanegryn tua gwaelodion Meirionnydd. Yn yr amser gynt, roedd y môr yn bur agos i odre'r graig honno, ac yn ei hagennau nythai teulu o fulfrain, dan bysgota'n hwylus yn yr heli cyfagos.

Gyda'r canrifoedd, fe giliodd y môr o'r ardal honno, ac erbyn hyn mae'r traeth agosaf rai milltiroedd yn is i lawr. Eto i gyd, mae'r mulfrain yn dal i nythu ar Graig yr Aderyn hyd heddiw, er eu bod ymhell bell o'u cartref yn y môr.

Gŵyl baganaidd oedd y Nadolig cynnar, ar fynd ganrifoedd cyn Nadolig Bethlehem. Addolid yr haul â miri mawr, ond o weld tywyllwch Rhagfyr yn dwysáu, eid ati i danio coelcerthi rhag i'r dydd byr lwyr ddiffoddi'r haul.

Er i Fôr yr Iachawdwriaeth dorri draw ar draeth amser, wrth ddathlu'r Nadolig cyfoes, gellir dadlau mai cyndyn iawn ydym ninnau i ddod o'n tyllau a gadael hen nythod ein paganiaeth.

... yr wyf i yn mynegi i chwi
newyddion da o lawenydd mawr...
(LUC 2:10)

NADOLIG LLAWEN I CHI! Dyna gyfarchiad mynych y mis hwn. Er y byddai Nadolig 'diddan' neu 'hapus' yn burion dymuniad, eto mae'n anodd rhagori ar yr ansoddair 'llawen'. O feddwl, mae 'llawen' yn air pur ddewisol trwy'r Beibl: 'Gwna yn *llawen*, ŵr ieuanc...' (Pregethwr 11:9); 'Canys mewn *llawenydd* yr ewch allan...' (Eseia 55:12); 'A hwy a ddechreuasant fod yn *llawen*' (Luc 15:24); '... a gymerasant eu lluniaeth mewn *llawenydd*...' (Actau 2:46). Ac anogaeth Iesu, 'Byddwch *lawen* a hyfryd...' (Mathew 5:12).

Yna, wrth gwrs, y neges a glywodd y bugeiliaid: 'newyddion da o *lawenydd* mawr' (Luc 2:10). O godi trywydd y Groegwr, y Ffrancwr, y Lladinwr a'r Cymro, mae'r Sais yn cawellu'r cyfan â'r cynigion – *joy, delight, pleasure, gladness*. Pa ryfedd fod llawenydd yr ŵyl yn fflachio fel tinsel! Caiff Niclas y Glais (a Maes-y-plwm) grynhoi'r cyffro:

> A'r swp bach dwyfol yn y gwair yn glyd,
> Yn 'llond y nefoedd ac yn llond y byd'.

RHAGFYR *18*

… y seren a welsent yn y dwyrain a aeth o'u blaen hwy...
(Mathew 2:9)

MYN Y GWYBODUSION mai'r seren agosaf at ein daear ni yw'r Proxima Centauri. A'r pellter rhyngom, meddir, yw 25 o filiynau o filiynau o filltiroedd. Yn hytrach nag ymgodymu ag anferthedd y ffasiwn rif – 25,000,000,000,000 – dewisodd y seryddwyr drosi'r milltiroedd i flynyddoedd, sy'n golygu y cymer bedair blynedd a hanner i oleuni'r seren gyrraedd ein daear ni. Ffaith ysigol arall!

Felly, pe gwelem ni'r Proxima Centauri heno, nid ei gweld fel y *mae* y buasem, ond ei gweld fel yr *oedd* bedair blynedd a hanner yn ôl. Mae hi ers hynny wedi mynd yn ei blaen.

Dyna Iesu Bethlehem. Fel y seren, y mae yntau'n symud o flaen yr oes bob gafael. Ni allwn ni fyth ei oddiweddyd, llai fyth ei basio . . . dim ond ei lesg-ganlyn:

> Os gwg, os llid, mi af i'w gol,
> Mae'r wawr yn cerdded ar ei ôl.

RHAGFYR *19*

Am hynny, rhaid inni beidio â chysgu, fel y rhelyw,
ond bod yn effro a sobr.
(1 THESALONIAID 5:6)

YN ÔL Y DYDDIADUR, gwelaf mai dydd Llun olaf Rhagfyr 1945 oedd hi, a minnau'n cerdded trwy orielau Madame Tussaud yn Llundain. Roedd y modelau gwêr yn ddigon o ryfeddod – hen frenhinoedd ac arwyr cyfoes, llenorion, llofruddion, actorion, chwaraewyr a phencampwyr … cannoedd o ddelwau o'r naill ystafell i'r llall, a phob un wedi'i fferru'n solet mewn cwyr.

Toc, deuthum at ddelw o ferch oedd ar ei gorwedd. Cefais ias o fraw wrth dybio'i bod yn fyw! O graffu arni, gwelid ymchwydd anadlu ysgafn trydanol yn ei mynwes. Troi trwy'r catalog, a chael yr esboniad ar eitem 63: *Sleeping Beauty. Modelled from a lady at the Court of Versailles.*

Beth bynnag oedd enw'r dywysoges Dylwyth Teg honno, roedd Madame Tussaud wedi'i gosod i orwedd ymysg y meirw er mwyn cofio amdani'n cysgu can mlynedd. Pwy bynnag oedd awdur y llythyr at yr Effesiaid, mae'n rhaid ei fod yntau wedi cael un cip cofiadwy ar yr Eglwys fel *Sleeping Beauty* ymhlith delwau Effesus, ac iddo'i hannog i ymysgwyd: 'Deffro, di sydd yn cysgu, a chod oddi wrth y meirw...' (Effesiaid 5:14).

Deuwch yr awr hon, ac ymresymwn, medd yr Arglwydd:
pe byddai eich pechodau fel ysgarlad, ânt cyn wynned â'r
eira; pe cochent fel porffor, byddant fel gwlân.
(ESEIA 1:18)
Canys bachgen a aned i ni, mab a roddwyd i ni, a bydd y
llywodraeth ar ei ysgwydd ef: a gelwir ei enw ef,
Rhyfeddol, Cynghorwr, y Duw cadarn, Tad tragwyddoldeb,
Tywysog tangnefedd.
Ar helaethrwydd ei lywodraeth a'i dangnefedd ni bydd
diwedd, ar orseddfa Dafydd, ac ar ei frenhiniaeth ef,
i'w threfnu hi, ac i'w chadarnhau â barn ac â chyfiawnder,
o'r pryd hwn, a hyd byth.
(ESEIA 9:6-7)

RHYFEDD YW SYLWEDDOLI fod Eseia wedi proffwydo fel hyn
dros saith can mlynedd 'cyn ei ddod', ac i Elis Wyn o Wyrfai
ategu ymhellach:

> Proffwydol gerddi Seion gu
> Gydganent ar y llawr
> I ysgafnhau y cyfnos du,
> Gan ddisgwyl toriad gwawr.

I'r hen ddiwinyddion, roedd 'trefn' i hanes, ac 'arfaeth'
Duw yn amlygu'r patrwm. Ystyrier y paratoi hwn gan y 'Tri
yn Un':

> *Cyn bod* Eden ardd na chodwm -
> Grasol fwriad Duw at ddyn:
> Ethol meichiau *cyn bod dyled,*
> Trefnu meddyg *cyn bod clwy'*...

RHAGFYR *21*

Efe a wnaeth y lleuad i amserau nodedig:
yr haul a edwyn ei fachludiad.
(SALM 104:19)

BYDDAF YN EU NODI pan ddônt yn eu tro: canol Mehefin pan ddigwydd dydd hwya'r flwyddyn, a chanol Rhagfyr gyda'i ddydd byrraf. Profiad cysurlon felly yw cyrraedd at hwnnw heddiw gan wybod y bydd y rhod yn troi bellach i gyfeiriad y goleuni.

Er mai yn nwfn y gaeaf yr ydym, a bod gennym fisoedd digon trymllyd o'n blaenau, o hyn ymlaen bydd pethau'n siŵr o newid er gwell, ac ymestyn fydd yr hanes mwyach.

Ar droad y rhod fel hyn, dim ond munud neu ddau cynnil yw'r ymestyniad, ond pan daenir munudau cynyddol felly dros gyfnod o wythnosau a misoedd, bydd y gwahaniaeth yn galondid gwirioneddol.

Mae'n wir mai dyfod teyrnasiad Crist oedd y calondid y cyfeiriai Paul ato yn Rhufeiniaid 13:12: 'Y mae'r nos ar ddod i ben, a'r dydd ar wawrio.' Mae'n werth cynnwys yr hen gyfieithiad hefyd pe na bai ond am ei hyfrydwch: 'Y nos a gerddodd ymhell, a'r dydd a nesaodd...'

RHAGFYR *22*

Wele, y mae pabell Duw gyda dynion,
ac efe a drig gyda hwynt...
(DATGUDDIAD 21:3)

COVENTRY CAROL OEDD UN RECORD, ond bod crac drwg ar ei thraws. 'Wele, cawsom y Meseia' oedd y llall; honno mewn cyflwr gweddol. Er imi foduro'r holl ffordd i gartref fy mebyd i fenthyg yr *Hallelujah Chorus*, roedd traul y blynyddoedd wedi pylu nodau ucha'r record honno.

Noson o recordiau Nadolig ar gyfer Cymdeithas y Capel oedd hi, ac o gysidro'r defnydd prin a brau oedd ar gael bryd hynny, fe aeth pethau'n burion. Eto, rhyw fusnes digon trafferthus oedd y cyfan. Ac ar ôl paratoi cymaint ymlaen llaw, bu'n rhaid dychwelyd pob record a fenthyciwyd, gan ofalu peidio â chracio na sgriffinio'r deunydd bregus.

Sut bynnag, ar gyfer y Nadolig dilynol, roeddwn wedi prynu set feinyl o bedair record o Oratorio Handel, gyda pherfformiad llawn gan gôr y London Philharmonic. Ac felly y daeth y 'Messiah' i'n tŷ ni.

Tybed na chafodd yr Anfeidrol drafferthion tebyg gydag arweinwyr a phroffwydi'r genedl? Pob un o'r rheini'n fregus, yn heneiddio, yn torri'i galon neu'n troi yn ei garn – y craciau anochel yn hanes y record ddynol! Nes o'r diwedd i'r Arglwydd benderfynu nad oedd ond un ffordd ymwared, sef dod yma'i Hunan: '...y Gair a wnaethpwyd yn gnawd, ac a drigodd yn ein plith ni...' – bod y Meseia wedi dod i berthyn 'i'n tŷ ni', fel petai.

RHAGFYR 23

Ac wedi geni'r Iesu ym Methlehem Jwdea, yn nyddiau
Herod frenin, wele doethion a ddaethant o'r dwyrain i
Jerwsalem, gan ddywedyd, Pa le y mae'r hwn a anwyd yn
Frenin yr Iddewon? canys gwelsom ei seren ef yn y dwyrain,
a daethom i'w addoli ef.
(MATHEW 2:1-2)

Trwy sioe bapur sidan amryliw y llan,
A gwreichion y tinsel ar daen ym mhob man,
Feseia'r Nadolig, Oleuni y Byd,
Tywynned y Seren i'n dallu i gyd.

O'r farchnad frasterog lawn ffwndwr, lawn blys,
Â'r gwerthwr teganau bargeiniwn mewn brys,
Feseia'r Nadolig, rho daw ar y ffair,
A dangos y Trysor a aned o Fair.

Os crac sy'n y clychau, os brau ydyw'r rhaff,
Mae metel ein bomiau Cristnogol yn saff;
Feseia'r Nadolig, cyn ffrwydro'r holl fyd,
Rho inni'r Tangnefedd sy'n gariad i gyd.

RHAGFYR *24*

A'r Gair a wnaethpwyd yn gnawd...
(IOAN 1:14)

WRTHI'N PARATOI defnydd ar gyfer Gŵyl y Geni yr oeddwn, ac er mwyn rhoi math o gychwyn ar bethau, ysgrifennais frawddeg nad oedd, yn wir, ond gosodiad digon ffwrbwt: 'Dyma yw'r Nadolig.'

Wrth syllu'n eithaf diamcan ar y geiriau, yn y munud wele'r llythrennau – pedair ar ddeg ohonyn nhw – yn dechrau ymwáu trwy'i gilydd ac ymgymysgu'n ddyrys. Teimlwn awgrym yn magu yn fy meddwl y gallai gair arall fod yn ymguddio yng nghorff y frawddeg oedd o'm blaen. Ac eto, bernais fod hynny'n ormod i'w ddisgwyl, a bod cyd-ddigwyddiad o'r fath yn gwbl amhosibl.

Dechreuais osod y gair 'amhosibl' hwnnw wrth ei gilydd gan groesi allan bob llythyren a fenthyciwn o'r frawddeg wreiddiol. Yn wir, yn wir, roedd y gosodiad newydd fel petai am ddal ei dir … ond tybed a fyddai digon o lythrennau'n sbâr i'w gyfannu'n grwn?

Erbyn y diwedd, roeddwn yn dal fy ngwynt rhag i'r cwbl chwalu mewn siom. Ond fe ddaeth y gair yn berffaith gryno i'w le, ar wahân i adael dwy lythyren ddiangen ar ôl. O bopeth annisgwyl, rhoes y ddwy hynny y fannod 'yr' imi fel urddas terfynol i'r Gair. (Nid anaddas bellach yw rhoi priflythyren iddo, fel y 'Gair a wnaethpwyd yn gnawd' yn Ioan 1:14.) A hon yw'r wyrth a welodd fy llygaid y diwrnod hwnnw:

DYMA YW'R NADOLIG
YR YMGNAWDOLIAD

RHAGFYR 25

Canys ganwyd i chwi heddiw Geidwad yn ninas Dafydd,
yr hwn yw Crist yr Arglwydd.
(LUC 2:11)

RYWBRYD YNG NGHANOL pedwardegau'r ganrif ddiwethaf y dechreuodd yr hwyl, pan ddigwyddodd Cledwyn (o Dal-y-sarn), Merêd (o Danygrisiau) a minnau (o Lanystumdwy) daro ar ein gilydd uwchben coffi boreol y coleg ym Mangor, a lled-ganu gyda'n gilydd mewn harmoni. Dyna pryd y mentrodd Sam Jones o'r BBC ollwng Triawd y Coleg ar glyw'r genedl. Gydag amser, daeth yn arfer gennym ganu'r garol 'Dawel Nos' a 'Carol y Blwch' bob Nadolig wrth ddarlledu'r Noson Lawen o Neuadd y Penrhyn.

Un diwedd Rhagfyr, derbyniodd y BBC lythyr oddi wrth Dr Theodor Kremer o Bafaria yn egluro sut y bu'n troi nobiau ei set radio un noson ac iddo glywed y garol 'Stille Nacht' (yn wreiddiol o'i wlad ei hunan) yn cael ei chanu mewn iaith na chlywodd erioed mohoni o'r blaen.

Felly y digwydd pethau pan yw'r Llawenydd Mawr ar ei siwrnai: Carol Bethlehem, Carol Bangor, Carol Bafaria – ni waeth o ble y'i cenir na fydd y tonfeddi'n cipio'r neges nes bod y Newyddion Da yn llonni nef a daear unwaith eto, a'r eco'n atseinio rhwng creigiau Eryri a'r Alpau uchel – fel y tystia Marc 1:28: 'Ac aeth y sôn amdano ar led ar unwaith...'

Bydded Nadolig gwir lawen i chwithau a'ch anwyliaid, yn agos ac ymhell.

RHAGFYR 26

A phan ddaethant i'r tŷ, hwy a welsant y mab bychan gyda
Mair ei fam; a hwy a syrthiasant i lawr, ac a'i haddolasant
ef: ac wedi agoryd eu trysorau, a offrymasant iddo
anrhegion; aur, a thus, a myrr.'
(MATHEW 2:11)

DRANNOETH YR ŴYL, byddid yn agor y Blwch (y *Christmas Box*) ac yn rhannu anrhegion i dlodion yr ardal. Yn rhaglenni radio Nadolig pedwardegau'r ganrif a basiodd, roedd 'Carol y Blwch' yn ffefryn mawr gan Driawd y Coleg, ac o'i chanu'n ddigyfeiliant, teimlem fod iddi awyrgylch dra hynod.

> Gwrandawed pob enaid ar gennad o'r llys
> A ddaeth o Gaersalem i Fethlem ar frys;
> Pob organ mewn cywair, pob telyn mewn hwyl,
> A myrdd o angylion yn cadw dydd gŵyl.
>
> Arweiniwyd rhyw seren uwch Bethlem a'i phyrth,
> I ddangos i'r doethion arwyddion o wyrth;
> O! Gabriel, O! Gabriel, rhaid dangos y tlws,
> O! dos â'r bugeiliaid i ymyl y drws.
>
> Rho gân i'r cantorion, a chana dy hun,
> Gogoniant i'r nefoedd, tangnefedd i ddyn;
> Caed prifnod y nefoedd, Duw diddig, Duw da,
> Rho Flwch aur y Dolig yn glennig i gla'.

RHAGFYR 27

Golch fi yn llwyr ddwys oddi wrth fy anwiredd...
(SALM 51:2)

PAN DDAW'R DYLANWAD estron i bylu'r glendid, mae'r Eglwys yn colli'i grym yn ddi-feth: 'ei *grym* yw bod yn *lân*'.

Barnaf fod yna egwyddor yn y cread sy'n pledio'n ddiollwng dros lendid. Onid yw'r cnawd sydd yn ein cyrff yn cyson ddadlau dros fod yn lân?

Beth bynnag yw dirgelion trydan yn y cread, onid yw hwnnw hefyd yn dadlau dros lendid? Cofiaf Nadolig pell, pell yn ôl pan gafodd y bachgen drên trydan yn anrheg. Roedd ei bleser y tu hwnt i eiriau wrth wylio'r injan fach yn rhygnu rownd a rownd gydol y dydd – ac felly hyd at bnawn drannoeth pan ddaeth popeth i stop sydyn. A'r grym a fu yn y trên bach wedi darfod yn hollol.

Er archwilio popeth yn fanwl, ni ddaeth ateb i'r dryswch nes darllen y daflen a ddaeth gyda'r set: 'The rails must be kept clean.' Wrth i'r teulu gerdded yn ôl a blaen trwy'r ystafell, onid oedd y llwch o dan draed yn magu'n haen ar ddisgleirdeb y rheiliau? Ac am i'r cyswllt metel gael ei lygru, ataliwyd y trydan rhag llifo.

Nid Manweb fu'n protestio. Nid y daflen fach chwaith. Daeth y trydan sydd yn y Cread Mawr gyda'i orchymyn: 'Cadw bethau'n lân! Fedra i ddim gweithio ... yn wir, *wna* i ddim gweithio heb i bob cyswllt fod yn lân o bob llychyn.'

Pan eisteddo llwch estron ar ddisgleirdeb yr Eglwys, mae hithau'n colli'i grym bob gafael. Ni ddaw'r Pŵer Mawr yn ôl heb i gyswllt yr Eglwys ag ef gael ei lanhau'n llachar olau. 'Ei grym yw bod yn lân...'

RHAGFYR *28*

Syr, ni a ewyllysiem weled yr Iesu.
(IOAN 12:21)

GOFIWCH CHI'R LLYFR lliwgar hwnnw a gaem ar Ŵyl y Nadolig a'r ddalen ganol yn orlawn o ddarluniau teganau? Beic, car bach, parseli, pêl, ffrwythau, melysion, coeden Nadolig, dol, trên bach, ffedog nyrs, tractor ... Byddai anrhegion y plant ar draws y darlun blith draphlith. Ond y gamp y tu ôl i'r cyfan oedd dod o hyd i Santa Clos. Er troi'r ddalen roddion bob siâp – i fyny, i lawr, ar hyd ac ar led, yn ôl ac ymlaen, yn wysg ei hochr ac ar letraws – nid oedd modd ffeindio Santa yn un man.

Yna'n sydyn, bloedd! Mae un o'r plant wedi'i weld yn gwbl eglur. Dyna pryd y sylweddolwyd mai Santa Clos *oedd y darlun i gyd*, dim ond fod y teganau am ryw hyd wedi'i guddio'n gelfydd o'r golwg.

Ar ôl hynny, byddai peth rhyfedd iawn yn digwydd: un waith y gwelwyd Santa Clos, roedd y RHODDION yn diflannu o flaen ein llygaid, heb neb yn aros wedyn ond y RHODDWR.

Gallwn ninnau fod wedi gwirioni sawl canwaith ar roddion y ddaear hon. Ond unwaith y gwelwn RODDWR BYWYD, mae teganau gwael y llawr yn diflannu i rywle:

> Ac wrth fyfyrio ar dy waed,
> Fe gŵymp pob delw dan fy nhraed.

RHAGFYR *29*

Ac yn ddi-ddadl, mawr yw dirgelwch duwioldeb...
(1 Timotheus 3:16)

WRTH I'R FLWYDDYN hon dynnu tua'i therfyn, sylwer ar Ioan Brothen yn cyffwrdd 'Tri Chyfnod Oes':

> Awr o wanwyn tirionaf – bore oes
> Heibio'r aeth yn araf;
> Hon yn wir yw awr nawn haf,
> Awr noswyl ydyw'r nesaf.

O fynd yn ôl ganrifoedd, down at Rhys Prichard o Lanymddyfri. Er mor rhugl yw canu'r 'Hen Ficer', ni ddylid colli aruthredd ei syniadau:

> Awn i Fethlem i gael gweled
> Mair, a Mab Duw ar ei harffed;
> Mair yn dala rhwng ei dwylo
> Y Mab sy'n cadw'r byd rhag cwympo.

Yn nes ymlaen, cais egluro fod y plentyn a aned ym Methlem yn Dduw, a bod y Duw hwnnw hefyd yn Dad i bawb. Gan gofio mai geneth feidrol o'r enw Mair a esgorodd arno, ac a'i magodd, mae synio am ferch yn rhoi genedigaeth i'w thad yn ein gadael mewn astrusi diwinyddol dirfawr:

> Y ferch yn magu'i Thad o'i rwymyn,
> A'r Tad yn sugno bronnau'r plentyn.

RHAGFYR *30*

Meddwl iach yw iechyd y corff...
(Diarhebion 14:30)

Yn niwedd Rhagfyr 1999, oedfa olaf un Seion, Penmorfa, oedd angladd Dafydd Roberts, a fu'n flaenor yno am gryn hanner can mlynedd. Honno, yn wir, oedd oedfa ola'r ugeinfed ganrif i'r eglwys fach.

Cymeriad bonheddig a hyfryd oedd Dafydd Roberts, yn ddiwyd gyda gofalon y capel, yn meddwl y byd o'i deulu, ac yn sgwrsiwr gyda'r mwyaf diddan. Wedi oes o iechyd da, dechreuodd glafychu wrth dynnu tua phen eithaf ei wythdegau a bu yn Ysbyty Gwynedd droeon yn cael sylw i'w glun, ac yna i gyflwr ei waed.

Yn ei gartref, bu ei feddyg lleol, oedd yn Saesnes, yn eithriadol o deyrngar iddo. Hyd heddiw, mae hi'n dal i gofio un sylw a wnaeth: 'I want to die a healthy man.'

Yr hyn a olygai, bid siŵr, oedd ei fod yn dymuno ymado heb orfod ymrwyfo'n ormodol mewn poenau, heb ffwndwr colli synhwyrau a heb beri trafferth iddo'i hun nac i neb o'i deulu. Gan mai mynd fyddai raid yn hwyr neu'n hwyrach, dymunai ymadael mor 'iach' ag oedd bosibl o dan yr amgylchiadau – 'a healthy man'.

Ac felly'n union y bu. Ni synnwn na fedrodd yntau ddweud fel y Dafydd arall hwnnw: 'Yr Arglwydd yw fy mugail . . . nid ofnaf niwed...'

RHAGFYR *31*

Daioni a thrugaredd yn ddiau
a'm canlynant holl ddyddiau fy mywyd...
(SALM 23:6)

AR UN PEN i'r Cob sydd rhwng Porthmadog a Minffordd, mae yna dollborth lle gollyngir y drafnidiaeth i'w hynt wedi i bob modur dalu toll – chwe cheiniog, yn yr hen arian gynt. Un cymeriad a fyddai'n casglu'r dreth honno wrth y porth oedd Johnnie Lloyd Morris.

Ar bnawn prysur yn anterth y tymor ymwelwyr, roedd hen ffarmwr cefnog wedi arafu'i gerbyd wrth giât y Cob, ond pur gyndyn ydoedd i ollwng y pisyn chwech o'i law. O'i weld felly yn crintach fargeinio (wnelo â chwe cheiniog), heb sôn am atal y llif moduron oedd yn crynhoi y tu cefn i'w gerbyd, dyma Johnnie Lloyd yn plygu at ffenest y car ac yn dweud wrth yr amaethwr cwta:

'Gwrandwch, ddyn! Mi ddowch chi at giât ryw ddiwrnod – ac yn fanno mi fydd yn rhaid i chi adael y blwmin lot!'

A dyma ninnau bellach wrth borth Blwyddyn Newydd arall. Talwch eich ffordd – a siwrnai dda ymlaen i chi!

A chofiwch! Fesul cam, gyda digon i'r diwrnod, fydd y patrwm.

NODIADAU

O Arglwydd, at bwy yr awn ni?
Gennyt ti y mae geiriau bywyd tragwyddol.
(IOAN 6:68)

Byddwch lawen gyda'r rhai sydd lawen,
ac wylwch gyda'r rhai sydd yn wylo.
(RHUFEINIAID 12:15)

Byddwch yn barod bob amser i roi ateb i bob un fydd yn ceisio gennych gyfrif am y gobaith sydd ynoch.
(1 PEDR 3:15)

O anadl, tyred oddi wrth y pedwar gwynt,
ac anadla ar y lladdedigion hyn, fel y byddont byw.
(ESECIEL 37:9)

Pan elych trwy y dyfroedd, myfi a fyddaf gyda thi.
(ESEIA 43:2)

Oblegid ynddo ef yr ydym ni yn byw,
yn symud, ac yn bod...
(Actau 17:28)